Les enfants
de Roches-Noires

DE LA MÊME AUTEURE

Persil frisé, nouvelles, Val-d'Or, D'Ici et d'ailleurs, 1992.

À la recherche d'un salaud, polar, Val-d'Or, D'Ici et d'ailleurs, 1995.

Fleurs de corail, roman, Boucherville, De Mortagne, 1995.

La maison du puits sacré, roman, Boucherville, De Mortagne, 1997.

Collectif, *Quartiers divers*, nouvelles, Hull, Vents d'ouest, 1997.

Meurtres à la sauce tomate, comédie policière, Hull, Vents d'ouest, 1999.

Rapt, polar, Montréal, De Beaumont, 2000.

Collectif, *Abitibissimo*, nouvelles, Montréal, De Beaumont, 2000.

Fleur invitait au troisième, polar, Hull, Vent d'ouest, 2001.

La revanche des dieux, roman, Chicoutimi, JCL, 2002.

Rumeurs et marées, roman, Gatineau, Vents d'ouest, 2002.

Collectif, *AZ-3 - livre 1*, haïkus, Montréal, Adage, 2003.

Collectif, *AZ-3 - livre 2*, haïkus, Montréal, Adage, 2005.

Collectif, *Félinement vôtre*, nouvelles, Ottawa, Du Vermillon, 2006.

Collectif, *L'Érotique*, poésie, Bruxelles, Biliki, 2006.

Collectif, *Le sang sur la chantepleure*, nouvelles, Rosemère, Gensen, 2006.

Gabrielle en vacances au Mexique, roman jeunesse, Ville-Marie, Les éditions Z'ailées, 2007.

Crapules et Cie, roman didactique, Ville-Marie, Les éditions Z'ailées, 2008.

Collectif, *Regards de femme*, poésie, Montréal, Adage, 2008.

Météo surprise, roman jeunesse, Ville-Marie, Les éditions Z'ailées, 2008.

Collectif, *Sept contes d'Ici et d'Ailleurs*, contes, Ville-Marie, Les éditions Z'ailées, 2009.

ANNE-MICHÈLE LÉVESQUE

Les enfants de Roches-Noires

Ceux du fleuve

Tome 1

Hurtubise

Catalogage avant publication de Bibliothèque et Archives nationales du Québec et Bibliothèque et Archives Canada

Lévesque Anne-Michèle, 1939-

    Les enfants de Roches-Noires

    Sommaire: t. 1. Ceux du fleuve.

    ISBN 978-2-89647-222-2 (v. 1)

    I. Titre. II. Titre: Ceux du fleuve.

PS8573.E961E54 2009   C843'.54   C2009-941291-8
PS9573.E961E54 2009

Les Éditions Hurtubise bénéficient du soutien financier des institutions suivantes pour leurs activités d'édition:

- Conseil des Arts du Canada;
- Gouvernement du Canada par l'entremise du Programme d'aide au développement de l'industrie de l'édition (PADIÉ);
- Société de développement des entreprises culturelles du Québec (SODEC);
- Gouvernement du Québec par l'entremise du programme de crédit d'impôt pour l'édition de livres.

Ce livre se veut conforme aux rectifications orthographiques, mieux connues sous le nom de «réforme de l'orthographe», proposées par le Conseil supérieur de la langue française en 1990 et appuyées par l'Académie française ainsi que par l'Académie des lettres du Québec.

Graphisme: René St-Amand
Illustration de la couverture: Polygone Studio
Maquette intérieure et mise en pages: Andréa Joseph [pagexpress@videotron.ca]

Copyright © 2009, Éditions Hurtubise inc.

ISBN 978-2-89647-222-2

Dépôt légal: 4ᵉ trimestre 2009
Bibliothèque et Archives nationales du Québec
Bibliothèque et Archives du Canada

Diffusion-distribution au Canada:
Distribution HMH
1815, avenue De Lorimier,
Montréal (Qc) H2K 3W6
Téléphone: (514) 523-1523
Télécopieur: (514) 523-9969
www.distributionhmh.com

Diffusion-distribution en Europe:
Librairie du Québec/DNM
30, rue Gay-Lussac
75005 Paris FRANCE
www.librairieduquebec.fr

Imprimé au Canada
www.editionshurtubise.com

À mon père
Rosaire Lévesque,
qui avait la mémoire du fleuve

À ma fille Brigitte,
qui m'a parlé de « ces affaires-là... »

mouvement des navires
mouvement des marées
j'avais le mal de mort
et sans même en mourir
comme d'autres ont le mal de mer
sans pouvoir le vomir

Jacques Prévert

En lisant ce roman vous :

connaitrez la famille Lepage

Pierre-Paul Lepage	père
Rose-Délima	mère
Antoine	fils ainé
Bernard	fils
Carmelle	épouse de Bernard
Claude	fils
Alice	épouse de Claude
Donat	fils
Émile	fils
Florian	fils
Fleur-Ange	fille
Germain	benjamin
Ludovic Lepage	frère de Pierre-Paul
Fernande	épouse de Ludovic
Mathilde Gosselin	sœur de Rose-Délima
Hormidas Langelier	époux de Clarisse
Clarisse	sœur de Rose-Délima

rencontrerez la famille Bernier

Zotique Bernier	père
Gemma	mère
Louis Joseph	fils ainé
Blanche	fille ainée
Alice	fille, épouse de Claude
Philippe	benjamin
Rosaire Lévesque	frère de Gemma, échevin et gardien de phare
Jean Tardif	époux de Blanche

dialoguerez avec les notables

Adélard Bigot	curé
Clémence	sœur du curé, ménagère
Désiré Desbiens	notaire
Renée	fille du notaire
Reine	fille du notaire
Réjeanne	fille du notaire
François-Xavier Lemieux	médecin
Gérard Ruest	maire et aubergiste
Jean	fils de l'aubergiste

causerez avec les villageois

Alphée Arsonnault	marchand général
Lucille Bonenfant	voisine des Lévesque
Albert	mari de Lucille
Yvonne Desrosiers	cliente du peddler
Léocadie Proteau	voisine des Lévesque
Henri	mari de Léocadie
Joseph Pineau	père de famille
Lucette	fille de Joseph
Michelle	fille de Joseph
Marie-Berthe Thériault	infirmière

et bavarderez avec les rapportés

Zachary Bernstein	peddler
Edmond Gallant	curé de Morlieux
Mary O'Shaunessy	fiancée d'Antoine Lepage
Mère Saint-Constant	religieuse enseignante
Monseigneur Sansoucy	archevêque

Avant-propos

Située dans le Bas-Saint-Laurent, face au village côtier de Roches-Noires, l'Isle-aux-Brumes est une bande de terre à la morphologie tarabiscotée. Garnie de falaises, la rive nord accueille de nombreux visiteurs ailés. Guillemots à miroir, goélands marins et grands cormorans y font plus ou moins bon ménage, se disputant l'espace à grands cris rauques.

Si, par temps clair, on arrive à distinguer l'Isle-aux-Brumes à partir de la côte, on ne peut cependant y accoster que par une petite crique, nichée dans la partie qui donne sur le large. C'est à se demander ce que les insulaires, peu nombreux à vrai dire, sont venus chercher et pourquoi ils y demeurent toujours.

Sur cette île vit Rose-Délima Gosselin avec sa mère et ses deux sœurs, Clarisse et Mathilde. Comme toutes les jeunes filles, Rose-Délima rêve du prince charmant.

❧

Pierre-Paul Lepage habite Roches-Noires, un village qui s'étale le long de la côte sur deux kilomètres et s'enfonce ensuite dans les terres. Roches-Noires est scindé en deux clans bien distincts : « ceux de la terre », fermiers, maraichers ou commerçants ; et « ceux du fleuve », qui regroupent pêcheurs et navigateurs. Vivre de la mer vous confère une supériorité indéniable, prétendent ceux du fleuve. Quant à ceux qui tirent leurs maigres revenus de la terre, ils sont considérés comme des individus de qualité inférieure avec qui on condescend, à l'occasion, à traiter, quand on ne peut vraiment pas faire autrement.

Entre les clans, les affrontements sont courants, fondés tant sur une séparation géographique que sociale. La rivalité qui les oppose remonte à des temps immémoriaux et ne repose sur rien de précis ni de tangible.

Aux deux clans se mêle parfois un troisième groupe : les «neutres». Ceux qui, de par leur profession, ne peuvent être associés à aucun parti. N'étant ni du fleuve ni de la terre, le médecin, le notaire et l'aubergiste sont membres d'une catégorie à part. On leur reconnait d'emblée une qualité extraterritoriale. De plus, chaque clique étant tributaire de leurs services, on ne les prend pas à partie pendant les innombrables altercations à l'auberge, qui n'ont souvent d'autre but que celui de se distraire pendant les longs mois d'hiver.

En visite sur l'Isle-aux-Brumes, Pierre-Paul sauvera la vie de Rose-Délima et cet épisode, romantique à souhait, marquera le départ d'une idylle dont la conclusion sera le mariage. Ainsi, Rose-Délima verra-t-elle, jour après jour, son prince charmant se transformer et perdre son charme.

Car Pierre-Paul a un secret que son épouse pressent. Un secret qui, dévoilé, provoquera l'éclatement de deux familles et marquera, pour Rose-Délima, la fin de ses rêves.

Chapitre 1

Le sauvetage

Je devais ben avoir onze ou douze ans quand j'ai découvert une cachette parfaite. En marchant proche du bord, j'étais rentrée dans une grotte qui donnait sur le large. Il faisait noir, je voyais pas grand-chose, mais en m'avançant, j'ai cru voir une lumière. Fallait virer à drette, pis là, il y avait une autre grotte, pas mal plus grande, avec un trou en haut, au plafond. C'était par là que la lumière venait. C'était pas disable comment c'était beau. On aurait dit une cathédrale. À ma connaissance, parsonne avait jamais été là avant moi. J'avais décidé que ça serait comme ma deuxième maison, une place où c'est que je pourrais être sans que mes sœurs viennent sentir dans mes affaires; une place pour rester des heures à regarder pis à écouter le fleuve. Je venais aussi souvent que je pouvais, mais fallait que je fasse attention à la marée. Si la marée montait pendant que j'étais dans deuxième grotte, c'était des plans pour périr neyée, comme mon père.

Je l'ai quasiment pas connu, mon père. Il était tout le temps parti icitte et là pour de l'ouvrage. Il est mort quand le pont de Québec a tombé dans le fleuve. J'avais juste sept ans, ça fait que je me rappelle de lui rien que par petits bouttes. Juste des images qui flottent dans ma tête. La mère chez nous en parlait souvent.

— C'était un homme dépareillé. Je vous souhaite de rencontrer aussi ben, les filles.

Les filles, c'étaient Mathilde, Clarisse pis moi, Rose-Délima. J'étais la plus jeune, la plus effrontée itou, qu'a disait, ma mère.

— Celle-là, pas moyen de savoir où elle va quand a part pour des heures. En toué cas, Rose-Délima, que j'apprenne jamais que t'as été courailler avec les garçons parce que tu vas m'entendre, je t'en passe un papier.

Je voulais pas que parsonne connaisse mon secret, ça fait que je disais rien. J'aimais mieux me faire chicaner.

Le jour de mes douze ans, comme j'avais passé quasiment toute la journée à la grotte, je m'attendais à ce que la mère me dise sa façon de penser, mais c'est pas ça qu'est arrivé. Quand je suis rentrée, elle mettait une serviette d'eau frette sur le front de mon frère Alcide, qui toussait sans bon sens. Ça faisait déjà quatre jours qu'il était malade.

— Je crairais que c'est la grippe espagnole. Mathilde, mets de l'eau dans bassine pis apporte-moé ça. Faut pas laisser la fièvre monter. Déjà, il est bouillant. Clarisse, va tirer la Roussette, je m'en suis pas occupée de la journée, pis toé, Rose-Délima, donne à manger aux poules, aux lapins itou. Rentrez pas dans chambre pour pas attraper le mal de votre frère. Mon Dieu, vous allez pas me prendre mon garçon, y a déjà ben assez de son père qu'est parti ! Faites qu'il guérisse, mon gars, pis je promets de dire un rosaire toutes les jours.

Je rentrais juste de donner à manger aux poules quand mon autre frère, Roméo, est arrivé la face rouge, en chambranlant.

— Roméo ? Qu'est-ce que t'as pour l'amour ? Si t'es soul, la mère sera pas contente.

Il m'a pas répond. Il m'a regardée d'un drôle d'air, pis il a tombé en faillance, drette devant la porte.

— Sa mère ! Venez vite !

Ça devait faire une couple de jours que Roméo filait pas sans le dire. En le voyant à terre, la mère s'est mise à crier.

— Les filles, venez m'aider, vite ! On va le coucher. Oh, mon Dieu, sainte misère, dites-moé pas que je vas parde mes deux gars! Sainte mère de Dieu, vous le savez, vous, comment c'est qu'on se sent quand son gars meurt, vous viendrez pas chercher les miens, hein?

Alcide est mort dans journée, Roméo a suivi dans nuitte. On les a enterrés le lendemain. Fallait pas retarder à cause que c'était une «maladie contagieuse», qu'ils appelaient ça. C'est mononcle Jules, le frère de ma mère, qu'a creusé la fosse. On les a mis toutes les deux dans le même trou. Pas de cercueil. Celui qui les faisait sur l'ile était mort la semaine d'avant.

Alcide pis Roméo sont enterrés à côté de mon père. Mais il manque une tombe. Celle de mon frère Germain, le plus vieux. Lui, il est mort de l'autre bord, dans les vieux pays, pendant la guerre. Il est enterré à Vimy, une place qu'on sait même pas où c'est que c'est, qu'on peut même pas aller prier sur sa tombe.

Chaque 9 avril, qu'est la date où ce que le Canada a «gagné» contre les Allemands à Vimy, la mère se part une braille qui dure presque toute la journée. Mon frère s'était porté volontaire à l'armée en disant qu'il faisait son devoir pis qu'il nous enverrait de l'argent. Pis il est mort pour un roi d'Angleterre de l'autre bord qu'on connait même pas.

Ma mère va toutes les jours au cimetière et pis elle voudrait ben qu'on fasse pareil, nous autres, les filles. Moi, je peux pas dire que ça m'intéresse ben gros, malgré que quand mon frère Alcide est parti, j'ai braillé en masse. J'étais son chouchou, il me trainait partout.

Après les funérailles, mononcle Jules est venu rester avec nous autres. C'était un vieux garçon, il disait tout le temps qu'il était ben content d'avoir trouvé une famille toute faite sans avoir besoin de se mettre la corde au cou. La vérité, c'est que le curé avait dit que ce serait plus convenable s'il y avait un homme dans maison. La mère était contente d'avoir son frère avec elle. Nous autres, les filles, on était pas fâchées d'avoir quelqu'un pour faire l'ouvrage dur.

Je pense que c'est le dimanche qu'a suivi le décès de mes frères qu'on a su toutes les dommages que ça faisait, c'te grippe-là. Des mille pis des mille morts. Le curé est monté en chaire pis il a annoncé que les docteurs disaient que c'était mieux de rester chez nous, rapport à la contagion. Les écoles, les salles de danse, les petites vues, toute était farmé. Le curé a dit itou que les ceusses qui aimaient mieux pas venir à messe du dimanche à cause qu'ils avaient peur d'attraper la grippe, ben ils recevraient l'absolution à condition de prier pendant le même temps que la messe. L'église restait ouvarte, qu'il a dit, le curé :

— L'église ne fermera pas ses portes. On n'interdit pas la maison de Dieu. Ceux qui voudront venir prier seront les bienvenus. Car avant tout, recourons à la prière. Supplions le Seigneur d'épargner notre pays. Adressons-nous à la Vierge Marie, Notre-Dame-de-Bon-Secours, et disons fidèlement le chapelet à cette intention…

Par après, j'ai toujours continué d'aller dans grotte, mais j'ai jamais dit à parsonne où c'est que j'allais, même quand ma mère chicanait.

— T'approche tes dix-sept ans, t'es pus en âge de courailler nu-pieds sur la grève. Tu serais ben plus en âge de te marier.

— Me marier ? Pourquoi moi ? Clarisse pis Mathilde sont plus vieilles pis a sont pas mariées, elles.

— Clarisse fréquente sérieusement. Et pis, plus vieille ou pas, c'est toé qu'Hormidas Langelier veut. Il a fait dire que son père allait venir demander ta main à soir.

— Ben vous y direz que ma main, il l'aura pas. M'en vas aller me promener pis j'emmène ma main avec moi. Ça fait que vous avez juste à y dire que vous savez pas où c'est qu'elle est rendue, ma main.

C'est sorti de même, tu seul. Sur le coup, ma mère est restée sans parler. C'est Clarisse qui a commencé à m'échiner.

— Rose-Délima Gosselin, maudite effrontée, voir si c'est des affaires à dire à sa mère ! Parle donc avec ta tête ! Hormidas, c'est un saudit bon parti, son père a du bien.

— Toi, Clarisse, achale-moi pas. T'as juste à le marier, Hormidas, si tu le trouves aussi fin que ça.

— Tu peux être sure que si y me voulait, je dirais pas non.

— Clarisse! Rose-Délima! Non, mais qu'est-ce que j'ai fait au bon Dieu pour avoir des filles de même! Dites-moé pas que je vas être pognée avec trois vieilles filles.

Avant que parsonne aille pu rien dire, j'ai sortie en courant pour aller me cacher dans ma deuxième maison. J'étais énarvée ça fait que j'ai pas fait attention que la marée était pour monter.

Il y avait des roches plates en masse pour s'assire pis jongler. J'entendais les petites vagues, je voyais le soleil qui brillait dessus. J'avais pas envie pantoute de me marier. L'Hormidas, il aurait peut-être du bien plus tard, mais il avait une dent de travers qui sortait même quand sa bouche était farmée. C'était pas ben beau et pis j'avais peur que si j'avais des enfants avec lui, ils seyent pareils. Moi, ça m'aurait rien fait de rester tout le temps avec la mère pour l'aider.

Des filles qui restaient à maison, j'en connaissais en masse. Mon amie Armandine restait chez eux pour prendre soin de sa mère. C'est vrai qu'a l'était la seule fille. Mais si Clarisse pis Mathilde se mariaient, moi itou je serais la seule fille.

Des fois, quand on parlait, Armandine pis moi, elle disait que ma mère devrait se remarier.

— Peut-être qu'a l'aurait d'autres enfants?

— Es-tu folle, Armandine Gauthier? Ma mère est ben trop vieille pour avoir des enfants. A l'a au moins quarante ans.

— Ben toi, d'abord? Toi, t'es pas trop vieille pour avoir des enfants si tu maries Hormidas.

— Des enfants, des enfants? Y a pas juste ça dans vie, tu sauras, Armandine.

— Ah, non? Que c'est qu'y a d'autre, d'abord?

J'aurais voulu demander à Armandine comment on faisait pour avoir des enfants, mais peut-être qu'elle le savait pas elle

non plus. On était deux belles niaiseuses ! Il faudrait que je
jongle à un autre moyen de le savoir. Ah, c'est sûr que j'avais
déjà vu ça, une femme qui attendait. Je savais ben que les
bébés étaient dans le ventre des femmes. Mais comment qu'y
faisaient pour rentrer là ? Pis pour sortir ? Pas par la bouche.
Un bébé, c'était ben trop gros pour ça. Pis pas par en bas,
c'était péché de se toucher là. Je savais vraiment pas.

J'avais ôté mes souliers pour pas les mouiller pis je les
avais mis sur une autre roche. Tout d'un coup, y en a un qu'a
tombé à l'eau. Aïe ! La mère serait pas contente. Je l'entendais
déjà crier :

— Parde un soulier ! Veux-tu ben me dire comment t'as
fait ton compte ? Quand est-ce que tu vas avoir du plomb
dans tête, donc ? Voir si on a les moyens d'en acheter des
neufs !

J'étais mieux de retrouver ce soulier-là au plus coupant. Je
me suis penchée pis j'ai reçu des embruns en pleine face. Ça
bruinait. L'eau avait commencé à monter dans grande ouver-
ture de la grotte. Ah, ben laisse faire le soulier, fallait que je
me dépêche si je voulais pas être pognée pour attendre huit
heures que la marée descende pis faire mourir ma mère
d'angoisse, comme si était pas assez énarvée de même avec le
père de l'Hormidas qui s'en venait.

Je faisais ben attention, mais le pied m'est parti tout d'un
coup. J'ai glissé, j'ai tombé à l'eau. Ah, c'était pas ben grave,
elle était pas creuse. En seulement, mon pied me faisait mal
sans bon sens. J'ai essayé de me lever deboutte pour sortir,
mais j'ai tombé encore une fois. Ma robe était toute mouillée.
L'eau m'a refrisé dans face pis j'ai avalé une grande gorgée
salée. C'est là que j'ai commencé à avoir peur. D'un coup je
me neyerais ? Je pouvais ben crier au secours tant que je
voulais, y avait jamais parsonne qui passait dans le boutte.
C'était pour ça que je l'aimais, c'te grotte-là. J'en avais même
pas parlé à Armandine.

C'est ben beau être tu seule quand c'est toi qu'a décidé,
mais quand tu peux pas te sortir de ton embarras, c'est une

autre affaire. J'étais tellement découragée que je me suis mise
à brailler comme un veau.

— Je veux pas me neyer ! Sivouplait, mon Dieu, laissez-
moi pas me neyer !

Pis là, j'ai entendu :

— Y a quèqu'un ?

J'ai eu envie de répondre :

« Ben quiens. T'as qu'à voir qu'y a quèqu'un ! Tu penses-
tu que c'est un fantôme qui crie ? »

— Oui, y a quèqu'un. Y a moi.

— Qui ça, moi ?

Voir si c'était important, c'était qui !

— Moi, Rose-Délima Gosselin. Aidez-moi, sinon je vas
périr neyée.

— Une minute, mamzelle. J'arrive tu suite.

C'était un homme pas mal grand, presque un géant. C'est
vrai que j'étais assise dans l'eau, ça fait qu'y paraissait encore
plus grand. Ah, pis c'était un bel homme itou. Il m'a regardée,
pis il a dit :

— Ben vous êtes mal pognée, mamzelle. Vous pouvez vous
compter chanceuse que je seye là.

Il m'a prise dans ses bras comme si je pesais pas plus qu'une
plume pour m'apporter sur la grève.

— Où c'est que vous restez ? Je vas aller vous mener
chez vous.

— C'est pas nécessaire. Merci, mais je suis capable de
m'en aller tu seule astheure.

En disant ça, j'ai mis mon pied à terre pis j'ai crié tellement
que j'avais du mal. Il s'est mis à rire.

— Vous êtes fière, mamzelle, vous voulez pas que je vous
aide, mais là, je pense que vous avez pas le choix.

Il m'a reprise dans ses bras jusqu'à maison. J'ai accoté ma
tête sur son épaule. Il sentait le sel pis les embruns. Pis à part
ça, il avait les dents drettes, lui. Pas comme Hormidas. Je
savais pas ce que j'avais, j'étais pas capable de contrôler mon
respir, pis j'avais comme le vertige.

Quand ma mère a rouvert la porte pis qu'a m'a vue dans les bras d'un homme qu'a connaissait même pas, elle a passé proche de tomber en faillance.

— Rose-Délima ? Que c'est qui est arrivé ?

L'homme m'a mise à terre avant de toucher sa casquette, pis il a pris la parole :

— Bonjour, madame. Excusez-moi de vous rencontrer comme ça, mais votre fille s'arait neyée si ç'avait pas été de moi.

— C'est vrai, sa mère.

— Toé, pas un mot de ton corps. On va régler nos affaires quand on sera tu seules. En attendant, va te chercher une serviette pis apportes-en une pour monsieur... Monsieur ?

— Pierre-Paul Lepage.

— Ah. Vous êtes pas de la paroisse. Des Lepage, y en a pas sur l'Ile.

— Non, madame. Je reste à Roches-Noires.

— Ah, bon, je me disais aussi ! Eh ben, Rose-Délima, qu'est-ce que t'attends pour apporter les deux serviettes ?

— Je m'ai tordu le pied, sa mère. Je peux pas marcher.

— Une autre affaire, astheure ! C'est pour ça que tu te tiens juste sur un pied ? Ben reste pas comme ça, m'en vas te tirer une chaise.

— Je vas vous laisser, madame. J'ai pas besoin de serviette, je vas sécher tu seul au vent.

Après qu'il a été parti, la mère a mis ses poings sur ses hanches pis a l'a commencé à parler. Elle en avait long à dire.

— Voir si ç'a de l'allure de se faire ramener dans les bras d'un pur étranger. De quoi c'est qu'on va avoir l'air devant le village ? On va passer pour du monde qui savent pas se tenir à leur place. En plus, ta robe est mouillée. Des plans pour attraper ton coup de mort. Te rends-tu compte qu'on voit toute à travers ? Une vraie honte. Pis ton soulier, lui ? Tu vas me dire où c'est que tu l'as laissé, Clarisse va aller le chercher.

Si ça avait pas été de l'homme qui m'avait ramenée à maison, c'est sûr que j'aurais entendu parler du soulier pardu à tout jamais. Mais là, les questions prenaient un autre bord. Qui c'était, cet homme-là? Comment ça se faisait que je l'avais rencontré? J'avais-tu parlé à un pur étranger de moi-même? Ça finissait pu. J'avais beau dire à la mère que je le connaissais pas pantoute, qu'y m'avait juste aidée parce que je m'étais fait pogner par la marée, elle voulait pas me craire.

— Si vous vous êtes fait pogner par la marée, c'est parce que vous étiez ben occupés. Que c'est que vous faisiez donc, lui pis toé, pour pas avoir vu l'eau monter? Pis pour partir à fine épouvante en oubliant ton soulier? T'avais ôté tes souliers, de quoi c'est que t'avais ôté d'autre, hein? Rose-Délima, regarde-moé quand je te parle!

La mère a fini par me craire. Au fond, elle le savait ben que j'étais pas une dévargondée qui se déshabillait devant les hommes. Pis le Pierre-Paul Lepage avait été poli pis respectueux quand qu'y m'avait ramenée.

Quand Josaphat Langelier est arrivé avec Hormidas ce soir-là, j'étais assise sur le sofa, avec le pied trois fois plus gros que l'autre. Ma mère a expliqué qu'a me trouvait ben jeune pour me marier pis que, moi-même, j'avais pas ça dans l'idée.

Hormidas, lui, il pouvait pas lambiner encore longtemps, attendu que sa mère était morte pis que ça prenait une femme pour tenir la maison.

Ils sont partis quasiment tu suite vu qu'y avait pas matière à fêter. Après, ma mère m'a défendu de sortir tu seule pour un boutte.

— Tant que tu seras pas plus raisonnable que ça.

Ça m'a pas trop dérangée, vu que l'hiver arrivait pis qu'on s'encabanait.

Cet hiver-là a été long sans bon sens. La mère avait décidé que c'était le temps que j'apprenne à faire à manger. Ça fait que c'est moi qu'a fait le repas de Noël quasiment tu seule. Les tourtières, le ragout de pattes, les tartes au sucre, les gâteaux, ça finissait pas.

23

— Ben là, sa mère, je pense que je sais toute ce qu'y a à savoir pour faire à manger.

— C'est vrai, t'es pas manchote, faut ben le dire. Je sais que t'aimes pas ben ben ça, mais un jour tu me remercieras, ma fille. Quand tu seras mariée, faudra ben que tu le nourrisses, ton homme. Un homme qu'a l'estomac plein est pas mal plus fin avec sa femme.

— Peut-être ben, mais moi, sa mère, je veux pas me marier.

— Ouin, j'en connais d'autres qu'ont dit ça. Attends d'avoir un prétendant, tu chanteras une autre chanson.

La mère le savait pas, mais dans ma tête, j'en avais déjà un, de prétendant. Je rêvais à Pierre-Paul, qu'il me prenait dans ses bras pis qu'il m'emmenait dans grotte. Il me mettait à terre et pis il faisait un bon feu pour nous réchauffer. J'étais ben comme ça se peut pas… Des fois, je rêvais qu'il me regardait, qu'il me trouvait si belle qu'il allait peut-être m'embrasser… Je me réveillais avec le cœur qui battait tellement vite que j'avais peur de me pâmer, de tomber en faillance. Même en plein jour, juste d'y penser, la tête me tournait. Des fois, il revenait à grotte pour voir si j'étais là, on se promenait au bord de l'eau…

C'était pas ben méchant, juste des rêves, mais j'étais assez fine pour pas en parler, même à mes sœurs, surtout que Clarisse avait laissé son prétendant pis qu'elle avait commencé à fréquenter Hormidas.

La mère était ben contente à cause que c'était un bon parti, Clarisse était ben contente de marier quelqu'un qu'avait du bien, pis moi, j'étais ben contente d'être débarrassée de lui. Ça fait que tout le monde étaient content.

On a fêté les fiançailles à Pâques, la noce se ferait à Noël. Quasiment chaque fois qu'il venait veiller, Hormidas m'étrivait.

— Quand c'est que tu vas trouver à ton gout, la petite belle-sœur? Tu rencontreras pas meilleur que moé, tu sais. Tu veux-tu que je te présente mon frère Louis-Joseph?

— Tu peux ben laisser faire. Y a déjà ben assez d'un Langelier qui va rentrer dans famille sans en rajouter.

Clarisse haïssait ça quand on se pognait, Hormidas pis moi.

— Sa mère, écoutez-la donc, votre Rose-Délima. A respecte pas mon fiancé.

Ben pour une fois, la mère a pris pour moi.

— Il a juste à pas étriver ta sœur. Contraireuse comme qu'elle est, c'est sûr qu'y va se faire répondre s'il la cherche… Y donne pas sa place non plus, ton promis.

Tant qu'à me faire achaler par ce grand fouette-là, j'aimais mieux m'en aller. Aussitôt que mon ouvrage était fait, je partais.

— Sa mère, je vas voir Armandine.

— Reste pas trop tard, on soupe de bonne heure à soir, Hormidas vient veiller.

— Pis après?

— Rose-Délima!

— C'est correct, j'ai rien dit.

J'avais toute conté à Armandine pour le sauvetage. On en parlait quasiment à toutes les fois qu'on se voyait. Elle pis moi, on rêvait toutes les deux, on se faisait une idée de l'homme qu'on aimerait marier. Naturellement, à force d'en parler, l'image de Pierre-Paul était revenue dans ma tête. Armandine, elle, a savait pas si elle pourrait se marier, vu que sa mère était ben malade.

Moi, je trouvais que Pierre-Paul Lepage était exactement le genre d'homme que je voudrais.

— Mon mari, il va être beau à mon gout. Doux pis toujours de bonne humeur. Ça va être un pêcheur. On vendra le poisson qu'on aura en trop, ça nous fera de l'argent pour acheter les autres affaires qu'on aura de besoin. Je vas avoir une trôlée de flos qui vont courir tout partout sur l'Ile pis je vas les laisser faire.

— C'est vrai que l'Isle-aux-Brumes, c'est une belle place pour des enfants. Ils peuvent courir tant qu'ils veulent, se mouiller les pieds dans mer, laisser les vagues leur chatouiller les orteils.

— Tu penses comme moi. Je veux pas un cultivateur, j'ai pas envie de me lever aux aurores toutes les jours pour faire le train. Moi, mon homme, il va aimer la mer autant que moi.

— Ton homme, il s'appellerait pas Pierre-Paul Lepage, des fois?

— T'es folle! La mère me laissera jamais marier quèqu'un qu'est pas de la place. Pierre-Paul, il vient pas seulement d'une autre paroisse de sur l'Ile, il vient même pas de l'Ile.

— C'est pas un péché!

— On voit ben que tu connais pas la mère chez nous. Elle a jamais été ben forte sur les étrangers. Si ç'avait été un homme de l'Ile qui m'arait sauvée des flots l'année passée, je serais déjà mariée avec.

— Sauvée des flots! V'là que tu parles en termes, astheure!

Cet été-là, j'ai été souvent dans ma grotte pis aux alentours. Je faisais ben attention pour pas me faire pogner par la marée. Je le disais pas à Armandine, mais j'avais espérance de revoir l'homme de Roches-Noires.

Pierre-Paul Lepage. Madame Pierre-Paul Lepage. Je disais son nom tout bas, juste pour avoir un petit velours. Des fois, j'écrivais son nom sur le sable avec des fions. Lui, j'aurais pas dit non, s'il m'aurait demandé en mariage.

Mais au fond, je me chicanais moi-même: «Qu'est-ce que tu vas penser là, Rose-Délima Gosselin? Tu sais ben que ça se peut pas. Il est jamais revenu, ton Pierre-Paul. Même pas pour prendre de tes nouvelles comme ç'aurait été la politesse. Te marier avec lui? T'es folle, ma parole! Tu sais ben que des affaires de même, ça arrive juste dans les livres.»

J'étais pour rentrer dans grotte quand je l'ai vu arriver en barque. Je m'attendais pas à ça pantoute. Le monde qui viennent à l'Ile, y arrivent pas de ce bord-là, de coutume. Surtout qu'y avait un peu de breume cette journée-là. Ben v'là qu'il accoste. En me voyant, il a souri avec ses belles dents blanches pis drettes.

— Mais c'est ma petite mamzelle Gosselin, ça ! Je vois que vous vous êtes pas neyée toujours ben. Comment c'est que ça va ?

J'étais tellement surprise de le voir arriver comme dans un rêve que j'ai pas pu m'empêcher d'y répondre bête.

— Qu'est-ce que ça peut ben vous faire, comment je vas ?

— Oh, oh ! On s'est levée à pic à matin, ç'a l'air. Ça me fait beaucoup, comment vous allez, ma petite mamzelle. Parce que je vous trouve ben à mon gout, savez-vous.

— Arrêtez de m'appeler comme ça. Je suis pas votre petite mamzelle pis je le serai jamais. Je vous trouve pas mal effronté, à part de ça. Si je vous intéresse tant que ça, pourquoi vous avez jamais donné signe de vie, d'abord ?

— Pour ça, ma petite mamzelle, j'avais mes raisons.

— Je veux pas le savoir. Pis je suis pas supposée vous parler.

— Vous me ferez pas cet affront-là, mamzelle. Au moins, dites-moi si les Doucet, c'est par là.

— Par là, oui. Vous fréquentez Noëlla Doucet ?

— Tiens, tiens… La petite mamzelle se réveille. Non, je fréquente pas Noëlla Doucet. Je fréquente parsonne. À moins que vous m'acceptiez comme prétendant ?

— Pas de danger. Et pis icitte, c'est privé. Faut accoster de l'autre bord.

Il est parti à rire.

— M'en vas m'en rappeler. Mais vous, qu'est-ce que vous faites icitte si c'est privé ?

Il s'en est allé en riant. De moi, j'imagine.

Ça m'a mise en beau joual vert.

Chapitre 2

Les mots du dimanche

Quand tu commences à ramasser tes souvenirs, des fois, tu dis : « Je m'en rappelle comme si c'était hier. » C'est pas toujours vrai. Parce que quand tu prends de l'âge, tu vois pas les choses avec les mêmes yeux, ta souvenance des paroles se perd dans le bruit des vagues. Des fois, c'est mieux. Y a des affaires qui viennent pâles, d'autres qui restent en couleurs dans ta tête.

Je suis pas ben instruite, j'ai arrêté l'école en cinquième année, mais je sais lire, écrire un peu itou. Et pis signer mon nom. Je peux pas parler avec des mots du dimanche, mais ça m'empêche pas de jongler. J'en ai tellement vu des affaires.

Pierre-Paul est revenu souvent à l'Ile cet été-là. Je me faisais accraire que c'était pour moi, mais en même temps, je me disais que ça se pouvait pas. Ça fait que j'ai commencé à parler au fleuve pis je sais qu'il m'écoutait...

« Me semble qu'on irait ben ensemble, lui pis moi. Pourquoi donc qu'il s'occupe pas de moi ? Après toute, je parais aussi ben qu'une autre ! Oh, je sais ben qu'il a dit qu'il me trouvait à son gout, mais ça devait être des paroles en l'air parce qu'il a jamais demandé à me fréquenter. Moi, je le trouve tellement beau que rien qu'à le regarder, les orteils me crochissent. En toué cas, j'y ferais une bonne femme, s'il voulait. Mais il veut pas. Ça fait que même si ça me donne envie de brailler, je suis aussi ben de me faire à l'idée que je serai jamais sa femme. »

Pierre-Paul a continué à venir pis à accoster proche de la grotte. J'étais contente pis fâchée en même temps.

— Pour quoi c'est faire que vous faites pas comme le monde qui viennent à l'Ile pis que vous arrivez pas de l'autre bord ? Vous pensez que vous êtes mieux que les autres, peut-être ?

Il riait tout le temps. Ce que je savais pas, c'est qu'il était radoubeur de son métier. Fallait qu'il vienne souvent à l'Ile pour travailler sur des embarcations.

Quand il a demandé à la mère la permission de me fréquenter, je pensais que le cœur allait me sortir du corps. Ma mère a dit oui parce qu'on peut pas dire que les ceusses qui viennent du continent sont des étrangers, mais elle était pas trop contente. Elle aurait mieux aimé un gars de la place. Je me rappelle qu'elle m'a dit :

— Ce serait mieux que tu fréquentes quèqu'un de la paroisse. Ton prétendant a beau ben paraitre, on sait même pas d'où c'est qu'il sort. Faudrait quand même pas que tu tombes sur un chef-d'œuvreux. Tu devrais plutôt pencher du bord du frère à Hormidas. Il te trouve à son gout. Pis lui, au moins, on connait sa famille.

— Oui, je sais. Ç'a quasiment l'air que la famille Langelier me veut au grand complet ! Hormidas, je le voulais pas ben avant de rencontrer Pierre-Paul, vous le savez, ça, la mère. Pis je veux pas plus de son frère.

— Comme tu veux, ma fille. T'es pus d'âge à te faire commander. N'empêche que tu vas le regretter, tu sauras me le dire.

J'aurais peut-être dû écouter, mais quand on a dix-huit ans, qu'on est en amour par-dessus la tête, on voit rien d'autre. Ces affaires-là, c'est rien qu'après qu'on y pense, quand c'est qu'il est trop tard pour revenir en arrière.

Les bons soirs, c'est Mathilde qui faisait le chaperon. Pierre-Paul restait jamais ben ben longtemps parce qu'il fallait qu'il traverse pour retourner à Roches-Noires après la veillée. Mathilde trouvait quand même à redire tout le temps sur « ce grand fanal qu'a pas l'air catholique ». Pourtant, quand Pierre-Paul a commencé à me fréquenter officiel-lement, c'était le plus beau gars de toute la côte.

Quand il venait me voir, il avait toujours des mots doux à me dire tout bas. Il m'appelait « ma belle Rose-Délima toute en soie » ou bedonc il disait : « Quand je me couche, le soir, je rêve que t'es là, juste à côté de moi. » Ça faisait pas l'affaire de Mathilde parce qu'elle avait beau étirer l'oreille, elle réus-sissait pas à entendre. Quand il partait, elle essayait de me faire parler.

— De quoi c'est qu'il avait tant à dire? Pour parler tout bas de même, fallait qu'il te dise des affaires pas correctes, Rose-Délima.

Ben elle l'a pas su, ce qu'il me disait. Jamais.

J'avais demandé à la mère la permission d'aller me prome-ner avec Pierre-Paul. On irait jusqu'au phare pis on reviendrait par le village. Elle a pas voulu. Elle disait que c'était pas convenable qu'une fille de mon âge se promène toute seule avec son promis.

— Je sais me faire respecter, sa mère.

— Oui, ça, c'est ce que tu penses. Mais tu connais pas les hommes. Ils veulent toutes la même chose pis quand ils l'ont eue, ils disparaissent de la carte.

Je me demandais de quoi c'était que les hommes voulaient tant que ça, pis je voyais pas. Pierre-Paul était toujours ben correct avec moi, à part de me donner un petit bec avant de partir.

Ça faisait trois ou quatre mois qu'on se fréquentait quand Pierre-Paul est arrivé toute endimanché avec son frère Ludovic, qui lui servait de père, pour faire la grande demande. Il avait fait avertir de sa visite par le curé. La mère avec avait mis sa belle robe, comme ça se devait.

Pierre-Paul a toute fait comme il faut. Il a demandé à parler à la mère en privé. Elle les a fait passer dans sa chambre,

Ludovic pis lui. Nous deux, Mathilde pis moi, on s'est cachées dans l'autre chambre pour écornifler. On entendait toute par une grille qui donnait dans chambre de la mère.

Ils ont parlé pas mal longtemps. La mère voulait surtout savoir si Pierre-Paul était capable de me faire vivre. C'est là que j'ai appris que mon promis était en moyens. Quand ils sont sortis, Pierre-Paul a donné un sac de peppermanes à la mère comme c'était la coutume.

On s'est assis au salon, tout le monde. La mère a demandé à Pierre-Paul s'il allait s'installer à l'Ile.

— Le boutte de terrain à côté de la maison, c'est à nous autres. Vous pouvez vous bâtir là, si vous voulez. Y a du bois de reste pis je suis certaine qu'on trouverait du monde pour vous donner un coup de main.

— Non. Vous êtes ben avenante, mais j'ai hérité de la maison paternelle à Roches-Noires. C'est là qu'on va rester après le mariage.

J'ai passé proche de faire de la toile en entendant ça. Je sais pas pourquoi, j'avais beau savoir que Pierre-Paul restait à Roches-Noires, j'étais certaine qu'après les noces, on allait s'établir sur l'Ile. Un peu plus pis je disais que je voulais plus me marier. La mère, elle, avait l'air de trouver que c'était correct.

— Je comprends ça. Qui prend mari, prend pays. Mais ça va me faire drôle que Rose-Délima reste pas par icitte.

— A va pouvoir venir vous voir quand a voudra.

On a décidé que la noce se ferait au mois d'avril.

Le soir de la grande demande, on a fait une veillée de danse. Quasiment toute le village est venu, on a tassé la table, pis ça a dansé. Mon promis savait stepper un peu rare, moi, j'étais capable de giguer jusqu'à tomber à terre. J'étais contente sans bon sens. La veillée a fini aux petites heures. Pierre-Paul pis son frère ont été obligés de coucher dans grange, il y avait pas de lune pis il faisait trop noir pour retourner chez eux.

On a fêté les accordailles en septembre, juste avant les grands frettes. On avait pas le choix parce qu'à partir du mois d'octobre, jusqu'à ce que le pont de glace prenne, le fleuve venait mauvais, dangereux même. C'est encore comme ça astheure, malgré le fameux bateau-taxi, le traversier, les hélicoptères pis toutes les affaires modernes : l'Ile est quasiment isolée du reste du monde à l'automne pis au printemps.

Ça fait que quand le frette est venu, Pierre-Paul pis moi on a été séparés par la force des choses.

Ça m'a donné le temps de travailler à mon trousseau. Avant que je connaisse Pierre-Paul, j'avais jamais voulu m'occuper de ça, un trousseau. Avec la mère, ma sœur Mathilde et pis les femmes de la paroisse, on a cousu, brodé des taies d'oreillers pis des nappes avant de les mettre dans mon coffre d'espérance. Clarisse venait donner un coup de main quand elle pouvait.

L'hiver, la noirceur vient vite. On travaillait à la lueur de la lampe, on riait, les femmes racontaient des histoires de peur, des affaires qui s'étaient passées au village ou ailleurs. Y en a une qui disait :

— Un printemps, y a ben ben longtemps de ça, quand y restait pu de glace sur les battures, un vieux capitaine a pris le large sur sa goélette en laissant son fils sur la grève. Le garçon était chagriné, comme vous pouvez penser. À marée basse, y s'est aventuré vers un gros rocher où c'est qu'il allait souvent. Il est resté longtemps à regarder au large. Quand il s'est aperçu que la marée montante commençait à le cerner, il a voulu retourner à la rive. Mais la mer l'a pas laissé faire. Il avait beau crier, ses cris étaient portés au large par le vent, parsonne l'entendait au village. On a jamais retrouvé son corps. Après ça, une grande oie blanche venait passer l'été sur les battures où le fils du capitaine s'était neyé. C'était l'âme du jeune marin qui s'était réfugiée dans cette grande oie blanche pour venir revoir la mer.

Quand j'entendais cette histoire-là, je me disais que j'étais ben chanceuse que Pierre-Paul m'aille sauvée pis de pas avoir été obligée de laisser mon âme à la grande oie blanche. C'était une histoire qu'on racontait souvent aux enfants pour leur dire de pas aller sur les battures quand la mer commence à monter. Y avait aussi mémère Dumont qui nous disait l'histoire de la femme vendue au diable :

— C'était une femme vendue au diable et il la transportait icitte et là. Un bon jour, elle s'est retrouvée sur un gros rocher, prisonnière du démon. A l'avait beau crier pour appeler à l'aide, les gens osaient pas s'aventurer pour la secourir. Ils sont allés au presbytère chercher le curé. Lui est monté dans une barque tandis que les habitants restaient sur la grève à prier. Mais le ciel s'est noirci pis la femme est partie au vent. Le curé a mis pied sur le rocher avec son chien. Du coup, le ciel s'est éclairci. Depuis, le rocher s'est transformé en terre où c'est qu'y a pas d'arbres ni de fleurs, mais on voit encore deux empreintes de pied : l'une du curé, l'autre de son chien.

Dans ces histoires-là, y avait tout le temps un rocher et c'était supposé être toujours le même. Soi-disant que c'te fameux rocher était à Roches-Noires, sur la grève, là où c'est que le traversier accoste astheure.

Ça oui, les femmes en avaient des histoires à conter ! Mais parsonne parlait du mariage ni de la nuitte de noces. À cause des convenances, comme de ben entendu. En seulement, je me posais des questions.

Je savais ben qu'on coucherait dans le même litte, Pierre-Paul et pis moi, quand on serait mariés, mais j'avais pas d'idée comment ça se passerait. Sûr, j'avais déjà vu comment faisaient les lapins, mais j'aurais jamais pensé que c'était pareil pour le monde. On aurait des enfants, on les élèverait, c'était toute ce que je savais.

On s'est mariés au mois d'avril, aussitôt la glace cassée. Je suis pas manchote en couture, j'avais cousu ma robe moi-même. Mononcle Jules m'avait acheté du tissu en cadeau de noces. Mon voile était en tulle, ma robe en belle popeline de qualité avec des jours dans le bas pis un yoke en dentelle. J'avais pensé à me faire une robe dans les tons de bleu, mais la mère était pas d'adon. Elle disait que la robe blanche, c'était un signe de pureté, que ça voulait dire que j'avais jamais fait le péché avant le mariage et pis vu que c'était comme ça, je serais ben folle de pas montrer à tout le monde que j'avais tenu ma place pendant les fréquentations.

La veille du mariage, Pierre-Paul a encore été obligé de coucher dans grange parce que ça porte malheur de voir la robe de la mariée avant d'être rendu à l'église.

Avant de gagner ma chambre, la mère m'a fait venir pour me parler.

— Demain, tu vas promettre obéissance à Pierre-Paul. Ça veut dire que faut toute faire ce qu'il te demande, même si c'est des affaires qui te prennent par surprise ou ben que t'aimes pas. Le mari, c'est le chef de famille. Toé, t'as pas connu ton père, tu m'as toujours vue runner la maisonnée parce qu'y fallait ben que quèqu'un le fasse pis ton père était pu là. Mais de coutume, c'est le mari qui décide. T'es pas mal contraireuse, Rose-Délima. Va falloir piler sur ton orgueil pis accepter que ça seye ton mari qui est le boss.

«Des affaires qui te prennent par surprise ou ben que t'aimes pas», qu'elle avait dit, la mère. Je voyais pas pantoute ce que ça pouvait être. Me semblait que quand on aimait quelqu'un, on y demandait pas de faire des affaires croches.

On était pas riches, chez nous. On a quand même trouvé moyen de faire une belle noce avec de la mangeaille de reste. Toute le village avait mis la main à la pâte pour le banquet de noce. Il faisait beau soleil, pas trop frette non plus. Quand on est sortis de l'église, les mouettes argentées nous ont suivis de proche pour avoir leur part. Ça me faisait comme une couronne d'oiseaux blancs. J'étais contente parce que les mouettes qui t'accompagnent, c'est supposé être un signe de bonne chance.

La veillée a duré longtemps. Un voisin avait apporté une couple de flasques, les hommes ont pris un coup. Mononcle

Jules a sorti son accordéon-piano, le père Langelier a câlé les sets carrés, ça a steppé en masse. J'étais assise sur les genoux de mon mari pour la complainte du *Lendemain des noces*.

> *Le lendemain des noces*
> *Quand il a fallu faire paquets*
> *Son petit cœur pleurait*
> *Oh! mon Dieu je regrette fort*
> *Le lieu de ma naissance*
> *Là où j'ai pris tant de plaisir*
> *Et tant de réjouissances.*

Avec Pierre-Paul, on a eu la grande chambre, celle de la mère.

Non, pas de danger que j'oublie ça. Le jour de mes noces, j'ai appris ben des affaires. La première nuitte itou. Pas mal plus que je pensais. Quand c'est venu le temps d'aller se coucher, j'ai mis ma jaquette neuve, celle avec les volants pis les poignets brodés. Chaque fois que j'y repense, j'en ai des frissons.

On était pas aussitôt couchés que le charivari a commencé. Aux jours d'astheure, on voit plus ça parce que les mariés partent tu suite après la cérémonie pour leur voyage de noces. Mais dans mon temps, c'était la coutume. Quand j'ai entendu les premiers bruits, j'ai quasiment sauté en dehors du litte. C'était les jeunesses du village qu'étaient en face de la maison. Ça tapait sur des chaudrons, ça criait, ça chantait des chansons cochonnes, ça jouait de la musique à bouche. Pierre-Paul m'a expliqué que s'il allait pas donner quelque chose au capitaine, ça arrêterait pas de la nuitte. Il s'est levé, il a pris une flasque pis il est sorti dehors. Après, quand le tapage s'est arrêté, on a encore fait « ça ».

Ça se pouvait-tu que ça seye permis? Permis, vraiment permis, par la religion? Ben pas rien que permis: t'étais obligée. La vie d'une femme mariée, c'est comme ça. Y en a qu'y appellent ça « l'amour ». Moi, j'ai de la misère à voir de quoi c'est que l'amour vient faire là-dedans.

36

Le lendemain, j'avais mal partout dans le corps. Pour quoi c'est faire que ma mère m'avait rien dit? Moi, je me suis promis que si j'avais une fille un jour, j'y parlerais de toute, même si c'était contre les convenances. Pour pas qu'elle seye surprise, au moins.

Quand on est venu pour partir, la mère avait un chagrin dans l'œil. Elle a apporté mes effets. Dans mon coffre d'espérance, à part les broderies, y avait une catalogne tissée au métier pis une courtepointe piquée à la main. Parsonne pouvait dire que je partais de la maison comme une quêteuse.

On a pris le dernier traversier pour se rendre à Roches-Noires, dans maison paternelle des Lepage. La maison, ben c'est celle-là qu'on est dedans encore astheure. Ancrée sur les roches plates juste un peu plus haut que le fleuve. Elle a pas bougé. Une maison solide comme on en voit plus. Pour pouvoir aller au fleuve, Odilon, le père de Pierre-Paul, avait creusé trois marches dans terre avec des bouttes de bois pour accoter les marches. Sont en démanche, mais sont encore là.

On a fait le tour dehors avant de rentrer. C'est là que j'ai compris pourquoi mon mari voulait pas rester à l'Ile. On a marché pas mal longtemps. On s'est arrêtés sur la grève. Pierre-Paul a pointé avec son doigt.

— Tu vois, Rose-Délima, tout ça, c'est à moi. C'est l'héritage du père.

On voyait pas le boutte. J'en revenais pas. Jamais j'aurais pensé qu'il pouvait avoir tant de bien. On est revenus sur nos pas pour rentrer dans maison.

Une fois en dedans, la première chose que mon mari m'a dite, c'est:

— Astheure qu'on est mariés, t'es chez vous icitte. La mère a été malade longtemps, elle avait pas le gout d'entretenir. La femme à Ludo est venue avant le mariage pour mettre la maison propre, mais si c'est pas à ton gout, tu fais ce que tu veux. Tu peux toute changer à ta guise, ma belle Rose-Délima à moi tu seul.

J'étais fière, vous pensez ben! Une belle place de même! J'arrêtais pas de faire le tour. Dans cuisine: un poêle à deux ponts, une glacière, deux berçantes et pis la grande table qu'on pouvait s'assire douze pour manger. Oui, ça fait drôle quand je parle de «poêle à deux ponts», mais dans ce temps-là, c'était ce qu'y avait de mieux pour faire le manger pis chauffer la maison.

La chambre des maitres, où c'est que la mère couchait, c'était pour être notre chambre à lui pis moi. À part du grand litte, y avait une commode pis un bureau pour serrer le butin de corps. En haut, dans ce temps-là, c'était pas divisé, c'était juste un grand espace pour faire dormir les enfants. C'était pas arrangé comme je voulais, mais j'avais déjà des idées.

Dans le plafond de la grande chambre du haut, y avait une trappe. Pierre-Paul a ben vu que je regardais par là pis que me demandais comment on pouvait faire pour monter.

— C'est le grenier. Y a des vieilles affaires dedans que ça fait des années que ça traine là. Ça doit être plein de poussière et pis y doit y avoir des mulots itou. Mais si tu veux y aller, j'irai te chercher l'échelle dans shed.

— Ah, je sais pas trop. Des souris, moi, j'ai peur de ça. D'un coup on ouvre la trappe pis a se sauvent dans le reste de la maison?

— La chatte d'Alphée vient d'avoir des petits. Je peux aller en chercher un si tu veux. Mais t'es pas obligée d'aller dans le grenier non plus. Je pense pas qu'y aille rien de ben inté-ressant. Arrive astheure, Rose-Délima. Faut se coucher. Demain, je travaille de bonne heure.

Le lendemain, je m'ai réveillée à barre du jour. Je m'ai levée pis j'ai fait le tour de la maison encore une fois. Je me disais que pour avoir une grande maison de même en plus du grand terrain qu'il m'avait montré, fallait que la famille de mon mari aille du bien. Il devait avoir moyen de changer pas mal d'affaires dans maison. Quand j'aurais fini, ça serait ben plaisant.

J'ai préparé le déjeuner. Du café, j'en avais pas bu souvent, la mère chez nous était trop pauvre pour en acheter. Je peux pas dire que j'ai aimé tellement ça. Le thé, c'est meilleur, me semble. Après qu'on a eu mangé, Pierre-Paul m'a dit:

— Mets ta capine, je t'emmène au village.

Vu qu'on s'était mariés à l'Ile, la première visite qu'on a faite, c'était pour le curé. C'était la politesse qui voulait ça. Moi, je pensais qu'il serait comme notre curé à l'Ile. Un gros bonhomme qui riait tout le temps pis qu'était toujours ben d'adon. Si tu respectais la religion, comme de raison. Ben sans vouloir y manquer de respect, j'ai trouvé que le curé de Roches-Noires, c'était un drôle de moineau! Un grand sec que la soutane faisait paraitre encore plus grand. Il devait avoir peur que la face y fende parce qu'il a même pas fait un sourire. Il nous a bénis, m'a souhaité la bienvenue au village. Après ça, c'était clair qu'il voulait qu'on parte. C'est ben juste s'il a pas tenu la porte ouverte pour nous mettre dehors.

Après, on est allés au magasin général où c'est que Pierre-Paul avait un compte pour la mangeaille pis les premières nécessités. Mon mari m'avait expliqué que le magasin général, c'était la place où c'est que le monde allait pas mal toutes les jours vu que la *post office* se trouvait juste à côté. La *barber shop* itou. Au magasin général, c'était pas la même chose que sur le curé. Tout le monde riait. Y en a même qu'ont donné des grandes claques dans le dos à Pierre-Paul. Pis ils ont commencé à l'étriver.

— On pensait jamais qu'il se déciderait, le mécréant! Mais quand on vous voit, madame, on comprend.

— T'as pas trouvé chaussure à ton pied à Roches-Noires, mon snoreau, a fallu que t'ailles à l'Ile.

— Tu y as conté comment t'as jeunessé, à ta femme? Ça doit pas, autrement, a t'arait pas marié, de sûr!

Là, y en a un qu'a ôté son chapeau pis qu'y s'est plié devant moi.

— Je me présente: Zotique Bernier, le premier voisin de Pierre-Paul. Jusqu'à aujourd'hui, j'aurais dit que le voisinage était pour mon plus grand malheur, mais avec une femme aussi belle que vous, c'est pas la même chose. Ma femme va passer chez vous betôt pour vous saluer.

— Faites attention, madame! Gemma, la femme à Zotique, est en famille à l'année longue. Peut-être ben que ça s'attrape! T'es rendu à combien de flos, là, mon Zotique? Vingt-cinq, pas loin?

— Eh, que t'es donc simple, des fois, Ulric! J'en ai douze, pis c'est pas fini. Justement, madame, si jamais votre mari est pas capable, faites-le moi savoir.

V'là mon Pierre-Paul enragé noir.

— Zotique Bernier, mon crapaud, t'as pas d'affaire à m'humilier devant ma femme. J'ai ben envie de te péter la margoulette, juste pour te montrer le respect.

— Envoye donc, pour voir! Je suis pas inquiet, ça non plus, t'es pas capable!

A fallu les séparer. Le marchand général était pas ben content.

— Tâchez donc de vous tenir comme du monde, vous deux! Zotique, t'as toute ce que t'avais besoin? Ben dans ce cas-là, va donc retrouver ta femme.

— C'est ça. Donne raison au soulon à Pierre-Paul.

Des enfants! Des vrais enfants! J'avais hâte qu'on parte. J'ai tiré sur la manche à Pierre-Paul pour y faire comprendre.

— Attends, Rose-Délima, j'ai pas fini. Alphée, je voudrais de la fleur. Rose-Délima fait des tartes dépareillées. Demain soir, ceux qui veulent y gouter sont bienvenus.

Quand on est sortis du magasin général, Pierre-Paul était encore enragé.

— Tu marches trop vite. Attends-moi! Je suis toute essoufflée à force d'essayer de te suivre.

— Excuse-moi, Rose-Délima. C'est juste que quand je pense à Zotique Bernier, je vois rouge.

— J'ai remarqué ça, imagine-toi donc. Je veux ben croire qu'il a manqué aux convenances, mais c'était pas une raison pour partir une bataille.

— C'est un vrai serpent, Zotique. Je veux pas le voir dans ma maison.

— Tu viens juste d'inviter le monde à venir manger des tartes.

— Il était parti. Je suis sérieux, Rose-Délima, je veux pas le voir chez nous, t'as ben compris?

— J'ai compris, oui. Mais c'est notre premier voisin. Ça va pas être facile de l'ignorer.

— Laisse faire, je m'en occupe. Lui non plus, y voudra pas venir chez nous. Viens, on retourne à maison. Par après, je vas travailler.

Ma maison! Me semblait que c'était le plus beau cadeau du monde. Surtout que j'avais quasiment jamais rien eu à moi. La cabane de l'Ile, c'était juste un tas de planches qui tenaient ensemble on savait pas trop comment. Icitte, au contraire, je serais ben à l'aise pour élever une famille. En tout cas, c'était ça que je pensais.

Chapitre 3

Les tartes de Rose-Délima

J'aurais jamais dû faire gouter mes tartes à Pierre-Paul dans le temps qu'il me fréquentait. V'là que j'étais pognée pour en faire astheure. J'y ai demandé comment c'est qu'y viendrait de monde.

— Toutes nos voisins, pis les notables : le notaire Desbiens, le docteur Lemieux s'y a parsonne de malade, comme de raison. Le curé va ben venir se mettre le nez dans porte itou. Il a beau être maigre comme un clou, il mange comme dix.

— Bon, je vas faire plus de tartes dans ce cas-là. Chez nous, c'est pas l'usage de réunir du monde après la noce.

— Icitte non plus, mais là, le monde y te connaissent pas. C'est pour ça que j'ai fait dire de venir.

— Ça fait drôle. Un peu comme un enfant qu'on présente au village.

— C'est en plein ça. Sauf qu'au lieu que ça seye nous autres qui se déplacent, c'est les voisins. Ils vont t'apporter des affaires, itou.

— Comment ça, des affaires ?

— Ben oui. Des cadeaux de noces.

— Ah, ben là ! Ça va être gênant sans bon sens. On les a même pas invités aux noces.

— Ça fait rien, tu vas voir.

De bonne heure le matin, j'ai fouillé dans le caveau. La mère à Pierre-Paul avait laissé pas mal d'affaires quand elle avait tombée malade. J'ai trouvé des patates de l'année passée qui commençaient à être germées. Des pommes itou. Pas mal poquées. Faudrait que je passe tout ça au plus vite. Y avait du sucre du pays dur comme du bois, mais je savais comment faire pour qu'y revienne mangeable. Des raisins avec. Deux beaux siaux de mélasse. On mourrait pas de faim, ça c'était sûr.

Juste comme je commençais à rouler ma pâte, ça a frappé à porte. C'était ma belle-sœur, la femme à Ludovic.

— Fernande ? Rentre, rentre. On va prendre une tasse de thé. J'en ai du chaud sur le poêle.

— Je suis venue t'aider à faire tes tartes. Je t'ai apporté un jambon itou. Pour te partir dans ton ménage.

— T'es ben fine !

— À quoi tu les fais, tes tartes ?

— J'avais pensé à farlouche. Ça se garde longtemps.

— Bonne idée. Mais je suis pas certaine qu'y va t'en rester, surtout si le curé vient faire son tour. On commence ?

Pendant qu'on travaillait, Fernande m'a conté pas mal d'affaires sur les Lepage.

— La belle-mère était pas ben ben avenante. Quand a tombée malade, a ben fallu que je m'en occupe. J'avais beau essayer de la contenter, a l'était ben capricieuse. C'est vrai que quand t'as du mal, ça travaille le caractère.

— A restait chez vous ?

— Non, a l'a jamais voulu partir de la maison paternelle. Ça fait que je me dépêchais à faire mon ordinaire pis, par après, ben je venais icitte.

— Ça te faisait deux maisons à entretenir ?

— Ben oui. J'ai faite mon possible, mais ça se peut que tu trouves les coins ronds.

— Occupe-toi pas de ça, je vas avoir du temps en masse pour faire le ménage en grand. Quand c'est qu'a l'est morte, madame Lepage, ç'a dû te soulager ?

— Ça, tu peux le dire ! Je sais ben que c'est péché de parler contre les morts, mais a l'était tellement malendurante que je peux pas m'en empêcher. Est morte l'année passée, à peu près à ce temps-citte. Pierre-Paul était son chouchou, son plus vieux, ça fait que ç'a été tout un choc quand a l'est partie.

C'était donc pour ça que Pierre-Paul avait passé un bon boutte sans venir à l'Ile ! Fernande est partie un peu avant midi en promettant de revenir avec Ludo pour la veillée.

— Les enfants sont assez grands pour se garder tu seuls.

— T'en as combien ?

— Quatre. Deux couples de jumeaux. Pis j'attends encore.

— Ça doit te tenir occupée en masse ! Surtout si tu soignais la belle-mère en plus.

— Ça, tu peux le dire. Je suis pas fâchée que tu seyes là.

On a soupé de bonne heure. Je finissais tout juste de faire la vaisselle quand ça commencé à cogner à porte vers les six heures. Avec Fernande, on avait fait des tartes en masse. Y avait de quoi contenter toute la paroisse.

— Bonsoir, Pierre-Paul. Madame. Je ne resterai pas longtemps, je viens seulement vous saluer.

— Entrez, entrez, monsieur le curé.

Derrière le curé, y avait deux femmes.

— Ma femme, je te présente Léocadie Proteau pis Yvonne Desrosiers.

— On est Dames Patronnesses. Léocadie est présidente, moi, je suis vice-présidente. On se fait un devoir de venir saluer les nouveaux venus dans paroisse. Si jamais ça vous intéresse, madame Lepage...

— Rose-Délima.

— Bon, Rose-Délima, si jamais ça t'intéresse de rentrer dans les Dames Patronnesses, on se réunit au sous-sol de l'église toutes les premiers vendredis du mois, après la confesse. Comme ça, on offre au bon Dieu une âme propre pour parler des affaires de la paroisse. Presque toutes les femmes du village sont membres. Tu le regretteras pas.

— Je vous encourage vivement à vous joindre à elles, madame Lepage.

Ça, c'était le curé. J'ai pas eu le temps de répondre que ça cognait encore.

— Albert Bonenfant. Ma femme, Lucille. On est vos voisins en aval. De l'autre bord du magasin général.

— Tirez-vous une buche.

— Rosaire Lévesque. Ma sœur, Gemma Bernier.

— Mon mari Zotique fait demander de l'excuser. Il avait de l'ouvrage pressé au chantier naval.

J'ai regardé Pierre-Paul qui m'a fait un clin d'œil en voulant dire : « Je te l'avais ben dit que Zotique se montrerait pas la face. » Mais j'ai pas eu le temps de m'attarder, ça cognait encore.

— Joseph Pineau. Je reste de l'autre bord de la côte.

J'ai juste eu le temps de le faire rentrer qu'y arrivait encore du monde. Deux hommes, trois femmes. Pierre-Paul s'est avancé.

— Notaire Desbiens, c'est un honneur de vous recevoir icitte.

— Je vous en prie, monsieur Lepage, tout le plaisir est pour moi.

Le notaire s'est viré de bord pis il a pointé du doigt vers l'autre homme.

— Lui, madame, c'est mon grand ami, le docteur Lemieux. Il porte bien son nom. Si vous êtes malade, faites-le demander, vous allez aller mieux.

Tout le monde sont partis à rire. Le notaire a continué :

— Je vous présente mes trois filles : Renée, Reine et Réjeanne. Il n'y a pas de madame Desbiens. Je suis veuf.

C'était au tour du docteur d'étriver le notaire :

— Il est tellement déplaisant que sa pauvre femme n'a pas pu l'endurer.

— François-Xavier, tu sais très bien qu'Elmire est morte à son dernier accouchement. Tu vas me faire le plaisir d'arrêter tes niaiseries.

— Bon, bon, fâche-toi pas, Désiré. Je retire ce que j'ai dit. Comme vous pouvez le constater, il n'est pas déplaisant du tout.

C'était clair que les deux hommes se tiraient la pipe. Ils riaient.

En dernier, c'est Ludovic, le frère de Pierre-Paul, qu'est arrivé avec Fernande. Une chance. Y avait au moins deux parsonnes que je connaissais, rapport que Ludo avait servi de père à Pierre-Paul pour le mariage. Les autres, me semblait que j'arriverais jamais à me rappeler leur nom! Le monde était assis un peu partout, les hommes dans le salon, les femmes dans cuisine. Ça s'est pas fait prier pour manger mes tartes. Le curé en a mangé deux ou trois pointes. Mais il a tenu parole, il est pas resté longtemps.

— Mes bons amis, je retourne au presbytère. Merci de votre accueil, madame. Pierre-Paul a raison, vos tartes sont vraiment succulentes.

Aussitôt qu'il a été parti, Pierre-Paul a sorti une bouteille de boisson pis il en a servi aux hommes. Ça s'est mis à parler. De politique, naturellement.

— Maurice Duplessis va passer comme une balle. Il va prendre le pouvoir.

— Jamais de la vie. Alexandre Taschereau est là pour y rester.

— On va ben voir.

— Mets z'en qu'on va voir.

Nous autres, les femmes, on parlait dans cuisine. Les trois filles du notaire avaient l'air pincées pas pour rire. Si ça avait pas été de la politesse, je leur aurais demandé pourquoi qu'elles étaient venues si on était pas assez bons pour eux autres, mon mari pis moi. J'ai compris que celle qui s'appelait Renée était maitresse d'école. Elle parlait à une autre femme en lui disant que sa petite Jeanne allait passer son année.

Par après, elle a baissé la voix pis elle a ajouté:

— Je ne peux malheureusement pas en dire autant du fils Ruest. C'est un enfant turbulent dont les parents se préoccupent peu.

J'ai trouvé que c'était pas la place pour dire des affaires de même, mais coudonc! Les deux autres filles du notaire, je me rappelais plus leur nom pis je les mélangeais. Elles se ressemblaient, pareilles comme si elles auraient été copiées une sur l'autre. J'ai pas pu m'empêcher de leur demander:

— Êtes-vous des bessonnes?

— Bessonnes? Ah, oui, des jumelles, vous voulez dire. Non, nous avons deux ans de différence. Reine est maitresse de poste et moi, j'assure le secrétariat de l'étude notariale.

Ça parlait pointu un peu rare.

— Oui, madame, c'est moi qui distribue le courrier, dans le plus grand respect du secret professionnel.

— Ah! Le secret professionnel, parlons-en! Pour des lettres écrites par des paysans qui n'ont aucun sens de l'orthographe ou de la grammaire.

— Tu as raison, Renée. Le secret professionnel, c'est plutôt à moi d'en parler. Pour ne pas parler d'autre chose. Car je vous assure que j'en vois et que j'en entends des choses. Une étude notariale, c'est presque un confessionnal.

C'est là que j'ai compris que les filles du notaire étaient trois commères! La celle qui travaillait avec son père, là, ça y paraissait dans face qu'elle avait envie de parler. Mon idée, c'était que ça y aurait pas pris grand-chose pour lui faire dire des affaires privées.

Sur les entrefaites, le notaire est arrivé dans cuisine, pis le docteur avec.

— Ce n'est pas qu'on s'ennuie, mais vous allez devoir nous excuser. J'ai du travail en retard.

Ses trois filles se sont levées, elles itou. Elles avaient l'air contentes de partir. Le docteur avec était deboutte.

— Madame Lepage, vos tartes sont vraiment dépareillées, comme le dit votre mari. Je vous donne le bonsoir et je vous souhaite beaucoup de bonheur dans votre nouvelle vie. J'espère aussi que vous n'aurez pas besoin de mes services. C'est le meilleur souhait que je puisse vous faire. La santé, c'est précieux.

— Tu ne vas pas nous faire un sermon, François-Xavier, je suppose ? Madame Lepage, merci de votre accueil. J'ai été ravi de faire votre connaissance. Au revoir.

Ils sont partis comme ils étaient venus, en remorquant les trois filles. Pauvre notaire ! La vie devait pas être drôle toutes les jours avec des filles qui tiraient du grand de même. Surtout que lui, il avait l'air ben correct.

Y a une femme qui s'est levée drette. Je pensais qu'elle voulait partir elle avec, ben non, est allée dans le salon.

— Astheure que le grand monde est parti, on pourrait s'amuser un peu, non ? Rosaire, as-tu ton ruine-babines ?

— Toujours, ma belle Lucille, toujours. Ma musique à bouche a fait partie de moé comme mes mains pis mes pieds.

— Bon, ben qu'est-ce que t'attends ? Madame Lepage, vous avez des cuillers ? Albert a pas son pareil pour jouer de la cuiller.

Rosaire, je l'ai su par après, c'était le gardien du phare. Il a commencé à jouer un reel. Pierre-Paul m'a pognée par la taille pour danser.

— Pierre-Paul ! Voir si ç'a du bon sens, danser un soir de semaine !

C'est parti à rire. Rosaire a repris sa musique à bouche, c'te fois-là pour jouer un air ben triste. Sa sœur Gemma a commencé à chanter. Ça parlait d'une femme qui s'était jetée à l'eau quand qu'elle avait su que son promis en avait marié une autre. C'était beau, quasiment aussi beau qu'à l'église, ma grand foi du bon Dieu.

— Excusez-la. Bon ben, c'est pas tout, ça, mais moi, vaudrait mieux que j'y aille.

Mon Pierre-Paul s'est levé en disant :

— On te retient pas, Gemma, on sait que t'es occupée, avec ta famille. Mais astheure que tu connais le chemin, tu reviens quand tu veux, hein ?

— M'en vas essayer.

— Ben oui, ben oui ! C'est pas parce que Zotique pis moi on s'adonne pas que t'es obligée de faire pareil avec Rose-Délima.

— Merci ben gros, Pierre-Paul. Salut la compagnie !

La porte était pas aussitôt farmée que Pierre-Paul a demandé :

— Si tu nous contais une histoire, Rosaire ? Rose-Délima, tu le sais pas encore, mais Rosaire, c'est le conteur du village. Il a toujours quèque chose de nouveau à parler. Des fois, pour les enfants, des fois, pour le grand monde. Il est menteur sans bon sens, mais ça fait rien, on l'apprécie pareil. Envoye, Rosaire, fais-toi pas prier.

— Je me fais pas prier, mais j'ai la gorge pas mal chèche. T'as-tu encore du petit boire ?

Les deux Dames Patronnesses ont fait la grimace quand Pierre-Paul a sorti la bouteille. Je leur ai offert du thé. Ça, ça faisait leur affaire.

Rosaire a pris une gorgée, pis il a commencé.

— Je gage qu'y en a pas de vous autres qui sait pour quoi c'est faire que l'Auberge du pendu s'appelle comme ça. Je me trompe ?

Comme parsonne a répond, il a continué :

— L'auberge a toujours été aux Ruest, ils se l'ont passée de père en fils. Le premier Ruest, celui qui l'a bâtie, s'appelait Ludger. Ça remonte quèque part dans les années 1800. Dans ce temps-là, l'auberge portait le nom d'Auberge du navigateur. Ludger Ruest, c'était un homme qu'aimait pas l'ouvrage. Il avait hérité de quèques piasses pis c'est avec cet argent-là qu'il avait bâti l'auberge. C'était un fin finaud, le Ludger. Il se fiait que sa femme pourrait s'occuper des clients, que lui arait juste à se promener, parler au monde, faire l'important. Ç'a marché comme y voulait. Ç'a pas pris bout de tinette que l'auberge a viendu une place où c'est que c'est que les hommes se rencontraient, surtout quand que l'hiver était là pis qu'y avait pas grand ouvrage pour ceusses-là du fleuve. Les ceusses de la terre, eux autres, fallait qu'y continussent à faire le train pis à donner à manger aux vaches. Ils venaient pas souvent à l'auberge. Quand c'est que tu te lèves à barre du jour pour faire le train, rendu la noirceur, tu files rien que pour te coucher.

— T'as pas à les défendre, Rosaire. Quand t'en rencontres un de la terre, faut te boucher le nez pour pas sentir l'odeur de l'étable.

— Laisse faire les remarques, Pierre-Paul. On écoute Rosaire, là.

— C'est juste pour expliquer à Rose-Délima que ceux de la terre...

— Oui, oui, on pense comme toi. T'expliqueras ça à ta femme en privé.

«On pense comme toi...» Une chance. Parce que là, je commençais à me demander si Pierre-Paul était pas en chicane avec tout le monde. Il voulait pas de Zotique Bernier, il aimait pas les ceusses de la terre... Pourquoi c'est qu'il m'avait mariée, d'abord? On avait beau pas avoir une grosse farme chez nous, on était quand même des farmiers. Pourtant, je voyais pas pourquoi être cultivateur, c'était une honte. On était des gros travaillants, après toute. Que c'est donc que Pierre-Paul allait me sortir en privé? J'ai pas pu jongler plus longtemps. Pierre-Paul a fait un autre tour avec la bouteille de boisson. Une des Dames Patronnesse s'est levée à moitié, l'autre lui a fait signe que non, a s'est rassise. Je suppose qu'elle voulait entendre la suite de l'histoire. Rosaire a levé son verre, pis il a continué:

— Je vous disais que Ludger Ruest était pas vaillant. Un matin d'hiver où c'est que ça gelait sans bon sens dehors, il a descendu à cave pour aller chercher des bouteilles. Pis là, ah là, m'sieurs dames, il a senti une odeur épouvantable. Ça sentait la bouette, le sang pis les patates pourrites. Un peu plus pis il renvoyait.

— Ouache! C'est pas une histoire à conter devant les dames, ça.

— Arrête de penser comme une Dame Patronnesse pour quèques minutes, Léocadie. Tu sais ben que les histoires à Rosaire sont toujours intéressantes.

Ma grand foi du bon Dieu, mon Pierre-Paul était en train de faire la leçon à une Dame Patronnesse ! J'en revenais pas ! Les autres hommes sont partis à rire, Léocadie a farmé sa margoulette.

— Je peux continuer, là ? Bon. Donc, ça puait dans cave. Ludger s'est avancé pour voir de que c'est qui pouvait ben sentir mauvais de même. Il était en joual vert parce qu'y faudrait netteyer pis que sa femme Solange avait une peur bleue d'aller dans cave, ça fait que le netteyage retomberait sur lui.

« Il a levé sa lampe pis il a vu qu'y avait un quartier de viande accroché au plafond. Mon Ludger voyait pas ce que la viande pouvait faire là. C'était pas lui qui l'avait apportée, ça pouvait pas être Solange non plus. À moins que ça seye son fils Roger. Si c'était ça, le petit torrieux allait avoir affaire à lui.

« En s'approchant encore plus, il a vu que c'était pas un morceau de viande, c'était un chien ! Pas n'importe quel chien, celui à Félix Bernier, le grand-père à Zotique. Le chien qui l'accompagnait à chasse toutes les automnes. À sentir la puanteur, c'était facile de voir que le chien devait être mort depuis un bon boutte de temps. Une bête dépareillée, d'après Félix. Qui c'est donc qui pouvait l'avoir tué, et par-dessus toute, qui c'est qu'avait eu le front de venir le pendre dans cave de l'auberge ?

« Mon Ludger avait beau être lâche comme dix, quand c'était une question de cennes, y savait comment trouver son profit. Il a décidé drette là de rebaptiser l'auberge malgré que sa Solange voulait pas. Il a fait peinturer une grande annonce pour l'accrocher sur la galerie d'en avant. C'est à partir de ce temps-là que l'auberge s'est appelée l'Auberge du pendu. »

— Tu parles d'une histoire ! Je savais pas ça, moi.

— Moi non plus. T'es sûr que c'est vrai, Rosaire ? C'est pas une de tes inventions ?

— Toute ce que je peux vous dire, c'est qu'on n'a jamais su le fin mot de l'histoire. Une de mes inventions ? Peut-être ben que oui, peut-être ben que non. En toué cas, la légende du chien part de là.

— Quelle légende du chien ?

— C'est vrai, madame Lepage, vous êtes pas d'icitte, vous pouvez pas savoir. Pierre-Paul, j'ai-tu ta permission de parler de la légende à ta femme ? Vous êtes pas trop impressionnable, madame ? Parce que j'aime autant vous avartir, c'est pas une histoire facile à entendre.

— Fais pas ton jars, Rosaire. Envoye, on t'écoute.

— Ben mon Ludger a pas juste changé le nom de l'auberge. Il a voulu que les ceusses qui restaient là aillent peur. Parce que quand c'est que t'as peur, tu regardes pas trop où c'est que vont tes cennes. Fin finaud, le Ludger, ça oui ! Ça fait que quand il remontait de la cave, il faisait craquer les marches, exprès. Pis vu que c'était un homme corporent, dans les trois-cents livres, je dirais, les marches avaient un son qui ressemblait à quèqu'un qui pousse son dernier râlement.

« Quand Ludger a décédé, l'auberge a passée dans les mains de son fils Roger, le père à Gérard, qu'est propriétaire astheure. Roger, il avait hérité de la finesse en affaires de son père. Il a pas juste continué à faire craquer les marches, il a parti une rumeur comme de quoi si on entendait des craquements dans une chambre, ça annonçait la visite d'un gros chien noir avec les crocs luisants. Pour se débarrasser du chien, il fallait y lancer une balle en caoutchouc pour le distraire.

« Ça fait que le Roger avait toujours une réserve de balles à vendre aux clients. Il les vendait cher à part de ça. Mais quand la nuitte arrivait, le client était paré. Si le chien acceptait la balle, il disparaissait. Mais si le client y croyait pas pis qu'y s'occupait pas du chien, quèqu'un de sa famille allait trépasser pendant la nuitte.

« Astheure, l'auberge appartient à Gérard. Il a gardé l'histoire des balles de caoutchouc juste pour faire rire les clients. Mais y a eu un client qui s'est vanté à la veillée en disant qu'il craiyait pas à ces affaires-là, que c'était juste de la superstition et pis qu'il pouvait le prouver. On l'a trouvé mort le lendemain, la tête fracassée sur les roches noires qu'ont donné le nom au village.

« Un autre client qui refusait de craire à l'histoire a tombé du haut de l'escalier qui menait aux chambres. On l'a enterré trois jours plus tard.

« Aujourd'hui, la plupart du monde pense qu'y a rien à craindre. Ils achètent la balle en souvenir. Y en a qui y craiyent un peu. Dans un cas comme dans l'autre, Gérard Ruest se plaint pas de manquer d'argent.

« Dans le village, madame Pierre-Paul, y a une rumeur qui court. Quand quèqu'un défunte, il s'en trouve toujours un pour dire que la veille, on a entendu un chien hurler pis que le hurlement venait de l'auberge. »

On pouvait dire ce qu'on voulait, cet homme-là savait conter des histoires ! Il pouvait pas stepper rapport qu'il boitait, mais il savait jouer de la musique à bouche, du violon itou. Mais ça, je l'ai su juste par après.

— Mon Dieu, avez-vous vu l'heure ? Y passe huit heures et quart. Madame Lepage, on a eu ben du plaisir, mais là, c'est le temps de s'en aller.

Tout le monde s'est levé en même temps. J'ai commencé à ramasser, pis j'ai regardé mes cadeaux : cinq belles guenilles toutes neuves, deux assiettes à tarte, un gros jambon, une nappe brodée qui venait du notaire pis de ses filles.

— T'es content, Pierre-Paul ? Je pense que tout le monde a passé une belle veillée, le curé avec.

— Celui-là, j'avais hâte qu'il parte. Tant qu'il était là, je pouvais pas servir de boisson. Il est ben sévère là-dessus.

— En toué cas, moi, je me rappellerai jamais qui est qui dans les ceusses qui sont venus à soir.

— Ben oui, c'est facile, tu vas voir. Écoute ben, y a Léocadie Proteau pis Yvonne Desrosiers.

— Les Dames Patronnesses? Ah, ben oui, là, c'est facile. Léocadie est tellement petite qu'on dirait une naine pis Yvonne Desrosiers, c'est une bosseuse, ça se voit rien qu'à l'entendre parler. Tu penses-tu que je devrais rentrer dans les Dames Patronnesses, Pierre-Paul?

— Tu fais comme tu veux. Si tu y vas, ça va te faire connaitre pas mal toutes les femmes de la paroisse. Fernande doit être membre, elle itou.

— T'as raison, c'est ce que je vas faire. Ben là, je commence à être fatiguée. On va-tu se coucher?

— Oui, ma belle! Arrive!

Pendant que je me tournais pour mettre ma jaquette, Pierre-Paul a continué à me nommer du monde qu'était venu veiller.

— J'ai pas fini de te parler du monde qu'était là. Albert Bonenfant pis sa femme, Lucille.

— Ah, oui, le joueur de cuillers! Lui est quasiment aussi grand que toi, pis Lucille est ben plaisante.

— Bon, tu vois ben, c'est pas plus difficile que ça! On continue: Rosaire Lévesque, Gemma Bernier.

— Rosaire Lévesque! C'est tout un conteur, hein? Il est-tu toujours comme ça dans les veillées?

— Toujours. Une histoire attend pas l'autre. Il sait câler itou. En plus, il connait pas mal de chansons de marins. Gemma, elle?

— La femme de ton fameux Zotique? Elle a l'air ben gênée. Elle a quasiment pas dit un mot de la veillée à part de chanter.

— Est comme ça, Gemma. C'est pas une parleuse. Les Bernier, c'est nos premiers voisins. Peut-être qu'a va se dégêner quand a sera tu seule avec toi. Son mari viendra jamais icitte. Il sait trop ben que je le mettrais dehors à coups de pied au cul.

— Pierre-Paul ! Parle pas de même, voyons donc. Que c'est qu'il t'a fait, Zotique Bernier, pour que tu l'haïsses tant que ça ?

— Laisse faire. C'est des affaires qui regardent pas les femmes. Je continue avec la visite d'à soir. Tu te rappelles de Joseph Pineau ?

— Je le replace pas, celui-là. Sa femme était pas icitte ?

— Il est veuf. C'est notre voisin de l'autre bord.

— Je me rappelle toujours pas. Mais le notaire pis le docteur, par contre, t'as pas besoin de me dire qui c'est qu'est un ou l'autre. Le docteur est maigre comme un piquet de clôture, le notaire est pas mal corporent. Les filles, je les mélange.

— Tu vas finir par les démêler. Après toute, c'était la première fois que tu voyais tout ce beau monde-là. On se couche ?

Je sais pas ce qui m'a pris d'un coup, mais j'ai juste eu le temps de courir ouvrir la porte de la cuisine pis de sortir dehors. En jaquette en plus ! Le cœur voulait me sortir de la gorge.

J'ai renvoyé toute ce que j'avais mangé pour souper pis dans veillée.

Chapitre 4

Le bonesetter

Ça durait depuis trois jours. Je passais mon temps à renvoyer, j'avais les jambes molles, je pouvais pas faire mon ordinaire. Pierre-Paul était découragé pis moi itou. Finalement, il a demandé à Fernande de passer. Apparence qu'elle était ben connaissante dans les herbes.

Quand ma belle-sœur est arrivée, la première affaire qu'elle m'a demandé c'est quand c'était la dernière fois que j'avais vu le sang.

— Tu penses que j'attends pis que c'est ça qui me fait renvoyer de même?

— Autant que ça, non, j'ai jamais vu, mais on sait pas, des fois.

J'avais eu mes règles quinze jours avant le mariage à peu près. Ça fait que comme j'étais pas due, j'ai jamais pensé que je pouvais attendre.

— Tu peux-tu me donner quèque chose, Fernande?

— Ben non, ma belle. Je peux pas rien te donner parce qu'y a des herbes qui pourraient te faire parde ton petit, si t'attends. C'est trop vite pour savoir. Mais si ton renvoyage se passe pas d'icitte une couple de jours, ça serait mieux d'appeler la garde. Elle devrait arriver au village d'une journée à l'autre.

C'était nouveau, ça, qu'on aurait une garde-malade qui viendrait dans les maisons. Ça parlait juste de ça au village. Apparence qu'elle en savait quasiment autant que le docteur.

Le renvoyage a duré trois mois. La garde non plus a pas voulu rien me donner. Mais au moins, là, je savais que c'était parce que j'avais un pain au four.

———

Je suis rentrée dans les Dames patronnesses. Les réunions commençaient toutes par la prière. Par après, Léocadie prenait les présences, pareil comme quand on allait à l'école. Elle criait nos noms pis fallait répondre « présente ».

À ma première réunion, Léocadie m'a présentée à tout le monde. Fernande pis Gemma étaient là, ça m'a mise plus à l'aise. On était onze femmes présentes, ce soir-là. Quatre absences.

Les Dames patronnesses aidaient quand y avait des deuils ou de la maladie. Elles ramassaient aussi du linge et pis de la mangeaille pour les pauvres. Pendant les réunions, on pouvait apporter notre tricot ou bedonc notre ouvrage au crochet. On travaillait en écoutant.

« Mercredi prochain, ce sera les funérailles de Fortuné Blanchet. Avec la famille qui vient de l'autre bord de Lévis, il faut compter un fricot pour quarante personnes. Y a des volontaires ? »

Si tu voulais, tu donnais ton nom pour aider à préparer le repas qui serait servi après la messe des funérailles. Quand Clémence Bigot, la sœur du curé, donnait un chiffre pour dire comment il y aurait de monde qui assisterait à des funérailles ou ben à un baptême, elle se trompait jamais. Elle connaissait tout le monde, savait tout ce qui se passait dans le village. Mieux même que Fernande, qu'était pourtant la femme du maire.

Je manquais pas les réunions parce que j'aimais ça, parler aux autres femmes, mais apparence que j'avais fait une gaffe. Ce soir-là, en revenant, Gemma m'a dit :

— Je t'ai vue parler à Marie-Thérèse Fortier à soir. Je suis pas la seule à t'avoir vue, tu sais. T'arais pas dû, Rose-Délima. Ça pourrait te faire du tort.

— Comment ça, me faire du tort ?

— Tu le sais ben !

— Je te jure que non. Qu'est-ce qu'elle a, Marie-Thérèse Fortier, qu'on peut pas lui parler ? Es-tu malade de quèque chose qui s'attrape ?

— Non, sa maladie, ça s'attrape pas. C'est juste qu'a est de la terre, Marie-Thérèse.

— Pis le monde de la terre, on leur parle pas ?

— Le moins possible, Rose-Délima. On n'a pas pu les refuser comme Dames patronnesses, mais ça veut pas dire qu'on est obligées de les fréquenter, par exemple.

— Ah ben, est bonne celle-là ! Comment c'est qu'on peut faire pour savoir si une femme est de la terre ou bedonc du fleuve ? C'est pas écrit dans leur front, ça.

— T'as pas remarqué que Marie-Thérèse, Alice Fournier et pis Cécile Marier se tenaient ensemble pis qu'elles parlaient pas aux autres ?

— Je savais pas leur nom. J'ai ben vu qu'elles se tenaient ensemble, mais je pensais que c'était parce qu'elles étaient des amies.

— Elles ont pas le choix d'être amies, parsonne d'autre veut leur parler.

— Sauf moi. Si je comprends ben, j'ai quasiment insulté tout le monde sans le savoir.

— C'est pas grave. Astheure, tu le sais.

— Oui. Je vas faire attention. Mais pour te dire toute la vérité, Gemma, je trouve pas ça correct. Parce que je sais pas si tu le savais, mais chez nous itou, on avait une terre. Peut-être que je suis pas parlable d'abord ?

— C'est pas pareil. T'as marié un du fleuve. Pour les autres, ben peut-être que t'as raison. Mais ça tout le temps été comme ça. Nos hommes font pareil. Ils parlent pas à ceux de la terre à part que si c'est absolument nécessaire. On peut rien faire pour changer ça. Et pis fais-toi pas d'idée, ceux de la terre non plus, ils nous aiment pas.

— C'est ben plate, des affaires de même. Bon, me v'là arrivée. Bonne nuitte, Gemma.

— Bonne nuitte, Rose-Délima.

Quand je voyais ma maison, ça me faisait toujours un petit velours. En dehors comme en dedans, c'était quasiment mon trésor.

Vu que Pierre-Paul m'avait donné la permission, j'avais changé les meubles de place dans salle de séjour. J'avais cousu une jetée pour le sofa avec une belle cretonne fleurie. J'avais fait des volants dans le bas. J'avais poussé le piano contre le mur. Ce piano-là, c'était plus une décoration qu'autre chose. Pierre-Paul savait pas où c'est que c'est que sa mère avait mis les rouleaux, ça fait qu'on pouvait pas le faire jouer.

— Dans le village, y a juste Albert Bonenfant pis Rosaire Lévesque qui savent jouer par oreille.

Dans notre chambre, j'avais mis la commode en coin. Les coins, c'est jamais beau, faut les garnir. Sur le dessus du bureau pis de la commode, j'avais mis un napperon en dentelle avec une petite statue de la madone par-dessus. Ça faisait riche.

Pierre-Paul disait qu'il se reconnaissait plus. C'était encore sa maison, mais c'était la mienne itou, à cause que j'avais mis les affaires à ma main.

Astheure que j'attendais, j'avais toujours une aiguille dans les mains pour la garniture du moïse. Mon mari était habile dans les bateaux, mais Ludo, lui, pouvait fabriquer pis sculpter n'importe quoi. C'est lui qui a fait le moïse avec des colombes sculptées dans le bois. Le moïse, je l'ai toujours gardé, il était trop beau !

La mère chez nous avait fait dire qu'elle s'occupait du set de baptême, ma sœur Mathilde était en train de me crocheter une couvarte de ber pis ma belle-sœur Fernande tricotait un set de gilet avec la bonnette pis les pattes. Toute en blanc, pour que ça fasse autant à un garçon qu'à une fille. Quoique naturellement, Pierre-Paul voulait un gars.

Quand t'as passé neuf mois à tricoter, tu t'attends pas à être obligée de mettre ton ouvrage dans la boule à mites. Le bébé, une petite fille, avait le cordon enroulé autour du cou. Elle a été ondoyée.

J'en ai passé du temps à brailler ! Mais quand t'es jeune, en bonne santé, veut, veut pas, tu reprends vite ta jarnigoine. Faut dire aussi que mon Pierre-Paul donnait pas sa place en dessous des couvartes. J'avais pas sitôt fini ma quarantaine que j'ai ressorti mon crochet pis ma belle laine blanche.

On soupait vite fait. Après, c'était la veillée. En crochetant, je regardais mon homme qui fumait sa pipe. Je voulais avoir son image tout le temps dans ma tête. Pour que le bébé lui ressemble. Ah, je me gardais ben de le dire tout haut. Tout le monde savent qu'y faut pas parler de ces affaires-là, ça porte malheur. Trop jongler, c'est pas toujours bon. C'te fois-là, je me suis même pas rendue à terme. C'était des bessonnes. Une double cérémonie des anges, c'est triste sans bon sens.

Pierre-Paul parlait pas trop, mais on voyait ben qu'il était désappointé.

— Je vas finir par penser que t'es pas bonne pour la famille, coudonc.

Je commençais à me poser des questions, moi avec. La mère chez nous, elle avait pour son dire que c'était pas grave pis que je finirais ben par avoir des flos.

— C'est comme Clarisse. Ç'a pris du temps, pis là, est rendue avec trois flos. Quand la manufacture est partie, ma fille, ça marche tellement ben que des fois, tu voudrais l'arrêter pis t'es pas capable.

Je savais pas si elle disait ça pour m'encourager ou bedonc si elle le pensait pour vrai. Surtout que j'étais pas forte sur mes jambes, j'avais toujours craint de prendre une fouille, de me péter la fiole.

C'est en plein ça qu'est arrivé. Je commençais tout juste à me remettre de ma troisième fausse couche. V'là-tu pas qu'un matin, en apportant les draps pour les laver, les genoux m'ont manqué. Je me suis ramassée à terre, avec le poignet gauche viré de bord. Ça m'élançait pas pour rire, je voyais des étoiles partout.

« Bon, que je me suis dit, pars pas en peur, Rose-Délima. Pierre-Paul va arriver pour diner betôt, il va t'amener sur le ramancheur, pis toute va être correct. » En seulement, j'ai eu toute une surprise.

— Le bonesetter? Y a pas de bonhomme Sept heures à Roches-Noires.

— Comment on fait, d'abord, quand on a quèque chose en démanche? J'ai vraiment du mal, tu sais, Pierre-Paul, je me plains pas pour rien. Je suis même pas capable de lever ma tasse de thé.

— Je vas aller chercher Fernande. Est pas mal bonne dans ces affaires-là, a connait des herbages pour ôter le mal.

Une chance qu'on avait ma belle-sœur! Était quasiment aussi connaissante que la garde-malade. Comme de fait, Fernande m'a strappé le poignet avec des bandes de coton pis elle m'a donné du thé aux herbes itou. Est venue quasiment toutes les jours pendant deux semaines. Au boutte de ce temps-là, j'étais guérie. N'empêche, y avait une question qui me travaillait.

— Comment ça se fait, donc, Fernande, qu'y a parsonne qui ramanche à Roches-Noires?

— Ben, euh, c'est pas tout à fait ça. Un ramancheur, y en a un, mais il est de la terre.

Ah, bon! Le chat sortait du sac! Je commençais à le savoir qu'à Roches-Noires, le monde du fleuve s'adonnait pas avec ceusses-là de la terre. Pierre-Paul l'avait dit, Fernande itou, même Gemma en avait parlé une fois. Ça avait l'air que ceusses de la terre, y avaient toutes les défauts du monde.

— Pourtant, garde Thériault vient d'une famille de culti-vateurs pis on la fait appeler quand même dans nos maisons.

— La garde, c'est pas pareil. D'abord, elle est allée étudier à l'hôpital de Rimouski. Et pis quand même qu'elle est de la terre, on en a besoin. Ça fait qu'on est pas pour engendrer chicane avec elle, ça serait contraire à notre profit.

62

— C'est mêlant sans bon sens. Tu parles pas à ceusses de la terre à moins que t'ailles besoin d'eux autres? Tu parles d'une affaire, toi!

— Je peux pas t'en dire plus, ma belle. C'était comme ça du temps de ma mère pis de ma grand-mère. Le ramancheur, il s'appelle Joseph-Étienne Leblanc. Il vient d'une famille de par en bas, des cultivateurs. Peut-être qu'il est bon quand même, ça, je le sais pas. Y en a qui vont le voir en cachette. Des femmes, surtout, quand c'est pour un enfant malade. Moi, j'arais peur d'attraper une maladie. Sa cabane est sale au dehors, ça fait que ça tombe sur le sens que ça doit être sale en dedans avec. Et pis, il boit. Y en a qui disent que c'est un sorcier. Tu vas le voir, tu lui montres c'est quoi qui te fait mal, pis il te guérit. Comme ça, d'un coup sec! Tu y donnes quèques cennes, ce que tu veux. Moi, en tout cas, j'irais jamais, j'aurais ben trop peur. Non, si tu veux mon idée, Rose-Délima, le ramancheur, c'est pas du monde à fréquenter.

— Des fois, faut passer par-dessus sa rancune, me semble.

— C'est plusse que de la rancune. T'as vu la fille Proteau, avec son petit bras? Elle allait sur ses six ans quand sa mère l'a amenée voir le ramancheur. Il y a jeté un sort, son bras est venu encore pire! C'est pas toute: Rosaire Lévesque, le frère à Gemma, y a goûté lui itou. Regarde-le, astheure, le Rosaire! Il est pris pour boiter toute sa vie. Encore chanceux d'être capable de faire son métier malgré toute! Y en a qui racontent que le Joseph-Étienne, il dit des messes noires dans sa shed les soirs de pleine lune. Non, je te dis, Rose-Délima, c'est mieux de se tenir loin du monde comme ça. La garde, au moins, elle a rendu parsonne plus pire qu'il était avant.

Le ramancheur! Il est mort, astheure. Sa maison a pris feu, il est mort brulé. Ça fait pas mal longtemps de ça. Quand même, je l'ai connu, dans le temps. Ben oui, malgré que c'était un de la terre pis que Pierre-Paul m'aurait ben reniée à tout jamais s'il avait su ça, moi itou je suis allée le voir en cachette. Quand t'as un enfant malade, tu veux toute faire pour qu'y guérisse, Fernande avait raison là-dessus. J'ai attendu que Pierre-Paul parte pour l'Isle-aux-Brumes radouber la barque au père Beauchemin pour aller à cabane. Un bonesetter, des fois, c'est encore mieux qu'un docteur pour certaines affaires. Parsonne peut dire le contraire.

Claude, mon troisième, s'était foulé la cheville. Ma belle-sœur y avait fait des compresses avec des herbes, mais ça aidait pas pantoute. Ça fait que je m'ai décidée pis j'y suis allée avec le flo.

Quand même, j'avais un peu peur quand je suis arrivée devant la cabane avec mon flo qui marchait juste sur un pied. J'ai frappé, on est entrés. Sainte bénite que c'était sale! Y avait de la crasse tout partout. De la vaisselle sale sur la table, des draps que t'aurais pas voulu te coucher dedans pour pas pogner de bibittes. J'étais pas certaine pantoute que j'avais ben fait d'emmener le flo.

Le ramancheur avait l'air à moitié endormi. Ben non, malgré ça, il a regardé mon gars drette dans les yeux pis il y a dit:

— Toi, mon jeune, tu vas aller loin dans vie. T'es un vrai gars du fleuve. Mais ça fait rien, m'en vas te réparer ça, c'te pied-là, parce que pour marcher en avant, c'est mieux d'avoir les deux pieds dans le sens des soliveaux.

Il a pris le pied de Claude avec ses deux mains pis il l'a tordu d'un coup. Ça a fait un bruit sec qu'on pouvait penser que les os avaient cassé. Claude a lâché un cri de mort que ça m'a pogné au cœur. Je savais qu'y fallait pas contredire le ramancheur, qu'y fallait pas l'avoir contre nous autres si on voulait pas qu'il nous jette un sort. Mais ça se voyait qu'il avait fait mal sans bon sens à mon gars. J'ai pas pu m'empêcher de dire:

— Sainte bénite, que c'est que vous y avez fait? On est venus icitte pour le guérir, pas pour le rendre plus pire!

J'avais pas sitôt parlé que je le regrettais, à cause que Fernande m'avait dit qu'il pouvait te lancer un sort si tu lui déplaisais. Elle m'avait dit que Delphine s'était fait dire par une de la terre qu'Eugénie Rousseau était allée le voir pour sa Cécile qu'arrêtait pas de frissonner. Ben une semaine plus tard, elle était retournée tu seule pour lui demander de la rembourser à cause que les frissons avaient pas arrêtés tu suite. Ben apparence que pendant une semaine, toute le manger qu'elle faisait était tellement pas mangeable que même les cochons en voulaient pas. Pis la Cécile serait morte de ses frissons pas longtemps par après. Mais le ramancheur a pas plus porté attention à moi que si j'avais pas été là. Il a dit à Claude :

— Mets donc ton pied à terre, pour voir.

Ben c'était pas créyable, mais Claude était capable de marcher ben drette, pareil comme si y avait rien eu ! C'est là que j'ai compris pourquoi que le monde aimait pas le bonesetter. En fait, c'était pas qu'on l'aimait pas, c'était qu'on en avait peur. Pas surprenant. Fallait que ça seye un sorcier pour faire des affaires de même, y avait pas à sortir de là, sainte bénite ! Moi, malgré que j'étais contente que Claude pouvait marcher, j'avais des frissons dans le dos. D'un coup qu'il m'avait entendue pis qu'il allait me jeter un mauvais sort parce que j'y avais mal parlé ! En plus, j'avais pas d'argent. J'ai mis un sac sur la table. Dedans y avait une bouteille de petit blanc que j'avais volée à Pierre-Paul. C'est toute ce que je pouvais faire pour le payer.

Il m'a pas parlé. Pas un mot. J'ai ouvert la porte de la cabane, regardé dehors pour checker si parsonne pouvait nous voir sortir, pis je m'ai dévirée pour faire signe à Claude de me suivre. J'ai eu le temps de voir le vieux prendre une grande gorgée dans bouteille. Joseph-Étienne Leblanc, le bonesetter, il riait. Pour quoi c'est faire qu'il avait dit que mon Claude irait loin dans vie ? Moi, j'ai jamais pu me faire une idée. Toute ce que je sais, c'est que Claude est sorti de la cabane en marchant sur ses deux pieds.

Quand Fernande a vu mon gars, elle a pensé que ses compresses avaient fait effet. J'ai pas dit oui, j'ai pas dit non. Claude a pas parlé non plus. Il avait juste cinq ans, mais il savait déjà qu'y a des affaires qu'y faut pas dire.

Plus tard, je me suis rendu compte que chacun avait des histoires à conter sur le ramancheur. Ma belle-sœur avait peut-être raison de dire que c'était pas du monde fréquentable. Chacun son idée, faut croire. Moi, j'ai la mienne pis y a parsonne qui va m'en faire changer.

Chapitre 5

Bonne pour la famille

Avec Fernande pis Gemma comme amies, je savais toute ce qui se passait au village. Fernande avait ben de la jarnigoine, elle connaissait tout le monde vu qu'était née icitte. Et pis, son mari était maire, ça nuisait pas pour savoir les affaires de tout un chacun. Gemma, c'était pas pareil, c'était Zotique qui lui rapportait des affaires accommodées à sa manière, ben sûr.

Une des premières choses que Fernande m'avait dite, c'est que Pierre-Paul pis Zotique Bernier s'haïssaient pour se tuer.

— Je le sais. C'est quasiment la première affaire que j'ai su en arrivant. Pierre-Paul passe son temps à parler en mal de Zotique. Ben coudonc! Il en a donc ben des chicanes, dans le village! Gemma est pourtant ben correcte. Pour quoi c'est faire qu'y s'aiment pas, ces deux-là?

— Ça, le bon Dieu le sait pis le diable s'en doute. Et pis t'as raison, Gemma Bernier, c'est une femme qui sait se tenir. Tu vas la connaitre mieux, je vais l'emmener avec moi demain. C'est ta première voisine après toute.

C'est comme ça que j'ai connu celle qu'allait être ma grande amie pendant longtemps. Est morte, astheure. Ben quand t'as mon âge, faut pas te surprendre qu'y aille autant de morts autour de toi. Mais Gemma, c'est pas pareil. Elle, j'aurais eu ben de quoi à y dire. Mais on pense toujours qu'on a le temps...

Gemma, c'était une Lévesque de son nom de fille. Dans le bas du fleuve, c'est un nom aussi connu que les Bernier ou bedonc les Lepage. Elle était orpheline, pensionnaire au couvent des sœurs de Rimouski. C'est là que Zotique l'avait connue en allant voir une de ses sœurs qu'était religieuse. Quand tu la regardais, la Gemma, ça te surprenait pas que Zotique l'aille remarquée parce qu'elle avait quasiment le visage d'une madone. Sans vouloir commérer, je dirais que Zotique l'avait aussi voulue parce qu'elle parlait pas souvent pis que ça lui ferait une « femme soumise », comme ils disent.

Soumise, je sais pas. Ça doit. Elle ressemblait à une petite souris qu'aurait peur de toute. Quand on parlait entre femmes, elle se laissait aller un peu. Elle me contait que chez eux, fallait qu'elle suive un plan. Zotique y marquait toutes les matins de quoi c'est qu'y fallait qu'elle fasse dans journée et pis le soir, il vérifiait. Fallait que toute seye à sa place.

Par chance, avec ses flos qui grandissaient, elle pouvait se fier sur les plus vieux pour l'aider quand ils revenaient de l'école.

Gemma chantait aussi ben qu'un ange. C'était elle qui tenait l'orgue à l'église. Elle était instruite, itou. Elle pouvait lire les gazettes. Moi, même si je savais lire un peu, ça me prenait du temps. Des fois, Gemma me parlait des affaires qu'y avait dans *Le Soleil* de Québec. Zotique itou, quant à ça, il était instruit. Il était foreman au chantier naval où c'est que Pierre-Paul travaillait. Ça voulait dire que Zotique, c'était le boss de Pierre-Paul.

— Ça se pourrait-tu, Gemma, que ton Zotique claire mon mari ?

— Non, il pourrait pas, ça lui ferait trop de tort au village. Ton mari, il connait les bateaux sur le boutte de ses doigts. C'est le plus habile sur toute la côte pour radouber pis calfater. Il pourrait bâtir une goélette à lui tu seul, s'il voulait. Si Zotique le mettait à porte du chantier, ça ferait quasiment une révolte au village pis y a pas mal de monde qu'arrêterait d'aller au chantier naval. Pis oublie pas que Ludovic est maire

68

de Roches-Noires. Il défendrait son frère. Tant que les deux hommes font rien que se chicaner, c'est pas grave. Mais mettre ton mari à porte, là, ça passerait pas.

— Je savais pas ça, que Pierre-Paul était apprécié de même.

— Apprécié pour sa connaissance des bateaux, ça, y a pas de doute.

Ça avait été un soulagement d'entendre ça. Gemma était ben fine d'avoir parlé de ça.

Pourquoi que Gemma, elle, avait marié Zotique, ça, parsonne le savait. J'y ai jamais demandé. Peut-être qu'elle s'ennuyait dans son couvent? Oh, mon Dieu, s'y fallait que le curé m'entende dire ça, je serais ben excommuniée! Quand je l'ai connue, elle avait déjà toute une trôlée d'enfants. Parsonne pouvait dire qu'elle empêchait la famille.

Zotique leur menait la vie dure, aux flos, pis à sa femme itou. Elle avait pas le droit de sortir autrement que pour aller pratiquer l'orgue, aller à messe pis aux réunions des Dames patronnesses. Fallait quasiment qu'elle se cache pour venir chez nous. Manquablement que Zotique aurait pas été trop content de savoir ça.

Douze flos! J'étais loin d'être rendue là.

Quand le curé du village venait faire sa visite de paroisse, il me regardait toujours avec des gros yeux. Parce que j'étais pas enceinte. Pierre-Paul itou trouvait que je partais pas vite pour la famille. Dans ces temps-là, il bougonnait chaque fois que je voyais le sang.

— C'est à croire que je fais pas ce qu'y faut. Si ça continue de même, le monde du village vont penser que je m'occupe pas de toi.

Pour s'occuper de moi, ça, y avait aucune crainte à avoir. Des fois, je me demandais si c'était juste ça, le mariage. Parce que pour dire le vrai, moi, les affaires de couchette, je voyais pas grand-chose là-dedans. Je pouvais pas en parler à confesse, le curé m'aurait ben crucifiée. Aime ça, aime pas ça, c'était du pareil au même. T'étais obligée.

C'était des choses ben trop gênantes pour en parler à une amie. Même avec Gemma, je gardais toute en dedans. Et pis, pauvre Gemma, elle serait ben partie en courant pour aller à confesse s'y avait fallu qu'on parle de ça.

⁓

Quand mon premier gars est arrivé, ben en vie, j'étais comme une vraie folle. J'arrêtais pas de le regarder, de le toucher. Après les relevailles, j'avais de la misère à faire mon ordinaire tant j'avais rien qu'envie de me barcer avec le petit dans les bras. La prière, c'est quelque chose! La Sainte Vierge avait fini par m'écouter. Cet enfant-là, c'était un vrai miracle, un cadeau du bon Dieu. Pierre-Paul voulait pas le laisser paraitre, mais il était aussi content que moi. On l'a appelé Antoine, en souvenir de mon père.

C'était un vrai petit Jésus avec ses cheveux blonds frisés. Je les trouvais tellement beaux, ses cheveux, que je me décidais pas à lui faire couper. Pierre-Paul aimait pas trop ça.

— Mets-moi les ciseaux là-dedans, Rose-Délima. As-tu envie que notre garçon passe pour un fifi?

Mon Antoine, un fifi! Il braillait pas souvent, pis c'était un vrai gars. Ben bâti, itou. Il avait pas des manières de fille pantoute. Mais bon, on a longtemps pensé qu'y en viendrait pas d'autres.

Il m'a fallu trois ans avant de mettre mon deuxième dans son moïse. Celui-là, il était pas pressé. Je l'ai porté pendant dix mois. Parsonne comprenait pourquoi, pas même la garde-malade. Pendant que j'attendais, j'avais cousu une belle garniture neuve pour le ber avec du tulle acheté au peddler. C'était beau à voir, toute propre, c'est juste que le petit torrieux arrivait pas.

Quand le temps est venu, la garde a passé toute la journée sans compter une bonne partie de la nuitte à maison. J'avais du mal sans bon sens, me semble que ça passait pas. Il a fini par se montrer la face. Il pesait douze livres! Moi, j'étais pas mal déchirée, mais son père était ben fier que ça seye un autre gars. Celui-là a été baptisé sous le nom de Bernard.

Mon Bernard, c'était un petit gars sérieux, même quand il était bébé. C'était rare qu'on arrivait à y tirer un sourire. Mais il était pas de trouble, par exemple. Un comme ça, ça m'aurait rien fait d'en avoir une dizaine. À condition de les avoir un après l'autre! Fernande était rendue à son troisième couple de jumeaux!

En 1934, on avait eu vent qu'une femme en Ontario avait eu cinq filles d'un coup. La pauvre madame! Je pouvais pas m'empêcher de la plaindre. Cinq d'un coup. Sainte bénite, j'aurais pas voulu que ça m'arrive!

Les jumelles Dionne! Le curé en avait même parlé en chaire. Apparence que même si ce monde-là restait en Ontario, ils étaient catholiques. Sans ça, à mon idée, le curé aurait rien dit.

— Mettre des enfants au monde est un devoir sacré. On ne peut qu'admirer cette mère de famille qui, avec cette nouvelle naissance, a maintenant dix enfants.

Je pouvais jurer qu'il me visait avec son sermon, vu que moi, j'avais juste deux garçons. Ça faisait douze ans qu'on était mariés nous deux quand Claude, mon troisième, s'est montré le boutte du nez au printemps 1936. Le soir de sa naissance, Pierre-Paul se pétait les bretelles. Pensez donc: trois gars!

Par après, le curé a plus eu rien à dire. On faisait baptiser presquement toutes les ans. Donat pis Émile avaient juste onze mois de différence. Florian a suivi quasiment tu suite.

À chaque visite de paroisse, j'avais toujours un flo dans le ber.

Six garçons!

Je commençais à craire que j'étais pas destinée à avoir des filles.

Par chance que ma mère venait me relever à chaque accouchement. Surtout que pour Florian, j'avais été quasiment trente-six heures dans les douleurs. Ça aurait pas dû être de même parce que de coutume, plus que t'accouches souvent, plus que c'est supposé ben se passer. Mais si la mère avait pas été là, je sais pas comment je serais arrivée à faire mon ouvrage. Pierre-Paul connaissait pas ça, la maladie. Il pouvait pas comprendre ce que c'était que le mal dans le corps. Fallait qu'y aille rien de changé dans maison, même quand j'allaitais. Il devait pas être le seul à penser comme ça, parce que ma mère disait :

— Les hommes, c'est toute du pareil au même, Rose-Délima. Que ça seye pour l'ordinaire ou bedonc dans couchette, y pensent rien qu'à eux autres. Ton Pierre-Paul est pas pire que les autres. Si t'es capable de t'assire dans le litte, m'en vas te peigner. Faut que je te conte ce qui se passe au village. À matin, au magasin général, ça parlait fort. Y avait ben des hommes qu'étaient pas contents. Imagine-toi donc...

Le jour de la fête à Florian, ils avaient annoncé au radio pis dans les gazettes qu'à partir d'astheure, les femmes auraient le droit de vote aux élections provinciales. C'est de ça que ma mère parlait en me brossant les cheveux. Je l'écoutais, mais je comprenais pas pourquoi la nouvelle avait l'air si importante pour elle. C'est en jonglant que ça m'est venu : ma mère était veuve depuis quasiment trente ans, elle était habituée à toute runner comme un homme. C'était pas surprenant qu'elle aille pris ça pour une bonne nouvelle.

— Le marchand général a dit que jamais il laisserait sa femme aller voter, que les créatures connaissaient rien à politique pis que c'était ben mieux comme ça. Quand je te dis qu'y sont toutes pareils... Si je m'étais pas retenue, j'y arais dit ma façon de penser au marchand général ! Le notaire adonnait à être là itou, ça fait que les hommes y ont demandé de quoi c'est qu'il en pensait. Y a répond qu'astheure que ça avait passé au Conseil législatif, c'était une loi. Que d'adon ou pas, les femmes avaient le droit de voter.

Moi, je savais pas si Pierre-Paul me laisserait y aller. Pour dire la vérité, je suis pas certaine que ça m'intéressait. J'avais assez à faire de même dans maison sans me chicaner avec mon mari pour une niaiserie.

Le dimanche d'après, le curé en a parlé en chaire. Les femmes pouvaient aller voter, c'était pas un péché, ben au contraire, c'était la loi. Par exemple, il fallait faire ben attention pour pas annuler le vote de son mari.

Le curé a été ben clair là-dessus :

— Le mari est le chef de famille et c'est lui qui décide. Alors, mesdames, je vous recommande fortement de prendre conseil de votre époux avant d'aller voter. N'oubliez pas qu'en vous mariant, vous avez promis obéissance.

Quand même ! Que j'aille voter ou pas, fallait que je me dise que si les femmes avaient ce droit-là, peut-être ben qu'elles auraient le droit de parler pour que ça compte. C'était à ben y penser.

Chapitre 6

Tant qu'il y aura des hommes

Fernande avait beau m'en avoir parlé, je comprenais quand même pas pourquoi Pierre-Paul pis Zotique Bernier passaient leur temps à se chicaner. Oh, sûr de sûr, mon homme était souvent contraireux. Je l'ai déjà vu s'entêter à dire une affaire qu'y créyait pas juste pour dire le contraire de quelqu'un. Mauvais caractère. Mais avec Zotique Bernier, c'était ben plus pire qu'avec les autres.

Ma belle-sœur m'a conté que même quand ils étaient des flos, à l'école, ils trouvaient le moyen de s'ostiner pour des riens.

Quand mon beau-frère Ludovic était maire du village, il a conté à sa femme qu'à l'auberge, les vieux parlaient d'une histoire de terre à bois de chauffage qu'un Bernier aurait volée à un Lepage pis, qu'ensuite, il l'aurait laissée à l'abandon rien que pour faire enrager l'autre. Ça serait pour ça que les Lepage pis les Bernier s'haïssaient. Non, je devrais dire «le» Lepage. Le mien. Ludovic, lui, il haïssait parsonne.

Ludo était un peu plus jeune que Pierre-Paul, il se rappelait de rien de tel. Plus que ça, il pensait pas qu'y avait du vrai dans cette histoire-là. Surtout que des terres, c'était pas ça qui manquait dans famille. Ludovic avait beau pas avoir hérité du bien, il s'était bâti sur un terrain aux Lepage. À l'auberge, quand la conversation virait de ce bord-là, Ludo s'en mêlait pas.

— Voir si ça se peut, voler une terre !

— Que ça se peuve, que ça se peuve pas, c'est ça qu'est arrivé.

— Ouais, au fond, tu parles, tu parles, mais t'en sais rien.

— Des fois, c'est à se demander si eux autres mêmes, ils savent pourquoi qu'ils sont en chicane.

Tout ce qu'il pouvait dire, Ludovic, c'est que le curé avait forcé les deux hommes à se serrer la main pour le jour de l'An. Ça, c'était il a ben longtemps. Astheure, c'était tout juste si Pierre-Paul pis Zotique pouvaient se regarder sans se fesser dessus.

— Pierre-Paul a toujours aimé ça, la chicane. Quand y sortait de l'école, y crachait sur le passage à Zotique. L'autre, hypocrite comme y est, y faisait assemblant de continuer son chemin. Après, quand Pierre-Paul s'en attendait pas, y se dévirait pour y donner un coup de poing. Y se criaient des noms, y se traitaient de « vendu » pis de « visage à deux faces ». Les deux gars roulaient à terre dans bouette. Je pense que les mères devaient pas être trop contentes à cause du linge toute sale. Nous autres, les filles, on se dépêchait de s'en aller à maison.

L'auberge, c'était la place où c'est que les hommes se rencontraient pour discuter de toute ce qu'était important, que ça seye une question de politique municipale, d'un voisin qui bâtissait ou bedonc de comment ça coutait cher pour vivre.

Une fois, j'ai demandé à Pierre-Paul pourquoi qu'il haïssait tant Zotique. Il a pris les nerfs tu suite.

— Mêle-toi pas de ça, Rose-Délima ! C'est des affaires d'hommes. Je me suis jamais laissé faire par un Bernier pis c'est pas astheure que ça va commencer.

Par après, j'ai entendu parler d'une autre affaire. Apparence que les deux hommes avaient fréquenté la même femme, Noémi Leblanc, la cousine du bonesetter. C'est ni un ni l'autre qu'a gagné parce que les parents des deux bords voulaient rien savoir. Les Leblanc étaient de la terre, ils voulaient pas avoir un gendre qu'était du fleuve, ça finissait là. Ben ils ont forcé leur fille à rentrer au couvent. Les deux hommes faisaient comme si c'était la faute de l'autre que Noémi seye sœur cloîtrée. Ça faisait encore une autre raison pour se crier des bêtises :

— Rien qu'à voir la face lette à Zotique, on sait ben, la pauvre Noémi a aimé mieux s'enfermer à vie !

— Ça serait pas plutôt parce qu'elle a eu peur d'attraper tes péchés ?

Ça, c'est encore Fernande qui me l'a rapporté, rapport que Ludo y disait toute ce qui se passait dans paroisse. Zotique contait que Pierre-Paul aurait eu une maladie honteuse quand il jeunessait. Ben sûr que Pierre-Paul allait pas laisser passer ça.

— Toi, espèce de sans génie, je sais pas ce qui me retient...

Zotique avait poussé Pierre-Paul, qui s'était retrouvé sur le derrière, au milieu des rires et des agaceries. Y en avait même un qu'avait demandé :

— Tu t'es pas trop fait mal au cul, mon pit ? Faudrait pas que ça t'empêche de servir ta belle Rose-Délima.

Zotique en avait profité pour jeter de l'huile sur le feu.

— Remarque, c'est pas grave. Si t'es empêché, moi, je peux ben prendre ta place pour la consoler, ta femme. Juste pour rendre service, marin d'eau douce, juste pour rendre service !

Se faire traiter de « marin d'eau douce » quand t'es du fleuve, c'est insultant. Mais se faire dire que t'es pas capable, c'est encore ben pire. Surtout que tout le monde riait.

Y avait juste un homme qui riait pas : Rosaire Lévesque, le gardien du phare.

— Tu devrais pas l'asticoter tout le temps, Zotique. Des plans pour qu'y se venge sur ta famille, soul comme y est là.

Zotique en faisait pas de cas.

— T'as peur pour ta sœur Gemma ? Tu devrais pas. Je suis en masse capable de protéger ma famille. S'y fallait qu'on s'occupe des souleries de Pierre-Paul Lepage, ça serait une job à temps plein. Il va tomber quèque part dans un fossé pour cuver son vin. Demain, y va avoir tout oublié.

On sait ben, Zotique était dans ligue de tempérance, lui. Il était proche de ses cennes, itou. C'est vrai qu'avec sa grande famille à nourrir…

Quand Pierre-Paul est parti, apparence que ça s'est mis à parler politique. Je sais pas ce qu'ils feraient, ces pauvres hommes, si y avait pas la politique pour les occuper. De quoi qu'ils parleraient, on sait pas. La politique, c'est l'occasion de se crier des bêtises quand un est pas du même bord que l'autre.

En plus, suffisait qu'un de la terre seye présent, c'était certain que les bêtises revolaient tout partout. Pire que ça, Pierre-Paul pis ben d'autres s'ostinaient à dire qu'ils étaient bleus quand c'était pas vrai, juste parce que celui de la terre était rouge. Quand Pierre-Paul revenait, il passait une bonne heure à renoter toutes les raisons de traiter ceusses de la terre de vendus. Je l'écoutais juste d'une oreille. Moi, la politique…

※

Le soir que je parle, il est revenu à maison quasiment soul mort. Il avait tombé quelque part dans une calvette, sa chemise était mouillée, pleine de terre pis de bouttes d'herbe. Il baragouinait des affaires que je comprenais pas trop, mais qu'étaient en rapport à Zotique.

— T'as fini de te moquer de moi, Zotique Bernier. Je suis ben plus capable que tu penses, pis m'en vas te le montrer drette astheure !

Il s'est laissé tomber sur le litte avec un hoquet. Il sentait le fond de tonne que c'était pas disable. A fallu que je le laisse faire même si c'était vraiment pas ragoutant de me faire coller par un homme aussi sale. On aurait dit que même dans sa tête, c'était reviré à l'envers. Il répétait tout le temps la même chose :

— M'en vas te montrer que je suis capable. Plus que tu penses, à part de ça ! Tu vas savoir comment que je m'appelle, mon Zotique, aie pas peur, tu vas le savoir !

Pour être capable malgré qu'il était en fête, ça, y avait pas de doute. Parce que je penserais ben que c'est ce soir-là qu'on a fait notre septième. Un enfant de boisson, tu sais pas trop ce que ça va donner, tu peux juste prier pour que toute aille comme y faut.

∼

Encore aujourd'hui, je me vois dans ma chambre, un dimanche matin. Je m'habillais pour la messe. Les enfants étaient déjà prêts, mon homme commençait à s'impatienter.

— Arrive, Rose-Délima ! On va être en retard à messe. Un vrai déshonneur.

Pierre-Paul avait posé les châssis doubles la semaine d'avant, il s'était fait aider par Antoine. J'haïssais ben ça, les châssis doubles, pas juste à cause que ça annonçait du frette, mais parce que ça annonçait l'hiver. Quasiment six mois que Pierre-Paul travaillait pas pis que je l'avais dans les jambes toute la sainte journée. Ça, c'est quand il allait pas à l'auberge prendre un coup.

— Rose-Délima ? Qu'est-ce que t'as à bretter à matin ?

J'ai pris le temps de jeter un coup d'œil sur le fleuve, par le châssis. Pour me rendre compte qu'on voyait rien pantoute. J'avais beau savoir que l'Isle-aux-Brumes était en droite ligne, pas moyen de la voir avec la dentelle que le frette dessinait dans les vitres. Le pont de glace était pas encore pris, ça irait après les fêtes.

C'était du temps à bordée. Aussitôt dehors, le vent vous tassait en vous envoyant au visage une rafale de poussière glacée. Ça soufflait tellement qu'on avait de la misère à marcher. Un matin en froidure, en couleur gris blanc ; un dimanche à neige pardue, à faire rougir le poêle, à mettre des bas de laine d'habitant.

C'était un soulagement d'entrer dans l'église. Là, au moins, le vent pouvait plus vous glacer les veines et vous mettre le visage au vif. Malgré ça, j'avais encore frette. La paroisse Saint-Pascal était pauvre, l'église mal chauffée. Pierre-Paul craignait rien, lui, avec son capot de poil, tandis que moi, même avec mon manteau doublé, j'avais encore un peu frette.

Comme par un fait exprès, le curé en avait long à dire sans bon sens ce matin-là. En écoutant le prêche, j'ai eu comme un coup au cœur. Un pressentiment, je crairais ben. Comme si y était pour arriver des affaires graves qu'on pourrait pas contrôler. J'ai essayé d'escouer ces pensées-là en priant. J'ai demandé au bon Dieu de protéger ma famille. Avec la prière, on se trompe pas. De coutume, je profitais de mon temps à l'église pour dire au bon Dieu tout ce que j'avais sur le cœur. Ce matin-là, j'étais distraite, je sais pas trop pourquoi. Pourtant, on était toutes là, tout le monde en bonne santé, c'était quand même ça le plus important.

À côté de moi, dans notre banc, mon Pierre-Paul, toujours aussi beau. On aurait dit que le temps avait pas de prise sur lui. Il avait pas changé une miette depuis qu'on s'était mariés. C'était toujours un grand six pieds, deux-cents livres, fort comme un bœuf. Pis souvent, il se conduisait pareil comme s'il aurait été une bête. Ah, avec son mauvais caractère pis ses souleries, il m'en avait fait voir pendant nos dix-sept ans de mariage! Bon travaillant, pas regardant à l'ouvrage, ça, j'avais rien à dire. Mais quand c'est qu'un homme aime la boisson plus que sa famille, tu peux être sûr que la femme pis les enfants pâtissent.

Les enfants. Dans même rangée que nous autres, y avait nos flos.

Mon Antoine, avec ses quatorze ans, c'était un beau gars, quasiment aussi grand que son père, déjà. Il aimait pas trop l'étude, celui-là, mais pour aller sur l'eau, ça, il se faisait pas prier, c'est moi qui vous le dis. Suffisait d'avoir le dos tourné pour que le petit snoreau prenne le bord du quai à la place d'aller à l'école. Rendu là, il quémandait pour aller en bateau. Il se trouvait toujours quelqu'un pour accepter de l'embarquer, ça fait que mon gars disparaissait pour la journée. Des fois, il revenait juste avec la noirceur.

— C'est toi, Antoine ? D'où c'est que tu viens à cette heure-là, tout mouillé à part ça ? T'as pas soupé, je suppose. Ben tu vas passer en dessous de la table. Icitte, c'est pas un restaurant, tu sauras. Je peux pas faire à manger à toutes les heures pour vous accommoder. Pierre-Paul, parles-y, à ton gars.

Ça faisait rire son père :

— Ça va faire un matelot, de sûr !

— Tu devrais pas l'encourager. Des plans pour qu'il lâche l'école.

Je pouvais ben m'égosiller, quand c'était pour son plus vieux, mon mari était toujours de son bord. Une fois, j'en avais parlé à la mère chez nous quand elle était en visite.

— Que c'est que je vas faire avec cet enfant-là, voulez-vous ben me dire ? Il écoute parsonne.

La mère s'est mise à rire, pareil comme Pierre-Paul.

— Pis ça vous fait rire en plus ? Je vous demande votre idée, là, pis toute ce que vous trouvez à faire, c'est rire ?

— C'est parce que ton Antoine, il ressemble ben gros à quèqu'un que tu connais...

— Qui ça ?

— Toé, ma fille, toé. Tu te rappelles pas quand t'allais courir partout sur la grève pis que tu te cachais pendant des heures ? Toé itou, tu revenais à maison toute mouillée, sale à faire peur.

C'était vrai. Elle avait raison, la mère. Mais ça m'empêchait pas d'être inquiète pour Antoine. Je savais pas s'il ferait un matelot comme son père disait. En tout cas, il était vaillant, mon gars. Il aidait son père autour de la maison, il vous faisait la journée d'un homme.

Bernard, c'était pas pareil. Il avait beau avoir juste onze ans, il était pas mal plus sérieux que son frère. On disait qu'il allait faire un comptable ou un banquier s'il continuait sur sa lancée. Il était fort sans bon sens dans les chiffres. Mademoiselle Desbiens, la maitresse, m'en avait encore parlé le mois d'avant. Lui, pas de danger qu'il manque l'école, non monsieur ! Au contraire, il avait toujours le nez fourré dans ses livres. C'est ben beau, l'instruction, mais pas moyen de faire bouger ce pit-là autrement que pour travailler dans les écritures.

— Bernard, va chercher une brassée de bois pour garnir le poêle. Ça commence à se renfrédir pis la caisse est quasiment vide.

Il levait ses yeux de sur ses livres pis il te regardait comme s'il sortait d'un rêve.

— Envoye, grouille.

La maitresse avait beau dire que Bernard serait notre bâton de vieillesse, moi, je pensais que c'était peut-être mieux qu'on vieillisse pas trop vite, Pierre-Paul pis moi. Avec quelqu'un qu'a les yeux dans les étoiles, tu sais jamais comment ça va finir.

— Les yeux dans les étoiles, ça avec, ça te ressemble, ma fille. Pour rêver, tu donnais pas ta place.

— Sainte bénite, sa mère, faites-vous exprès pour me décourager ? Vous avez l'air de vouloir dire que mes gars retrouvent juste mes défauts. Je dois avoir des qualités itou, me semble ! Et pis, on les a faits à deux, ces enfants-là. Il doit ben y en avoir quèques-uns qui tiennent de leur père ! Claude, peut-être ben ?

Un vrai batailleur, le Claude ! On avait juste à le regarder. Il avait quasiment toujours un œil au beurre noir ou une poque en quelque part. Son plaisir, c'était de se mesurer à des plus grands. Il me revenait avec la chemise déchirée, sale comme c'est pas possible. Avec ça, toujours à vous contrarier, toujours à ostiner. Quand il avait une idée, il lâchait jamais, même quand il mettait son père en beau joual vert pis qu'il attrapait des claques par la tête. Ah oui, celui-là, pas d'erreur, il tenait de son père.

Donat, c'était mon plus tranquille. Il était servant de messe. On l'entendait pas, cet enfant-là. Quand c'était congé d'école, je pouvais être certaine de le trouver dans cour en arrière. Son oncle lui avait fait une petite table en bois pis il m'avait demandé un boutte de tissu blanc pour faire une nappe d'autel. Le moindrement qu'il faisait beau, il se pratiquait à dire la messe. Le curé prétendait qu'il faut se méfier des eaux dormantes. Moi, je pensais plutôt que c'était le contraire. Donat m'aurait dit qu'il voulait faire un prêtre que ça m'aurait pas étonnée.

— Où c'est que vous l'avez pris, celui-là ? Il vous ressemble pas pantoute. Ni à toé ni à ton mari.

— Ambitionnez pas sur le pain béni, sa mère. Je pratique ben ma religion, c'est normal que mes enfants fassent pareil. Mon Donat, je suis certaine qu'il a la vocation. On va avoir un prêtre dans famille.

— Il est trop jeune pour le savoir. Fais attention, Rose-Délima, que ça seye pas toé qui ailles la vocation au lieu de ton gars.

— Je sais pas ce que vous avez aujourd'hui, sa mère, pour me contrebarrer comme ça tout le temps. On est mieux de manger, là. Les enfants ont faim, ils sont restés à jeun depuis hier soir pour pouvoir aller communier à matin.

— C'est prêt. Les patates sont pilées. Le poulet est cuit.

Le dimanche midi, on mangeait toujours du poulet rôti avec des patates pilées pis de la sauce.

— Arrivez, les enfants ! On mange.

Ça pas pris deux minutes que tout le monde était là.

J'ai placé Émile à côté de sa grand-mère. Celui-là, c'était son préféré et pis ça paraissait. Quand elle venait en visite, elle l'avait toujours sur ses genoux pour le barcer. Il s'accotait la tête sur elle pis il s'endormait même en plein jour.

Il venait tout juste d'avoir cinq ans, mon gars. Il était encore tout petit, mais raisonnable. Plus que les grands, en tout cas. Il s'amusait tranquillement avec ses bébelles, c'était ben drôle de l'entendre parler tu seul. L'été, il faisait des chemins dans le sable pour faire marcher ses trucks. L'hiver, il jouait dans chambre des gars en faisant assemblant de chauffer un camion. On savait pas trop ce qu'il allait faire, mais on avait le temps d'y penser.

J'ai avancé la chaise haute pour Florian.

— Tu devrais pas, Rose-Délima. C'est pus un bébé, il a trois ans de fait.

— Coudonc, ç'a l'air que je fais rien de correct aujourd'hui ? Mémère me critique, Pierre-Paul itou. On peut-tu manger en paix ? Inquiète-toi pas pour Florian, Pierre-Paul. Il a beau avoir juste trois ans, il en vaut dix pour la jarnigoine.

— Tant qu'à ça...

Florian, il avait beau être mon bébé, c'était un vrai petit diable ! C'est ben simple, il aurait fait damner un saint. Il courait partout, tout le temps, il avait peur de rien. À toute minute, on s'enfargeait sur lui. Les plus vieux chialaient après :

— Si tu continues à être dans les jambes de tout le monde, tu vas finir par attraper des claques. M'man, ôtez-le de là !

Je sais pas si vous êtes comme moi, on dirait que quand c'est ton dernier, t'as un faible pour lui. Le petit levait ses yeux bleus comme ceux de son père, il riait, mais il continuait d'être fourré tout partout, en dessous de la table, à côté des berçantes, proche du poêle. Une fois même, il s'est endormi dans boite à bois, sur une pile de vieux journaux. Beau comme un petit Jésus, qu'il était ! Ah, des fois, les enfants, ça vous fait des finesses par en dedans.

C'est pas pour me vanter, mais j'avais une vraie belle famille, ça oui. Six garçons, en attendant la suite !

Je sais qu'y en avait qui trouvaient ça étrange, la manière qu'on avait de nommer nos gars. J'ai même entendu ma voisine dire à son mari :

— Une drôle d'idée qu'ils ont eue, les Lepage, de faire baptiser leurs garçons en suivant les lettres de l'alphabet.

C'était une idée à Pierre-Paul. Il disait que, comme ça, on pouvait pas s'y tromper. Il se vantait en riant qu'il pensait ben se rendre jusqu'au « Z ». Vingt-six enfants ? Eh, ça s'était jamais vu, du moins à ma connaissance ! Mon chaud lapin aurait pas demandé mieux que de battre le record de la paroisse, surtout que ce record-là appartenait au fend-le-vent à Zotique Bernier qu'était rendu à seize mousses ! C'est vrai que parmi les seize, y avait quand même dix filles. Ce qui laissait, après toute, rien que six garçons. Comme nous autres, quoi !

Mon mari pardait pas une occasion d'étriver le Zotique.

— Ça va couter cher à marier, autant de filles !

— En tout cas, mon Pierre-Paul, ce sera pas avec tes garçons que mes filles vont se marier. Je veux pas voir un seul Lepage dans mon boutte. T'as-tu compris ?

— Tu sais-tu ce qu'y te disent, les Lepage ?

Des discussions inutiles, toute ça, que je me pensais en écoutant distraitement le curé parler du péché de la chair. D'abord, mes garçons avaient pas encore l'âge de fréquenter. Ensuite, les filles à Zotique marieraient ben qui elles voudraient. On approchait du demi-siècle, là. Fallait être de son temps !

⁓

Ce dimanche-là, j'ai trouvé la messe longue. Parce que malgré le frette, j'avais la tête pesante. Mes yeux se farmaient tu seuls. « Je vas pas m'endormir pendant le sermon ? Pierre-Paul me pardonnerait jamais, le curé encore moins ! »

Veut, veut pas, j'étais quasiment sur le point de partir en somnolence. Une bonne chance, le sermon a fini. Tout le monde s'est levé, ça m'a réveillée et sauvée de la honte de câiller pendant la messe. En plus, j'étais fatiguée en veux-tu, en v'là.

On est sortis sur le perron et v'là que le mal de cœur me pogne. Un peu plus, pis je renvoyais drette là, sur le parvis de l'église. C'était pas normal toute ça. J'avais beau me dire que six garçons, c'est de l'ouvrage, c'était pas d'hier que je prenais soin de ma famille. Florian marchait sur ses quatre ans. Même que le curé commençait à insinuer que ce serait le temps d'en avoir un autre.

Attendez donc un peu, vous autres! C'était ça, mon endormitoire pis mon mal de cœur. Comment ça se faisait que j'y avais pas pensé avant? C'était pourtant pas la première fois que j'attendais! C'est vrai qu'à part pour Antoine, j'avais quasiment pas eu de malaises. Peut-être que ça voulait dire que j'aurais une fille? Oui, mais peut-être aussi que ça voulait dire que j'allais pas le rendre à terme, ce bébé-là. Comme mes trois premiers. Mon Dieu, vous laisserez pas faire ça, hein? Vous allez pas me le faire parde, ce bébé-là? Faut qu'il vive. Absolument. Je vas faire une neuvaine à partir de demain. Je vas dire mon rosaire pendant neuf jours au lieu de juste un chapelet en famille. Avec une neuvaine, pas de soin, j'étais sure de le garder. De la garder? Une fille… Une belle grosse fille qui m'aiderait pour l'ordinaire quand elle serait assez grande. Avec autant d'hommes à nourrir, blanchir et habiller, ce serait ben d'adon.

Une fille, un vrai rêve! Rien qu'un rêve. Je le savais. Je le sentais que j'étais une mère à garçons. Pis Pierre-Paul, il voudrait un autre fils, aussi sûr que j'étais là. Un septième. Un enfant béni de Dieu. Un petit mousse qui aurait un don.

Le curé Bigot disait que ça existait pas, les dons. C'est vrai qu'il pouvait pas savoir, il venait de la ville. Parce que par icitte, c'était connu que le septième a toujours un don. Même les ceusses de la terre sont d'accord là-dessus! Des fois, c'est pour ôter le feu ou bedonc arrêter le sang. Des fois aussi, un septième peut prédire des affaires. C'est pas toujours pareil et on sait pas d'avance ce qui va se passer. Le curé Bigot avait beau être un savant qu'avait étudié les écritures, y avait des affaires qu'il pouvait pas connaître.

Quand j'étais petite fille, il se contait des affaires sur le septième de famille. Tenez, juste pour parler: mononcle Jules, sur le bord de ma mère, rien qu'à te regarder, il savait tu suite que t'espérais, même si ça paraissait pas, pis des fois, même si toi, tu le savais pas. Il pouvait te dire sans se tromper si t'étais pour avoir un garçon ou bedonc une fille.

J'avais pas cette connaissance-là, moi. En seulement, la chaleur dans mon ventre, j'en étais sure, astheure, que c'était un garçon qui commençait à se tricoter une place dans famille.

Un fils qui ouvrirait les yeux sur la mer, qui se laisserait barcer par les chants de marins. Un fils qui saurait guérir le monde pis qui verrait l'avenir.

Si Pierre-Paul était d'adon, je l'appellerais Germain, comme mon frère qu'était mort à guerre, pis comme le saint patron du diocèse de Rimouski.

Chapitre 7

J'ai entendu pleurer

Le premier avertissement est venu tu suite après le souper. J'avais pas fini la vaisselle quand le mal m'a pris les reins d'assaut. C'était endurable, mais j'ai quand même fait les coins un peu ronds avant d'aller dans chambre. Pendant que j'avais encore de la vaillance pour marcher, j'ai sorti toute ce qu'il fallait : le linge blanc, les guenilles, les bandes de ventre, les ciseaux.

Pierre-Paul était parti courailler. Celui-là ! Je lui avais pourtant demandé de pas s'éloigner, mais il avait fait à son idée, comme de coutume.

Quand je me suis couchée, y avait juste des petites vagues. Dans le temps, on appelait ça le « mal joli ». Aujourd'hui, tu dis ça, le monde te regarde comme si t'avais pas toute ta tête. Pourtant, c'était facile à comprendre. Qu'est-ce que c'est d'avoir du mal quand on a espérance qu'au boutte du compte, ça va donner un morceau d'amour ? Au fond, il avait raison, mon homme. Un, dix, vingt, chaque fois qu'il arrive un enfant, c'est de la chaleur qui vient te réchauffer le dedans.

Cette fois-là, ça a commencé tout doux, petit, petit. Ça faisait des remous serrés, comme quand la mer prend son souffle, juste avant de se fâcher. Après, la marée s'est emballée, les vagues sont montées, hautes, avec des moutons blancs sur le dessus. C'était du sérieux qui s'approchait. Dans ma tête, y avait un grand bruit qui grossissait tout le temps. La nuitte était aussi noire que le charbon qu'on met dans fournaise.

Je naviguais dans une bouette d'embruns qui sentait le sang pis la peur.

J'ai étendu le bras. Pierre-Paul était couché sur le côté, roulé en boule. Il devait être resté tard dehors parce que j'avais même pas eu connaissance qu'il était revenu. Il dormait dur comme fer. J'ai été obligée de le brasser.

— Pierre-Paul! Va chercher la garde-malade. Mon temps est arrivé.

On était un jeudi.

Pendant qu'il s'habillait vite fait, les nuages noirs ont crevé et juste au-dessus de mon litte, je pouvais voir trois petites têtes d'ange. J'ai compris que mes chérubins qu'étaient morts en couches voulaient m'ôter mon bébé pour l'emporter. J'ai vite fait un signe de croix.

La tempête a duré. Trop longtemps. C'était ben mauvais signe. Pierre-Paul était parti depuis une bonne escousse, la garde-malade arrivait toujours pas! J'ai passé proche de périr. La houle me soulevait pis me laissait tomber. J'avais beau essayer de nager, le mal me calait au fond, je respirais des grands siaux de misère salée. J'avais le tonnerre dans les oreilles, des éclairs dans les yeux. Juste comme mes reins allaient revoler en morceaux, ça s'est arrêté. Tout d'un coup.

C'est là que j'ai entendu pleurer.

Quand j'ai rouvert les yeux, garde Thériault était à côté de mon litte. Elle m'a mis un petit paquet dans les bras. Un vrai de vrai miracle : une belle petite fille! Sainte bénite qu'elle était belle! Je me tannais pas de la regarder.

La garde-malade pouvait pas être partout en même temps. J'ai su par après que pendant que je me débattais dans tourmente, elle était occupée chez les Bernier. C'est pour ça que mon mari avait pris du temps pour la trouver.

Une couple d'heures avant moi, Gemma avait accouché de son dix-septième.

Que Pierre-Paul aille été jaloux à l'annonce qu'y avait maintenant un autre garçon chez les Bernier, tandis que nous autres, les Lepage, on avait juste une fille à mettre dans balance, parsonne aurait été surpris. C'est dire que quand les nouveaux pères se sont rencontrés au magasin général, tout le monde s'attendait à des éclats.

Zotique était là, l'air ordilleux, son grand nez en l'air. Il y avait pas de danger que Pierre-Paul laisse passer l'occasion. Le voisin a lâché, comme si ça avait pas d'importance :

— C'est rien que quand il y a sept garçons d'affilée, que le dernier a un don.

Pierre-Paul a renchéri, naturellement :

— Ben dans ce cas-là, Zotique pis moi, on est à égalité.

— Va donc au diable !

Il était tout fier, mon homme, de me rapporter ce qui s'était passé. Pensez donc, il avait accoté Zotique au mur !

Une bataille de mots, on serait porté à penser que c'est pas trop grave. Surtout que pour se garrocher des bêtises par la tête, ces deux-là étaient dépareillés. Je gagerais que les clients ont été déçus que ça aille pas plus loin. Les hommes, on sait ben, ça déteste pas ça, les chicanes.

～

N'empêche que Fleur-Ange brisait la lignée des garçons Lepage. Pierre-Paul aurait beau me tricoter encore ben d'autres gars, elle serait toujours au milieu.

La nuitte de la naissance, laissez-moi vous dire que c'était pas seulement dans mon ventre que le vent a soufflé. Les vagues, je les avais pas rêvées non plus. La mère est arrivée juste le lendemain soir. Ça traversait pas avant, la mer était trop forte. Parait que les barques amarrées au quai ont dansé la gigue jusqu'aux petites heures du matin.

— Tu sais comme moé qu'au début de juin, c'est pas rare que le fleuve s'énarve, s'enrage et pis qu'y gonfle son jabot, histoire de montrer qu'y reste toujours le plus fort. On pourrait dire que ta fille est une enfant de tempête.

— Tant qu'à ça, le bébé à Gemma itou. Sa mère, voulez-vous regarder pour moi dans *L'Almanach du peuple* voir que c'est que ça dit pour la date. Y est juste là, sur la commode.

— Attends une minute. Février… avril… mai… juin. C'est ça! Ta fille est née sous le signe des Gémeaux. Ça dit icitte que les Gémeaux peuvent faire deux affaires en même temps. Y sont attirés par « les deux aspects opposés d'une même question ».

— Eh ben, ça promet! J'espère qu'a l'aura pas trop l'esprit de contradiction. Faire deux affaires en même temps. Vous êtes sure, sa mère?

— Cré-moé, *L'Almanach* se trompe pas. Ça dit itou que les Gémeaux « s'adaptent partout, qu'ils ont l'intelligence vive et rapide ».

— Ah, bon! Ça, c'est mieux. Remarquez, j'étais pas inquiète. C'est sûr que ma fille va être intelligente, a va tenir de moi, c't'affaire!

━━━

Aussitôt qu'il a su qu'on avait une fille, Pierre-Paul est sorti en vrai fou pour courir jusqu'au quai. C'était sa place préférée quand y avait des affaires qui le contrariaient. Pis là, pour être contrarié, il l'était, on peut pas dire le contraire! Au petit matin, y en a qui l'ont vu assis, en train de jongler. Si seulement c'était resté à la jonglerie!

À partir de c'te nuitte-là, mon homme a changé du toute au toute. Il se promenait les lèvres serrées et, pour en tirer une gentillesse, c'était toute une affaire. Il te regardait même pas. Pourtant, j'ai pas peur de le dire, ma fille était belle comme c'est pas possible. Pensez-vous que ça allait attendrir son père? Pas une miette!

Des fois, quand il pensait que je le voyais pas, il avait la face plissée, les sourcils remontés. C'était clair qu'y avait de quoi qui le chicotait. Mais pour savoir de quoi c'est que c'était, ça, je pense que parsonne était au courant, à part le curé, peut-être. Pis lui, il pouvait rien dire.

En tout cas, ça devait être un secret ben pesant, parce qu'il a commencé à trainer à l'auberge avec les bons à rien du village. Il avait jamais craché sur la boisson, mais là, ça rempirait. Plus souvent qu'autrement, il revenait complètement soul.

Quelle misère, sainte bénite, quelle misère !

Le lendemain de la naissance, le curé est venu prendre arrangement pour le baptême. Un double baptême. Qu'on veuille, qu'on veuille pas.

— Comme les deux bébés sont arrivés le même jour, je pense que c'est la façon que le Seigneur a choisie pour vous faire signe qu'ils doivent aussi être baptisés le même jour. On va faire ça dimanche prochain, vers quatre heures. Qui va être dans les honneurs ?

Les hommes, c'est pas toujours facile à comprendre. Pierre-Paul avait beau pas la regarder, avoir l'air de s'en ficher complètement, quand est venu le temps, il a décidé du compérage tu seul, sans même m'en parler : le nom du parrain, de la marraine et de la porteuse. Il avait encore choisi sur son bord pour la marraine. Une tante à lui, que je connaissais même pas. J'aurais mieux aimé que ma sœur Clarisse seye dans les honneurs, sauf que quand mon mari décidait quelque chose, ça servait à rien d'essayer de le faire changer d'idée. Au moins, on était d'accord pour le parrain : ça serait Antoine.

Le curé a toute marqué sur un papier. Par après, sa bonne humeur est partie en même temps que la marée descendante. Dans ce temps-là, les curés donnaient leur idée sur toute, ça fait qu'il s'est pas gêné pour dire ce qu'il avait à dire. Il parlait tellement fort que ça a réveillé la petite pis qu'a s'est mise à brailler, pauvre tite fille.

— Fleur-Ange ? D'où avez-vous sorti ce nom-là, pour l'amour de Dieu ? C'est même pas un nom de sainte. Et puis, votre fille est née le 1ᵉʳ juin, fête de Sainte-Angèle. C'est Angèle qu'elle devrait s'appeler ! Bon, je vois qu'il est inutile de discuter. Eh bien, d'accord, j'inscris Marie Rose Mathilde Fleur-Ange au registre. C'est bien parce que Rose-Délima est une bonne chrétienne que j'accepte. On peut pas en dire autant de toi, Pierre-Paul. Il me semble que ça fait longtemps que je t'ai pas vu à confesse !

C'était pas sa journée, au curé, faut croire. Il a pas réussi plus chez les Bernier qu'icitte. Apparence que le 1ᵉʳ de juin, c'est aussi la fête de Saint-Pamphile. Gemma a pas voulu que son fils s'appelle comme ça, pis on la comprend. Elle a choisi de le faire baptiser Philippe, du nom de son père à elle. Son mari était d'adon.

Je sais pas si le curé a demandé à Zotique de se confesser, lui avec ?

~

En tout cas, Pierre-Paul, lui, est venu à confesse le vendredi qui se trouvait à être le premier vendredi du mois. Il devait avoir ben des affaires à se reprocher parce qu'il est resté longtemps dans le confessionnal. On entendait pas les mots que le curé disait, mais on se rendait quand même compte qu'y devait chicaner Pierre-Paul. Pauvre curé ! J'aurais pu lui dire, moi, que ça servait à rien de le disputer pour la boisson. Pierre-Paul en ferait pas de compte.

Il est sorti, il est venu se mettre à genoux à côté de moi. On a prié toutes les deux. Non, je devrais pas dire ça. Moi, j'ai prié. Lui, je sais pas. Je sais ben que c'est manquer à la charité chrétienne que de penser ça, mais j'avais pas d'autre idée qui me venait. Pour Pierre-Paul, prendre une brosse, y avait rien là.

L'autre porte du confessionnal s'est rouvarte pis Gemma est sortie. Elle avait pleuré, ça se voyait sur sa face. Elle m'a fait un petit signe, elle a regardé Pierre-Paul comme si c'était un revenant, pis elle a tourné la tête de l'autre bord.

~

Après la confession, Pierre-Paul est parti rejoindre les hommes du village à l'auberge. Pour une fois, j'ai rien dit, parce que les hommes allaient parler de la conscription. Un «plébiscite», qu'y appelaient ça, mais c'était comme un vote. Fallait qu'on dise si on était pour ou contre que les hommes seyent obligés d'aller à guerre.

À Roches-Noires, tout le monde était contre. Même que pour une fois, c'était pas important que tu seyes de la terre ou bedonc du fleuve. Mais ce qui était encore plus surprenant, c'est que Pierre-Paul pis Zotique étaient toutes les deux d'adon. On avait quasiment jamais vu ça. Ben ça a pas duré, par exemple.

Zotique a parti le bal :

— C'est quasiment de valeur de voter contre une loi qui débarrasserait le village d'un ivrogne. En tout cas, y a des femmes qu'ont du mérite. Parce qu'y faut ben de la patience pour passer son temps à se virer sur le dos pour un homme qui sait pas se contrôler. Je les plains, les pauvres.

Sûr que Pierre-Paul allait pas laisser passer ça.

— Si t'as quèque chose à dire, Zotique, parle donc franc. C'est pas parce que t'es foreman au chantier que t'as le droit de parler sur les autres ! Parce que figure-toi que moi avec, je pourrais en conter, des affaires.

— Ah oui ? Ben dis-le, ce que t'as tant à dire !

— Voleur ! T'es rien qu'un maudit voleur !

— Toi, le soulon, j'ai pas de comptes à te rendre.

— Tu répètes tout le temps les mêmes affaires. Tu peux pas trouver d'autre chose de plus intelligent, des fois ?

A fallu les séparer. Les hommes faisaient quand même attention parce que quand ces deux-là se pognaient, c'était dangereux d'attraper des coups. Surtout que Zotique fessait dans les bijoux de famille sans se gêner.

———

Après la réunion, Pierre-Paul est revenu ben content. Il disait qu'il avait ben arrangé ses affaires pis que Zotique parlerait plus jamais contre moi. Si y avait su comment que j'en faisais pas de remarque ! Si y avait fallu que Gemma pis moi, on tienne compte de toute ce que nos hommes disaient ou bedonc qu'y faisaient, on aurait été tout le temps en chicane nous autres itou.

Chapitre 8

Deux robes blanches

Moi, les flos, je les mettais au monde, je les nourrissais pis je les barçais. Fallait quand même que leur père leur fasse un peu attention! Pour dire la vérité, il s'apercevait rarement qu'ils étaient là autrement que pour bougonner après eux autres.

C'est vrai qu'en 1942, on avait eu un mois de juin chaud comme c'était pas possible. Dans *L'Almanach*, ils avaient écrit qu'on allait avoir un record de chaleur pour l'été. En plus de suer dans le jour, la nuitte apportait pas de répit. On se couchait dans des draps humides de sueur. Même le vent du large arrivait pas à nous rafraichir.

On avait de la misère à dormir. Le matin, on se levait pas plus reposés que quand on s'était endormis. La petite braillait quasiment sans arrêt. Ça arrangeait pas le caractère de Pierre-Paul. Depuis le plébiscite sur la conscription, il avait la patience pas mal courte, mon homme. Marabout. Pas parlable. Pourtant, conscription ou pas, avec sept enfants, c'était certain qu'il partirait pas pour l'autre bord.

Non, y avait autre chose qui le faisait jongler, j'étais certaine. Mais pour savoir ce que c'était, ça... Quand mon homme décidait de pas parler, fallait que j'en prenne mon parti. Rien ni parsonne pouvait le faire changer d'idée.

Dimanche le 4 juin, notre Fleur-Ange a été baptisée en même temps que le Philippe à Zotique. Si j'avais eu à dire le fond de ma pensée, me semblait que mon mari s'intéressait pas mal plus au bébé à Gemma qu'à sa fille à lui. Normal, c'était un garçon !

Le matin du baptême, j'ai sorti du papier de soie bleu la robe de baptême qui avait servi pour mes six garçons. C'était une robe qui venait de ma famille. Ma mère me l'avait donnée le jour de mes noces vu que Clarisse avait la robe des Langelier pour faire baptiser ses flos.

— T'as été baptisée avec. Astheure, ça va servir à tes enfants pis si tu y fais attention, tu pourras la donner à ton tour à ta plus vieille.

Clarisse avait beau être juste porteuse, elle était nerveuse à tourner en rond.

— Ça devrait pas être long avant que je revienne te chercher pour la fête. À moins que t'aimes mieux rester couchée ?

— Va, va ! Je suis pas à l'agonie. Je vas juste me reposer un peu avant qu'on commence à fêter. Ma fille, j'ai été la chercher loin, tu sais. Tellement loin que j'ai pensé, pour un boutte, que je reviendrais pus. C'est pour ça que la garde-malade veut que j'en fasse pas trop. Mais je suis faite forte, tracasse-toi pas.

Les bébés ont été consacrés à Dieu en présence des pères, parrains et marraines. Clarisse m'a conté que Fleur-Ange a fait la grimace en goutant le sel de la sagesse pis que Philippe s'est mis à miauler comme un petit chat. Les cloches lui ont fait concurrence pour chanter la fin de la cérémonie.

Deux baptêmes, ça faisait pas mal de monde. Vu qu'on était trop nombreux pour fêter à une place ou à l'autre, les femmes des deux familles s'étaient entendues pour que la fête se tienne à la salle paroissiale. Les Dames patronnesses avaient préparé le lunch. Toutes les ceusses du fleuve étaient là, en partant de deux milles en amont de Roches-Noires jusqu'au boutte de la pointe.

Il restait plus rien qu'à espérer que les pères trouvent pas le moyen de se colletailler encore une fois. Moi, j'avais sermonné le mien le matin avant qu'il parte pour l'église :

— Arrange-toi pas pour me faire honte en te pognant avec Zotique.

Ça a rien changé pantoute. Ces deux-là étaient pas capables de se retenir ben longtemps. Pourtant, Pierre-Paul avait pas bu, je pourrais en jurer. Il a dû pousser une craque à Zotique parce que dans le temps de le dire, on a vu les poings serrés, les visages rouges. Par chance, ils se sont pas battus, mais ça leur a pris toute leur petit change, c'est sûr!

Gemma avait l'air fatiguée, découragée même, avec le visage plissé comme quelqu'un qu'a envie de brailler.

— Ton Pierre-Paul qui part en peur encore une fois!

— Eh, qu'est-ce que tu veux, ma fille, à son âge, on le changera pas. Je l'avais ben averti, pourtant. Faut dire que le tien non plus, y donne pas sa place.

Pour y changer les idées, j'ai parlé des bébés:

— Regarde-moi donc ça, si c'est beau! On dirait deux morceaux de sucre. Sont tellement pareils qu'on pourrait craire que c'est des jumeaux.

Est venue toute pâle. Tellement que j'ai pensé pour un boutte qu'elle allait tomber.

— Ça file pas? Veux-tu que je demande à Clarisse de t'apporter une tasse de thé pour te remettre d'aplomb? Ou bedonc de te mettre un coussin dans le dos, peut-être?

— Laisse faire, Rose-Délima. J'ai juste pas le cœur à rire, c'est toute.

Qu'est-ce qui pouvait ben la travailler de même, donc? Un baptême, c'est supposé être une fête, pourtant. Juste pour parler de la mangeaille, y avait de quoi nourrir toute la paroisse, ma grand foi du bon Dieu! Vu qu'y avait des femmes de la terre dans les Dames patronnesses, j'ai dit à Gemma:

— C'est ben la preuve que ceusses de la terre savent faire à manger aussi ben que nous autres.

— Je le sais ben. Mais qu'est-ce que tu veux, même en disant ça, tu changeras pas l'idée du monde.

Parsonne s'est privé, surtout pas le curé.

On s'enfargeait presque sur les enfants tant y en avait. Comme ça arrive souvent dans ces occasions-là, les petits torrieux se sont tellement empiffrés que venu le temps du dessert, y en a trois ou quatre qui ont eu l'estomac retourné. Ça itou, ça faisait partie du plaisir. Un double baptême, pensez donc! Sûr que Fernande faisait toujours baptiser en double, elle, mais là, les bébés étaient pas de la même famille. Ils étaient même pas apparentés.

Rosaire, le frère à Gemma, est venu faire son tour. Il pouvait pas rester longtemps, le soir tombait, fallait qu'il voit à allumer le feu du phare. Il a quand même pris le temps de nous chanter une couple de tounes. Juste avant de partir, il a regardé les bébés:

— Ces deux ti-bouttes-là vont faire leur chemin dans vie, c'est moi qui vous le dis. Mon neveu, je le vois déjà marcher sur les routes. Ça va faire un voyageur. Ta fille, Pierre-Paul, est aussi belle qu'une princesse. Par chance qu'a ressemble à sa mère, cette enfant-là. Reste pus rien qu'à espérer qu'a va mieux rencontrer.

On est toutes partis à rire, Pierre-Paul avec. Rosaire aimait ben ça étriver, tout le monde le savait. Avec ses remarques pis ses chansons, il a réussi à nous faire nous sentir ben dans notre corps. Même Gemma avait pardu son air de vouloir tomber à terre.

Le soir, mon beau-frère Ludovic a sorti son accordéon et ça s'est mis à danser. Avait fallu demander la permission du curé, naturellement. Il a commencé par dire non, qu'un baptême c'était une fête religieuse, pas une fête profane. Y a pas à dire, ce curé-là voulait quasiment jamais qu'on aille du bon temps. Pierre-Paul a dit qu'il allait y parler, qu'il avait des affaires à y dire. Ben créyez-le ou pas, par après le curé a changé d'idée. Même qu'y est allé d'un set carré avec sa sœur Clémence comme cavalière. De voir le curé sourire, c'était tellement rare que si j'avais pas été déjà assise, j'aurais tombée drette dessus ma chaise.

Le baptême de Fleur-Ange et de Philippe, y avait pas de danger que j'oublie ça, parce que ça a été la seule belle journée pour un bon boutte de temps.

~

Pierre-Paul était toujours aussi jonglard. Il a bu quasiment toute son été. Je comptais plus les fois où c'est qu'il revenait avec son linge sale parce qu'il s'était renvoyé dessus. Les payes devaient fondre dans le gros gin parce que j'en voyais pas la couleur. Par chance que mon Antoine a pu se trouver de l'ouvrage au chantier. Pauvre petit homme, il me donnait toute ce qu'il gagnait sans rien garder pour lui.

Je dirais que c'est en voyant comment j'avais de la misère à arriver que mon plus vieux a décidé de se faire engager sur un bateau. Y en a jamais parlé à son père. Il avait tellement traîné au quai que quasiment tout le monde le connaissait. Je sais pas comment il a fait son compte, mais il s'est trouvé une job tu suite. Un soir, il est arrivé à maison ben content de lui:

— Sa mère, je pars demain matin sur le *Lily Belle*. Je me suis fait engager comme matelot de troisième classe. M'en vas vous envoyer toutes mes gages, je vas juste garder de l'argent pour mon tabac.

Ça m'a brisé le cœur d'entendre ça. C'était pas à mon grand gars de s'expatrier pour faire vivre la famille. Je suis venue les larmes aux yeux. Antoine l'a ben vu.

— Faites-vous en pas pour moi, m'man. Je fais pas un sacrifice, vous le savez que les bateaux, j'ai toujours aimé ça. Et puis, vous en avez assez fait pour moi. C'est à mon tour de vous aider.

— T'es ben fin, mon homme. C'est juste que de te voir partir comme ça…

— Je suis comme vous, m'man. Vous avez toujours aimé le fleuve, vous nous en avez parlé souvent. Moi, je suis pareil. Partir en mer, c'est pas une punition, loin de là. Ça fait que si ça peut vous aider en même temps, ben c'est encore mieux.

Même à ça, c'était pas assez. A fallu trouver un autre moyen. Aussitôt que j'ai eu fini mes relevailles, j'ai recommencé à coudre. Les pratiques manquaient pas. Des fois, j'avais des femmes qui venaient de l'autre bord de Rimouski pour faire coudre leurs belles robes.

Ce soir-là, Pierre-Paul est revenu les yeux dans graisse de binne. J'ai fait assemblant de dormir quand il est rentré dans chambre. J'y ai pas parlé d'Antoine. Je sais que c'est pas créyable, mais je pense que ça dû prendre trois ou quatre jours avant qu'il s'aperçoive que son gars était plus là.

Au printemps, Fleur-Ange a commencé à se trainer. Avec ses petites mains, elle attrapait ce qu'elle pouvait, se halait deboutte à force de bras. Une fois, elle s'est pognée à la jambe de pantalon de son père. Ah, malheur! Il était soul à pas voir clair. Il lui a flanqué une taloche par la tête, assez qu'elle a revolé sur un barreau de chaise et qu'a s'est ouvert le front. Je sais pas comment j'ai pu me retenir de parler tout haut!

«Espèce de sans-cœur! Varger sur un enfant, c'est pas des affaires à faire.»

Aussitôt que Pierre-Paul est sorti, j'ai pris la petite dans mes bras. Elle saignait. J'y ai mis une débarbouillette d'eau frette sur le front. Ça a eu l'air de lui faire du bien. Par après, je l'ai barcée en chantant jusqu'à temps qu'elle tombe endormie.

À partir de c'te journée-là, elle avait beau se faire toute petite, elle attrapait souvent des coups. Faut ben dire que si mon mari était généreux pour donner des claques à toutes ses flos, il gardait le plus fort de sa malendurance pour sa fille. Je voyais dans ses yeux qu'elle comprenait pas pourquoi, la pauvre petite, et pis c'était pas moi qui pouvais lui expliquer.

Une chance, Pierre-Paul partait travailler toutes les jours au chantier maritime. Les grands allaient à l'école pis Fleur-Ange s'amusait tranquillement, des fois tu seule, des fois avec le petit Philippe Bernier que je gardais souvent pour aider Gemma. Un de plus dans le ber, c'est pas ça qui me faisait peur.

Parce que si mon homme aimait pas sa fille, Gemma s'occupait pas trop de son petit dernier. Ces deux enfants-là, on aurait dit qu'ils étaient de trop, chacun de leur bord.

Philippe, c'était le dix-septième enfant vivant de Gemma pis Zotique. Ben je pense que c'est après qu'il seye arrivé que Gemma a commencé à mal filer. Elle était tout le temps triste. Les plus vieux de sa trôlée étaient inquiets sans bon sens. Ils avaient beau essayer de la faire rire, elle gardait tout le temps une face de carême. On peut dire que c'était une chance que Gemma aille des grandes filles pour s'occuper du petit, parce qu'elle faisait rien que jongler pis brailler.

———

Si, au moins, Pierre-Paul avait essayé d'aimer Fleur-Ange! Ben non, y la regardait toujours comme si y aurait voulu qu'a seye pas là. Quand il était pas trop soul, il parlait de Josaphat, un grand-oncle qu'avait le don pis qu'y guérissait tout le monde.

— Avant de mourir, il a passé son don à sa fille Cécile. Est morte, astheure. Mononcle, il était aussi bon que n'importe quel docteur. Il faisait honneur à la famille Lepage. Quand t'as un don, c'est comme ça.

Pierre-Paul aurait ben voulu pouvoir se vanter, lui itou, que son septième fils avait un don. Ben le septième fils, c'était une fille.

Fallait pourtant qu'il finisse par accepter. Moi, je pouvais pas changer ce qui était fait. Pierre-Paul pouvait ben faire la baboune tant qu'il voulait, c'était pas ça qui ferait une différence.

— C'est rendu que le monde me regarde mal à cause que mon septième est une fille.

— Arrête de te faire des idées avec ça, sainte bénite! Voir si le monde s'occupe des enfants des autres. Ils ont ben assez de leurs enfants à eux. Avoir une fille, c'est quand même pas un déshonneur.

Ça y était jamais venu à l'idée, on dirait, que c'était ben plus ses agissements qui lui mettait du monde à dos que le fait d'avoir eu une fille.

～

C'est pas pour me plaindre, mais j'en avais plein les bras! Mon ordinaire, des commandes de couture en masse... Je finissais souvent après la noirceur.

Ma plus grosse pratique, c'était la dame du manoir, madame Aumont. Du monde de Québec. Ils venaient passer peut-être cinq, six mois par année au manoir. Ils appelaient ça leur «maison de campagne». Je montais la côte une fois par semaine pour y faire son ménage, à madame. Je cousais pour elle, itou. Ses deux filles avec. Son mari, on le voyait quasiment jamais.

Dans le temps, y en avait au village qui parlaient en mal de moi. Parce que le monde du manoir était apparenté à une famille de la terre. J'en faisais pas de cas. C'est ben beau, les grands sentiments, mais fallait qu'on mange, nous autres. Pis avec l'idée de mon mari que ceusses de la terre étaient des pas bons, j'étais pas supposée avoir un jardin. C'était ben juste si je pouvais faire pousser quelques carottes sur le bord de la maison. Si Pierre-Paul aurait pas tant bu, j'aurais eu beau être indépendante, ben là, je pouvais pas. La bourgeoise du manoir était difficile, mais elle payait ben, c'était tout ce qui comptait.

Avec mon ouvrage, j'arrivais à ramasser quelques cennes pour remplir la dépense avec du manger. Le reste, c'était pas important. Les chicanes, c'est bon pour ceusses-là qu'ont rien d'autre à faire.

Quand tu travailles avec tes mains, c'est facile de jongler. Pendant que l'aiguille de la machine à coudre se promenait sur le tissu, dans ma tête, je retournais à la grotte de l'Isle-aux-Brumes. Dire que quand j'avais vu Pierre-Paul pour la première fois, j'avais pensé que mon beau rêve se réalisait ! Ben non, moi, mon rêve, faut croire que j'étais pas destinée à l'avoir. J'étais pognée avec un sans-cœur qui fessait sur toute ce qui bougeait ! La vie est ben mal faite, des fois.

J'avais rien à dire. C'était ce que j'avais choisi. Le soir, après la vaisselle pis le balai dans salle, je prenais le temps de m'assire avec mon tricot. J'en ai tricoté des mitaines, des bas, des crémones ! Si on pouvait mettre dans un même tas toute la laine qui est passée par mes aiguilles, on s'étoufferait dedans. Une maille à l'endroit, un jeté, une maille à l'envers...

Pendant ce temps-là, mon homme sacrait deux ou trois claques aux enfants qu'étaient sur son chemin avant d'aller à l'auberge. Toutes les soirs que le bon Dieu – ou peut-être ben que c'était le diable – amenait !

Un homme qu'est pas capable d'aimer ses enfants, me semble que c'est pas un vrai homme. Quand tu vois ton mari se comporter tout croche, tu te dis que t'aurais été mieux de rester vieille fille.

C'était péché, je le savais, mais je pouvais pas m'empêcher de penser que Gemma avait mieux rencontré que moi avec son Zotique.

Chapitre 9

Le chantier

Un soir, le vent a viré de bord. Comme ça, d'un coup sec. Encore aujourd'hui, je pense que ce dévirement-là, c'est ça qu'a déclenché toute le reste. Innocente comme que j'étais, j'ai rien vu venir. .

C'était par une veillée de printemps. Après souper, Pierre-Paul s'est assis dans sa berçante avec sa pipe au lieu de sortir. J'étais tellement surprise que j'en ai laissé filer deux ou trois mailles de mon tricot, ma grand foi du bon Dieu! Je peux dire que ça tombait ben, parce qu'il fallait que j'y parle. Du grand sérieux. Il me restait juste à prendre courage.

J'ai pas eu le temps de me demander comment je pourrais commencer que mon mari m'a quasiment assommée avec une nouvelle qui m'a virée boutte pour boutte :

— J'ai parlé à Ludo aujourd'hui. Il va juste finir son mandat, il se présente pas aux prochaines élections.

— Il a tombé sur la tête, ton frère ?

— Parle pas contre ma famille, Rose-Délima Gosselin!

— Excuse, c'est pas ça que je voulais dire. Pourquoi il veut pu être maire ?

— Ça fait douze ans qu'y est à mairie. Il trouve qu'il a fait sa part pour la municipalité et il a raison.

— Tant qu'à ça! Qui c'est qui va prendre sa place d'abord, à Ludovic ?

— Tu t'en doutes pas un peu ? Moi, c't'affaire!

Lui, maire ? Ça se pouvait quasiment pas. J'ai passé proche de lui dire que le monde de Roches-Noires voterait pas pour un ivrogne, mais j'avais pas envie de manger une claque par la tête.

C'est pas qu'il levait la main sur moi, ça non. C'était les enfants qui ramassaient toute. Brave pour fesser sur des plus faibles que lui. Si je voulais pas que ça commence pour moi, j'étais mieux de pas le provoquer. Ça fait que je m'ai contentée de dire :

— T'es certain de ton coup ? Ça va te faire pas mal d'ouvrage en plus.

— L'ouvrage me fait pas peur, tu le sais, ma femme.

— C'est vrai. En toué cas, t'as encore le temps d'y penser. Les élections, c'est pas pour demain.

— Ça fait rien. L'important, c'est qu'y·faut que la mairie reste aux Lepage.

Ça faisait déjà longtemps que le Zotique lorgnait de ce bord-là. Sainte bénite ! Y aurait manqué rien que ça. Si y fallait qu'y vienne maire, on était pas sortis du bois. Je voyais déjà les chicanes à en plus finir, comme si c'était pas déjà assez. En plus, c'était des plans pour que Zotique claire Pierre-Paul du chantier si y venait maire. J'avais beau pas prendre parti pour un ou ben l'autre, je voulais pas que Pierre-Paul parde sa job. Même si je voyais juste un petit peu de son salaire, c'était toujours ça de pris. Si Pierre-Paul serait élu, dans deux ans, je serais mairesse. Ça me faisait tout drôle d'y penser.

J'avais le cœur allège. Pour une fois qu'on passait une veillée ensemble pis qu'il était à jeun ! De le voir là, juste à côté de moi, ça me faisait penser à quand il venait me voir à l'Ile, les bons soirs. S'il se rendait compte qu'y faudrait arrêter ses folleries de boisson pour être maire, ça serait ben d'adon. Il était encore ben fin quand il voulait s'en donner la peine. En seulement, c'est ça que je me pensais : la mairie, ça serait-tu assez important pour qu'il s'arrête de boire ?

Il y avait juste le temps qui pouvait répondre à ma question. On a continué de se barcer pour un boutte. Il faisait beau, par la fenêtre ouvarte, on entendait les vagues se jeter sur les grosses roches noires. Y a des fois où tu voudrais pouvoir arrêter le temps pour garder toujours le présent, le serrer contre toi, ben au chaud.

Ma satisfaction durait jamais ben longtemps. J'avais pas encore parlé. Il fallait que je me dépêche si je voulais pas qu'il parte pour l'auberge en me laissant là, toute fine seule, comme de coutume. J'ai respiré un grand coup, puis je me suis lancée :

— Fleur-Ange marche sur ses six ans. A pourra pus dormir avec Florian encore longtemps. Va falloir les séparer. Le curé m'en a parlé encore la semaine passée, quand il est venu pour la visite de paroisse.

— Le curé, le curé ! Qu'il se contente de collecter sa dime, celui-là ! Il a pas d'affaire à nous dire quoi faire avec nos enfants, torbrule ! C'est quand même pas de ma faute si Fleur-Ange est une fille.

— Fâche-toi pas. Crie pas si fort ! La petite va t'entendre !

— M'entendre ou pas, c'est comme ça. Et pis si a se réveille, je trouverai ben le moyen de la rendormir, moi ! V'là maintenant qu'il lui faudrait sa chambre à elle tu seule ? Tu parles d'une affaire ! Non, mais pour qui a se prend, celle-là ?

Je me disais : « Dis rien, Rose-Délima. Farme ta margoulette, laisse-le continuer. À soir, t'as d'autres affaires à régler. »

— Sois donc pas aussi prime, Pierre-Paul Lepage ! C'est pas de sa faute à elle non plus si est une fille. Et pis, tu peux pas dire qu'est pas belle, hein ? Quand elle prie, a l'a l'air d'un vrai petit ange du bon Dieu. Une enfant comme ça, c'est une bénédiction, Pierre-Paul.

Je savais qu'il lâcherait pas prise facilement. Comme de fait :

— Elle a raison de prier. Elle a pas mal d'affaires à se faire pardonner !

Eh, que ça me choquait donc quand il disait des affaires de même. Après toute, j'aurais pu y répondre :

« Toi itou, Pierre-Paul, t'en as des affaires à te faire pardonner. Tu penses-tu que j'aime ça quand tu te colles contre moi pis que tu sens le fond de tonne ? Je suis pas juste une machine à faire des petits pis à torcher, tu sauras. »

La conversation tournait à mon désavantage. Fallait pourtant que je trouve un moyen de le convaincre.

— Ça prendrait pas grand-chose pour écouter le curé et la faire dormir dans un litte tu seule. Habile comme t'es de tes mains, ça serait pas compliqué de mettre une demi-cloison dans le haut-côté.

— M'en vas y jongler.

J'avais même pas encore parlé du plus important. J'avais quelque chose à dire qui pouvait me faire gagner.

— Et pis tu vas peut-être l'avoir betôt, ton septième garçon.

Suffisait de parler d'un enfant à venir pour que mon coq gonfle ses plumes. J'ai vu dans ses yeux que j'avais gagné. Je le connaissais, depuis le temps ! Je l'aurais, ma demi-cloison. Les garçons d'un bord, la fille de l'autre. C'est comme ça que ça devait être. Et pis, on sait jamais, d'un coup que j'étais pour avoir une autre fille ? C'est certain que j'aurais été au septième ciel, mais c'était mieux pas. Ça en ferait encore une autre pour manger des claques ! Non, c'était mieux que ça seye un gars. Astheure que Pierre-Paul visait la mairie, il allait faire les choses comme y faut. En seulement, fallait ben qu'il protège son autorité de chef de famille, ça fait qu'il a trouvé le moyen de chiquer la guenille :

— Fallait le dire tu suite que t'étais en espérance !

— La garde-malade est venue juste hier. Et je voulais être certaine avant de t'en parler.

— Bon, dans ce cas-là, m'en vas passer voir Ludo. Je pense qu'il a du bois de reste dans son backstore. On va voir ce qu'on peut faire.

Pour ben du monde dans ces temps-là, les gars étaient plus importants que les filles. Pierre-Paul avait hérité du bien familial parce qu'y était le plus vieux gars chez eux, même si y avait quatre filles avant lui. Quand il partirait, le bien passerait à notre Antoine, pis après lui, à son plus vieux. C'était la coutume, tu pouvais rien changer à ça.

Quand le père de Pierre-Paul était mort, Ludovic avait déménagé quasiment tu suite. Les sœurs étaient mariées, elles restaient même pas à Roches-Noires pis on les voyait quasiment jamais. Pierre-Paul était resté tu seul avec sa mère. Apparence qu'était ben malendurante. En tout cas, c'est ça que Fernande disait et pis ma belle-sœur, c'est pas une femme qui se plaint pour rien.

Les hommes Lepage, Ludo pis Pierre-Paul, aimaient l'ouvrage ben fait. Mais à part de ça, ils se ressemblaient pas. Ludo était ben tranquille, c'était pas un homme qui parlait gros ou qui parlait pour rien. De quoi c'est qu'il avait à dire, c'était à sa femme qu'il le disait. Y avaient l'air de ben s'entendre, ces deux-là. C'est vrai que Ludo critiquait pas sa femme, lui. Au contraire, il en faisait ben du cas. Si seulement Pierre-Paul aurait été pareil ! Pas comme Ludo, Pierre-Paul avait de l'ambition pour dix. Autant que mon beau-frère voulait être tranquille, autant qu'il prenait pas un coup, autant Pierre-Paul passait une bonne partie de son temps à engendrer chicane ou bedonc à jaspiner.

Ludovic maire, c'était quelqu'un que tu pouvais aller voir si t'avais des problèmes. Au village, tout le monde l'appréciait, même les ceusses de la terre. Quand il était pas occupé aux affaires de la municipalité, il travaillait dans un appentis en arrière de sa maison. Menuisier, ébéniste, sculpteur, homme à tout faire qui faisait toute, il pouvait aussi ben refaire les mailles d'un filet de pêche que réparer ta berçante, bâtir un meuble ou bedonc tailler des estatues dans le bois tendre.

C'est ça qu'il faisait quand Pierre-Paul est allé le voir. Il était assis sur un banc de bois que le dossier était toute travaillé.

Avec un canif pointu, il entaillait un boutte de pin, pis déjà, tu pouvais deviner une tête de marin. Quand il avait fini de tailler, il passait du papier sablé pour que ça seye ben doux au toucher pis qu'y aille pas d'échappes dans le bois. Quand il trouvait que la statue était à son gout, il la mettait sur une tablette dans l'atelier. Déjà, il en avait plusieurs. Fernande vendait ça aux touristes l'été pis ça partait comme des petits pains chauds. Je suppose que le monde apportait ça chez eux comme souvenir.

Par le châssis de la cuisine, je pouvais voir Pierre-Paul rejoindre son frère sur le banc qui faisait face au fleuve. Au large, l'Isle-aux-Brumes était comme mauve mais avec toujours, en son entour, une sorte de ceinture en breume avec des embruns. C'était à cause de la breume que l'Ile s'appelait comme ça.

Je voyais les hommes de côté. Ils disaient rien. Quand le soleil a plongé dans le fleuve, ils ont parlé. Pas longtemps.

— Tu connais les femmes. La mienne aimerait ça avoir plus de place. Une autre chambre en haut.

— Bon. Je devrais pouvoir commencer betôt.

❦

Mon beau-frère était ben accommodant. Il est arrivé deux jours après avec son homme engagé. Il m'a demandé c'est quoi que j'avais dans l'idée, il a dessiné ça sur un papier pour voir si j'étais d'adon et pis ils ont commencé à travailler. Quand Pierre-Paul est revenu de son ouvrage au chantier, il a fait sa part. C'était comme ça quasiment toutes les jours. On entendait les coups de marteau jusqu'à noirceur.

La maison ! Ma maison ! Pierre-Paul l'avait ben dit : « T'es chez vous, icitte, Rose-Délima. Tu peux toute changer ce que tu veux. » Astheure que Pierre-Paul avait consenti à agrandir, il pouvait ben me demander n'importe quoi, je pouvais rien y refuser. Un nid pour garder tes petits oiseaux, c'est le plus beau cadeau qu'un homme peuve faire à sa femme.

Depuis que Pierre-Paul avait dessein de se présenter comme maire, il allait presque plus à l'auberge et restait assez à jeun pour pouvoir travailler le soir. À cause qu'y lui était venu des idées de grandeur, à mon homme !

La famille a passé l'été dans un chantier.

Pour commencer, au lieu de la demi-cloison que j'avais demandée, Pierre-Paul a décidé de faire toute le haut. J'ai pas eu le temps de me virer de bord qu'on voyait la charpente de deux autres chambres à l'étage, sans parler de l'agrandissement de la cuisine d'été. La maison paternelle des Lepage était partie pour être une des plus grandes maisons du village. Quatre chambres, à part de celle des maitres ! Y aurait de quoi faire dormir pas mal de petits mousses.

La belette à Zotique passait par chez nous presque à toutes les soirs. Il a dû penser que j'attendais, je suppose, parce qu'il a dit, comme ça :

— Ambitionnes-tu de me dépasser, Pierre-Paul ? T'es ben mieux de te prendre de bonne heure, parce que ma Gemma attend, elle itou.

Mon homme avait pas toutes les torts. Là, c'était clair que c'était la jalouserie qui faisait parler Zotique.

Les enfants étaient toute excités à l'idée d'avoir des chambres avec des portes qui farmaient. Ils aidaient du mieux qu'ils pouvaient. Quand il avait pas le nez fourré dans un livre, Bernard était pas manchot. Claude, lui, était un vrai petit menuisier. Né avec un marteau dans main, c'est ben simple. Donat pis Émile étaient toujours de service pour charrier des outils, des clous ou bedonc de l'eau quand les ouvriers avaient soif. Florian se contentait de courir partout et ça mettait les ouvriers de mauvaise humeur.

— Va jouer ailleurs. Tu vois pas que tu déranges ?

Cet été-là, quasiment toutes les flos du village se tenaient proches du chantier. Tandis que les hommes travaillaient du marteau, ça couraillait tout partout.

Ma sœur Mathilde est venue de l'Ile pour me donner un coup de main, la petite m'aidait avec. Quand même, j'avais trop à faire pour trouver le temps de surveiller les jeunes et c'était pas rare que Ludo ou bedonc son engagé descende de l'échafaudage pour dire aux enfants d'aller jouer plus loin. Ah, jeunesse ! Ça riait de voir les poings levés, ça s'éparpillait tout partout pour revenir aussitôt que les ouvriers avaient repris le travail.

Ça a mal tourné, ça pouvait pas faire autrement. Les travaux étaient quasiment finis quand mon Florian a mis le pied sur un clou rouillé qui dépassait d'une planche restée à terre. Vu qu'il avait crainte d'être puni pour avoir défié les ordres de son père et de son oncle, il a pas dit un mot de sa mésaventure.

Occupée comme j'étais à nourrir les ouvriers, j'ai pas su tu suite que mon petit gars avait du mal. En plus de préparer la mangeaille, j'essayais d'enlever le plus possible de poussière. Y en avait tellement épais qu'on aurait dit que j'avais pas fait de grand barda au printemps. J'avais beau être particulière sur la propreté, je fournissais pas. Ça faisait pas une heure que j'avais enlevé une couche de brin de scie qu'y en avait encore autant sur les meubles et sur le plancher.

Le soir, après le souper et la vaisselle, j'allumais le radio et tout le monde se mettait à genoux pour le chapelet en famille.

Florian était caché derrière sa sœur, j'ai pas trop fait attention à lui. J'ai ben vu que Fleur-Ange avait de la misère à garder les yeux ouverts. Pieuse comme elle était, elle devait avoir peur de faire un péché si elle s'endormait pendant la prière. J'ai eu pitié de mes deux moineaux :

— Allez vous coucher, les enfants. Il est tard. Oubliez pas de dire votre prière. Après, je veux pus entendre un mot.

Florian commençait déjà à avoir le pied enflé, mais il disait rien pantoute. Sa sœur s'est glissée entre les draps pendant qu'il s'allongeait, tête-bêche, à côté d'elle. J'ai su par après que c'est en voulant croiser les mains pour une dernière prière que Fleur-Ange a cogné le pied de son frère, sans faire exprès, comme de bien entendu.

J'ai cru entendre un petit cri étouffé pis des chuchotements.

— Fleur-Ange, Florian, qu'est-ce que j'ai dit, tantôt? C'est l'heure de dormir.

Si j'avais pu savoir! C'est allé au lendemain avant que ces deux-là se décident à parler.

Florian était quasiment plus capable de marcher.

❦

— Comme si j'avais juste ça à faire! Montre. Sainte bénite, Florian, c'est enflé sans bon sens! Veux-tu ben me dire pourquoi t'as pas parlé avant? Bon, arrive, on va te soigner.

— Je m'en occupe, si vous voulez.

Déjà, ma Fleur-Ange s'affairait: une serviette propre, un bol à main, le sel.

Le canard sifflait sur le poêle quand je l'ai pris pour verser l'eau chaude dans le bol à main.

Florian y a mis son pied malade en se lamentant.

— C'est bouillant.

— Il le faut, mon gars, pour que ça fasse effet. Fleur-Ange, tu m'appelles quand ton frère aura fini sa trempette. Vingt minutes, au moins. T'as compris, Florian?

Dans mon ventre, le bébé à venir commençait à prendre de la place. Je me suis accotée sur le comptoir pour éplucher les patates. En même temps, j'écoutais les enfants qui parlaient dans cuisine d'été.

— Le père te l'avait dit de pas aller avec les ouvriers. T'arais pas dû désobéir, le bon Dieu t'a puni. Tu veux-tu qu'on dise une dizaine de chapelet tous les deux pour qu'Il te pardonne?

— Ah, toi, t'es ben une fille! Les filles savent juste faire ça, des prières! J'ai entendu son père qui le disait encore hier à mononcle Ludo. Laisse donc faire, Fleur-Ange. Je suis pas à l'agonie, là. Mon pied va guérir pis on n'en parlera pus.

Trempage, couennes de lard appliquées sur le bobo, y avait rien qui aidait. Le pied avait doublé de grosseur, le petit voulait plus se laisser toucher. Après trois jours, il est venu le visage gris et il avait la tremblette.

La garde-malade est passée. Elle a jeté juste un coup d'œil avant de nous dire de demander le docteur.

— Il fallait m'appeler tout de suite, madame Lepage! Tu vas te tourner sur le côté, mon Florian. Tout doucement.

— Je veux pas de piqure.

— Allons, allons, t'es un homme ou pas? Je vais vous laisser des pilules aussi, madame. À lui donner toutes les quatre heures.

— On a pourtant fait toute ce qu'y fallait, docteur. Pauvre Florian, va. Faut qu'il reste longtemps couché?

— Un bon bout de temps, oui. Pas question qu'il se lève tant qu'il fera de la fièvre. Défense absolue de marcher sur son pied blessé. D'ailleurs, il n'en aura pas envie, n'est-ce pas, mon gars?

Dans les yeux malades de mon petit gars, il y avait une pleine barge de questions.

— T'en fais pas, on va te sortir de là. Tu t'en rappelleras plus le jour de tes noces. Je repasserai en fin de journée, j'ai d'autres malades à voir.

Il devait aller chez les Bernier, à mon idée. Je savais que Gemma filait pas trop. J'avais eu dessein d'aller la voir, mais avec le barda pis le pied du petit, ça m'était parti de la tête.

Le docteur est sorti de la chambre en ajoutant :

— S'il n'y a pas d'amélioration d'ici deux ou trois jours, j'ai bien peur qu'il va falloir penser à l'emmener à l'hôpital de Rimouski.

— Vous êtes pas sérieux, docteur? On a pas les moyens. Et pis Pierre-Paul voudra pas.

Comme de fait, le docteur aurait parlé d'aller en enfer que ça aurait pas été plus pire. Quand Pierre-Paul a entendu parler d'hôpital, c'est ben juste si y s'est pas étouffé. Comme si le pauvre Florian avait pas assez d'être malade, il l'a chicané :

— Que c'est que t'avais d'affaire à marcher nu-pieds où c'est qu'on travaille, d'abord? C'est ta faute, t'arais dû faire plus attention. Y est pas question d'hôpital! T'es un Lepage, pis les hommes de notre famille sont pas des feluettes. Ta mère va te soigner icitte.

Ça, c'était du Pierre-Paul tout craché. Quand les choses allaient mal, tu pouvais compter sur lui pour rempirer toute avec des paroles. Mais y fallait-tu qu'y seye enragé pour pas être capable de voir combien c'était grave? Son propre fils... En tout cas, quand on est sortis de la chambre, j'étais pas de bonne humeur. Ben j'ai pris sur moi. C'était le petit qu'était important.

— Si tu veux pas de l'hôpital, laisse-moi au moins faire venir le ramancheur.

Aïe! Un peu plus pis c'est moi qui se ramassais sur le dos.

— T'es-tu folle raide, Rose-Délima? Le ramancheur, astheure! Il manquerait pus rien que ça. Jamais, t'entends, ma femme? Jamais je vas laisser un de la terre toucher à mon gars. Pis m'en vas te dire une affaire : Florian, son pied, c'est un peu de sa faute, tu penses pas? Ça y apprendra à aller où c'est qu'il a pas d'affaire. Une autre fois, il va écouter à place de faire à sa tête.

J'avais ben envie d'aller chercher le bonesetter en cachette, mais Pierre-Paul l'aurait su, pis j'aurais pas été mieux que morte. Le pire, c'est que je savais qu'il était pas mal connaissant, le vieux torrieux. Plus connaissant qu'un docteur, y paraissait. Mais allez donc faire comprendre ça à une tête dure comme du bois.

Ça se peut-tu, des fois, avoir envie de tuer son mari?

Que notre gars seye malade, ça s'est su dans le village comme une trainée de pourde. Tout le monde le prenait en pitié. Malgré que Gemma venait de faire une fausse couche pis qu'elle pouvait pas se déplacer, elle a pris la peine d'envoyer sa plus vieille voir si elle pouvait aider. Des affaires de même, ça s'oublie pas. Gemma Bernier, c'était du bon monde. Avec le cœur à bonne place.

La garde-malade passait toutes les jours. Même Alphée, le marchand général, a fait envoyer des bonbons. C'était ben fin de sa part, mais le petit filait pas pour manger des sucreries. C'était ben juste pour y faire avaler les pilules avec un peu d'eau.

Les pilules faisaient pas grand effet. Il avait tellement de mal que ça me revirait à l'envers. Tout le monde essayait de le réconforter. Même que son oncle Ludovic a fabriqué une paire de béquilles exprès pour lui.

— Comme je te connais, ça prendra pas bout de tinette que tu vas te promener partout avec ça, mon snoreau.

— Merci, mononcle.

Il était si faible qu'il avait de la misère à parler. Je craîrais qu'il savait déjà qu'il allait partir. Fleur-Ange itou le savait. Il y a juste moi qu'a rien vu venir. Au contraire, j'avais confiance. Il était tellement fafouin, celui-là, que je le voyais pas autrement qu'à courir et à faire des mauvais coups.

J'ai su par après que le docteur avait parlé à Pierre-Paul dans le particulier. Ludovic avait déjà préparé le cercueil, il avait sculpté une grande croix avec des roses pour mettre sur le couvarcle. Mais parsonne m'avait rien dit.

L'état de Florian empirait tout le temps. On a prié, autant comme autant. C'était pas assez, faut croire. Le bon Dieu nous a pas écoutés.

Au mitan de la nuitte, j'ai entendu un chien hurler du bord de l'Auberge du pendu. Je pourrais pas dire ce que ça m'a fait ! Avant, cette histoire de chien qui hurle, moi, j'y créyais pas trop. Mais là, je pourrais jurer sur les Saints Évangiles que je l'ai entendu. Je suis pas superstitieuse, ben quand même, j'ai pris la bouteille d'eau bénite, j'en ai mis sur le litte de mon gars, pis j'ai fait le signe de croix. Le hurlement a retenti encore. C'est là que j'ai compris que tout était fini.

Un son de même, tu l'entends une fois, tu l'oublies pas. Jamais.

———

Les béquilles sont restées longtemps accotées sur le mur à côté du litte. J'avais pas le cœur de m'en défaire. Pierre-Paul était pas aussi sensible, lui. Il les a rapportées à son frère pour le cas qu'un autre enfant en aurait de besoin. Je sais pas pour vous autres, mais moi, si on m'avait donné des béquilles qu'avaient appartenu à un mort, j'aurais pas voulu voir un de mes flos s'en servir.

Au cimetière, il commençait à avoir pas mal de tombes dans concession des Lepage. Oh, je sais que c'est pas correct de penser comme ça, mais y avait une tombe qu'avait été creusée par Pierre-Paul. Mon Florian, son père l'avait tué aussi ben que s'il avait tiré dessus avec un fusil.

C'était pas rien que dans terre qu'il y avait un trou. J'en avais un dans le cœur avec, comme si on m'avait arraché un morceau de ma chair. À vif! Mon fils! Mon petit homme qu'on avait mis dans une boite. J'arrivais pas à le croire.

Comment ça se fait, donc, que j'ai pas eu de crise de cœur? Ça se pourrait-tu que j'en aille pas, de cœur? J'étais-tu rendue aussi pire que Pierre-Paul?

On se doute pas, on pense pas. Quand il est arrivé au monde, mon petit gars, c'était le plus beau bébé de la terre. On aurait dit un vrai petit Jésus, tout blond, tout frisé. Même qu'y en avait qui disaient:

« Où c'est que vous l'avez pris, donc, celui-là? Y ressemble à parsonne de la famille. »

De fait, il ressemblait à mon frère, celui qu'est mort dans les vieux pays. Peut-être que c'était sa destinée, à mon Florian, de partir si jeune? De quoi elle se mêlait, la destinée, voulez-vous ben me dire? Moi, en tout cas, j'aurais eu deux mots à lui dire si je l'avais rencontrée! C'est vrai, quoi! On vient pas chercher un enfant plein de vie comme ça.

Me semblait que je le voyais encore courir tout partout, aller au bord de la mer quand c'était défendu, glisser sur les roches, me revenir le fond de culotte tout sale.

Pauvre petit gars, va! Dire que je criais après lui tout le temps. C'est pour ça que Vous êtes venu le chercher, mon Dieu? Où il est rendu, astheure?

«Il est avec nous autres, Rose-Délima. Regarde, en haut, ben haut. Tu vois pas, au fond, là-bas, le petit coin de bleu? C'est là qu'il est, ton Florian. Il va ben. T'as pas à t'inquiéter, son pied lui fait pus mal.»

Cette voix-là, qu'était dans ma tête, je savais pas trop d'où elle venait, mais je l'ai entendue souvent, surtout quand j'avais de la peine. Comme si quelqu'un prenait soin de moi.

Après l'enterrement, j'ai lancé un appel au ciel:

— Mon Dieu, faites que celui que je porte arrive en vie, au moins.

Mais ça se remplace pas, un enfant.

L'été qui a suivi la mort de Florian, j'étais comme pardue. Je serrais les lèvres, je faisais mon ordinaire, mais on aurait dit que j'étais plus capable d'aimer parsonne. Si ça avait pas été du petit que je portais, j'aurais voulu mourir, moi itou.

Chaque fois que je pouvais, j'allais sur la petite plage, je regardais le fleuve. Ça aurait été si simple de rentrer dans l'eau, de me laisser porter par la marée. Le fleuve avait toujours été mon ami, je suis certaine qu'il m'aurait amenée jusqu'à mon Florian. Mon bébé qu'était mort par la faute de son père.

J'avais une belle grande maison, quasiment refaite à neuf, mais j'avais plus de gout pour l'entretenir. Quand ta brèche dans le cœur s'agrandit à force que le vent du large souffle à travers, tu finis par plus être capable de colmater.

Le fleuve était d'adon avec ma peine. Les vagues étaient tellement hautes que t'en avais mal au-dedans de toi. Ça venait frapper les roches noires, ça les usait, ça les faisait luire quand que la lune sortait de derrière les nuages. Le vent sifflait assez fort que ça passait en dessous des couvartes pis ça te donnait frette tout partout.

Même les touristes sont partis. Y avait pas d'agrément à rester dans région. Y en avait qu'étaient contents de les voir partir, d'autres qui disaient qu'on aurait moins d'argent cet hiver à cause que les touristes s'en allaient.

On se serait crus à l'automne. On pouvait plus se rendre à l'Isle-aux-Brumes, on pouvait plus téléphoner non plus. Quand t'essayait, le téléphone te grondait dans les oreilles. Un matin, à la barre du jour, ça a sonné chez nous. C'était ma sœur Clarisse. La mère était morte pendant la nuitte. Quand le malheur te choisit, il arrête pas de te fesser sur la tête.

Je pouvais pas aller aux funérailles à cause que le traversier marchait pas pis que c'était trop dangereux en barque. Mais j'avais beau me dire que la mère était partie, c'était comme si je le réalisais pas. J'arrivais pas à m'ôter Florian de la tête.

Chapitre 10

Nous n'irons plus aux fraises

Au printemps, mon septième fils est arrivé. Il était chétif, maigrichon, même. C'était pas étonnant, son père buvait trop. La boisson, c'est pas bon pour faire des enfants, tout le monde sait ça. Germain, c'était un « enfant d'alcoolique », comme ils disent. Pauvre petit, il te regardait avec ses grands yeux noirs comme s'il avait toute la misère du monde sur le dos. C'était une pitié à voir.

Ce bébé-là, c'était mon trésor fragile. Je veillais sur lui quasiment jour et nuitte. Aucun souffle m'échappait, je faisais attention à toutes les gargouillis. Je voulais le garder tout contre moi pour qu'y arrive rien.

En comptant ceusses qu'étaient partis, il était le onzième de la lignée des Lepage. Onze enfants, sept vivants !

Si ça dépendait juste de moi, il y aurait plus de plumes au vent, comme quand les cormorans volent au-dessus de ta tête. Mon petit monde, je voulais plus le voir éparpillé.

Ce bébé-là, je le laissais pas des yeux. Quand fallait que je change de place dans maison, je tirais le ber avec moi pour être certaine de toujours le voir.

— Arrête de le trainer partout de même. Y partira pas au vent !

Je savais que Pierre-Paul était pas content de passer après le bébé. Ben c'était de même pis parsonne me ferait changer mon idée. Des fois, je me levais la nuitte pis j'allais m'assire à côté du ber. Il suffisait que le petit fasse n'importe quel son pour que le cœur me fasse mal.

— T'as faim? Maman vient tu suite, mon trésor!

Je savais ben qu'on en passait, des remarques, au village. «Élevé dans ouate, qu'y disaient. Ça va faire un vrai feluette, un fils à maman.»

Le monde pouvait ben dire que c'est qu'y voulait, y avait juste mon petit qui m'intéressait.

Celui-là, il était à moi, rien qu'à moi. Je le laisserais jamais partir, que je m'ai promis en poussant le ber pour qu'il s'endorme.

~

Le vent, des fois, ça peut être pas mal traitre. Le fleuve qui moutonne, c'est une chose, mais quand c'est rendu à faire lever les jupes, c'est une autre affaire! Quand j'étais fille, les jupes trainaient quasiment jusqu'à terre. Mais en 1949, c'était rendu moderne, même qu'il y avait des femmes qui portaient des pantalons. Et pis les jupes étaient pas mal plus courtes. Avec le vent, fallait faire attention pour pas montrer son derrière à tout le monde chaque fois qu'on sortait.

Les hommes riaient, les femmes s'inquiétaient, moi la première. Parce que ce vent-là venait des terres. C'était pas bon signe. Malgré ça, qui aurait pu penser que le vent attiserait un feu qui en finissait pas de mourir? Toutes ceusses qui ont essayé de l'éteindre se sont pas juste brulé le corps, ils ont eu des cicatrices tout partout par en dedans.

C'était pourtant du bord d'être un été à célébrations. Pour les autres, en tout cas. Gemma Bernier était passée par chez nous. Sa Blanche, celle qui faisait l'école, se mariait au début des grandes vacances. Avec Jean Tardif, un de la ville. Toutes les ceusses du fleuve étaient invités aux noces. Je serais-tu d'adon pour coudre la robe de mariée? J'ai passé ben proche de dire non. Mais fallait que je prenne sur moi, veut, veut pas. La vie continue même quand t'as des malheurs.

— Dis-y qu'a vienne pour les mesures quand ça adonnera.

Je la regardais, là, Gemma, pendant qu'elle buvait son thé. Elle avait changé depuis sa fausse couche. Mais malgré ses dix-sept enfants, c'était encore une belle femme.

Dans le temps, on avait jasé sur elle et sur mon Pierre-Paul. Quand je suis arrivée à Roches-Noires, toute jeune mariée, il s'en était trouvé plus d'une pour me laisser entendre qu'y s'était passé des affaires pas catholiques entre ces deux-là. Moi, les racontars, ça m'intéressait pas dans ce temps-là, pis ça m'intéresse pas plus astheure.

C'était pas que j'aurais donné le bon Dieu sans confession à Pierre-Paul, ça non. En seulement, si mon homme se serait essayé, Zotique y aurait arraché les yeux. Et pis, Gemma savait tenir sa place. Ça avait pas pris de temps avant qu'on seye amies, elle pis moi. On se voyait aux assemblées des Dames patronnesses, on parlait des enfants. C'était pas comme nos maris. Pourtant, ces deux-là étaient du fleuve ; ils auraient dû s'aider à place de s'asticoter.

Sainte bénite que les hommes ont donc pas de tête, des fois !

J'aurais voulu lui dire que j'avais de la peine pour elle, parce que parde un petit, je savais quel trou ça te laissait. Si elle s'était rendue à terme, ça lui aurait fait dix-huit enfants. Pour dire la vérité, j'étais un peu jalouse. Dix-huit flos, c'est vrai que ça fait beaucoup de monde, mais les plus vieux grandissent pis les plus jeunes s'élèvent quasiment tu seuls.

Mais on voyait que Gemma aimait mieux pas parler de sa fausse couche. Je suis pas du genre à pousser, ça fait qu'on avait seulement jasé de la noce qui s'en venait.

Avant la robe de mariée, j'avais une autre robe blanche à faire : Fleur-Ange marchait au catéchisme, en même temps que Philippe.

— Des vrais petits anges !

— J'irais pas jusqu'à dire ça, sais-tu, Rose-Délima. Je sais pas trop pour ta fille, mais mon Philippe a le diable au corps, des fois ! Tu le sais ben, vu qu'il est toujours rendu icitte.

— Les miens sont pas toujours tranquilles non plus, tu sais. Avec autant de gars dans famille, Fleur-Ange est habituée à se faire étriver. Mais ton fils, c'est pas de trouble de l'avoir, il joue avec la petite. Ces deux-là, on peut pas les séparer, ils sont heureux juste quand ils sont ensemble. Peut-être qu'ils vont se marier plus tard?

— Si Zotique t'entendait! Lui qu'a toujours dit que les Lepage rentreraient jamais dans notre famille. Comme si ça se contrôlait, ces affaires-là! Par exemple, laisse-moi te dire que pour nos petits mousses, c'est pas encore fait.

— Coudonc, on dirait qu'y a pas juste à Zotique que ça ferait pas l'affaire, ce mariage-là? Toi non plus, t'as pas l'air d'aimer trop trop l'idée, me semble.

Pauvre Gemma! A l'avait l'air mal sans bon sens. Le visage rouge comme une petite fille qu'avait fait un mauvais coup.

— Qu'est-ce que tu vas chercher là? C'est pas ça pantoute, mais ils ont encore pas mal de croutes à manger avant de parler de mariage, tu penses pas?

— Tant qu'à ça! Je suis en train d'aller un peu vite, c'est vrai! C'est pas demain qu'on va se souler avec le vin de la noce. Fleur-Ange, c'est ma seule fille, tu comprends. Je voudrais pas qu'elle marie n'importe qui. Avec Philippe, je serais tranquille. En toué cas, on peut pas dire le contraire, c'est beau de les voir, nos deux moineaux, quand ils vont à l'église main dans la main.

— C'est vrai. Peut-être que de recevoir le bon Dieu pour la première fois va me le calmer, mon petit dernier. Blanche se plaint que c'est pas du monde à l'école, cet enfant-là. Il est pas de service à maison non plus.

J'ai pas trop parlé. Quand le petit venait chez nous, il était pas si pire que ça. Mais naturellement, les enfants se comportent pas pareil ailleurs que quand ils sont chez eux. Pour Blanche, m'est avis qu'elle pensait pas mal plus à son mariage qu'à la première communion de son frère et des autres élèves.

C'était quand même une bonne institutrice qu'on allait parde à cause du mariage. Il resterait plus rien que la fille du notaire pour faire l'école. Une maitresse, c'était pas assez, faudrait en engager une autre. Ça, ça serait les commissaires d'école qui décideraient. Je me demandais qui ça serait. Peut-être une des sœurs missionnaires de l'Immaculée-Conception ?

Ça se parlait déjà que c'était pour être une école de sœurs qu'on aurait. Même qu'il était question de bâtir un couvent drette icitte, à Roches-Noires. Un pensionnat où c'est que c'est que les élèves resteraient quand elles venaient de trop loin pour voyager matin et soir.

En attendant de finir son année, la Blanche rêvait. Ça paraissait qu'elle pensait ben plus à son promis qu'à ses élèves. Fin juin, aussitôt que l'école serait finie, Blanche Bernier s'appellerait madame Jean Tardif.

Malgré que Blanche était pas mal indépendante, son promis pis elle allaient aux cours de préparation au mariage. Faut dire que le curé Bigot les avait quasiment forcés. Apparence qu'elle avait dit à sa mère :

— Obéissance à son mari, je vais leur en faire, moi !

Elle voulait un couple moderne. Mais ça, c'était pas à sa mère qu'elle l'avait dit, c'était à moi, une fois qu'était venue pour un essayage :

— Je veux pas plus que trois enfants. Si on n'avait pas été aussi nombreux chez nous, la mère serait moins fatiguée. Elle trouverait le moyen de s'occuper de Philippe. Celui-là, s'il continue comme il est parti, il fera rien de bon dans la vie.

— Tu sais ben que t'as pas le droit d'empêcher la famille.

— Il y a des moyens.

Je pouvais pas rien dire de plus, c'était pas de mes affaires, mais je trouvais ça de valeur que Blanche parle de faire des péchés après le mariage.

Rêve, rêve pas, fallait que l'année finisse.

— Prenez vos cahiers. Je vais vous donner une dictée.

Le lendemain, c'était le congé de l'inspecteur. Blanche surveillait ses élèves qui écrivaient. Fleur-Ange avait le front plissé, elle faisait des efforts comme c'était pas disable pour pas faire de fautes. Au contraire, Philippe avait pas la tête à l'école, il était présent juste de corps. Il pensait juste à sortir. Je suis certaine qu'y devait se dire :

« Si la cloche peut sonner, qu'on sorte ! Blanche fait juste penser à son promis, elle s'occupe pas de nous autres. Après l'école, m'en vas aller voir mononcle, au phare. Il va me montrer des chansons. Moi, c'est ça que je veux faire quand je vas être plus grand : partir d'icitte, aller sur les routes pis chanter. Chez nous, la mère est tout le temps fatiguée pis le père fume sa pipe. Il nous voit même pas. Une chance que j'ai Fleur-Ange. Elle, au moins, on peut lui parler. »

❧

À six ans, ma Fleur-Ange avait des belles tresses brunes, des beaux yeux verts. Depuis qu'elle fréquentait l'école, son plus grand bonheur, c'était de me rapporter un cahier d'exercices avec un ange sur la page pour dire qu'elle travaillait ben à l'école.

Elle itou, elle pensait à Philippe :

— Je vous dis, sa mère, c'est de valeur que Philippe seye tout le temps distrait. La maitresse l'a pourtant averti : s'il fait pas plus attention, il va répéter son année. Moi, c'est sûr, j'aimerais mieux être dans même classe que lui, l'année prochaine, mais je peux quand même pas doubler pour lui faire plaisir, hein, sa mère ? Va falloir que je continue de prier fort. Je vas demander à la Sainte Vierge qu'elle arrange ça pour Philippe. Tant qu'à y être, je vas aussi prier pour le père. A va m'écouter.

❧

Elle était ben pieuse, ma Fleur-Ange. J'imagine qu'elle pensait qu'en priant, son père l'aimerait plus. Dans sa petite tête, elle devait se dire que si son père lui donnait des claques, elle avait dû faire quelque chose de mal. Ça fait qu'elle priait souvent. Chaque fois qu'elle pouvait, en fait. Surtout depuis qu'elle se préparait pour la première communion.

Quand elle aidait pas dans maison, j'étais sure de la trouver à genoux dans sa chambre.

— Fleur-Ange? Philippe est ici. Il vient te chercher pour aller aux fraises. Va, ma fille. Ça va te faire du bien de prendre l'air.

Le ramassage des petits fruits, ça faisait partie de son ouvrage. Elle a fait son signe de croix pis elle a couru rejoindre son ami.

~

Je savais que Fleur-Ange me conterait toute. Elle était franche, ma fille, elle faisait pas de cachettes à sa mère.

Avec leurs petites chaudières, les enfants sont allés jusqu'au champ de fraises derrière l'église.

— Ma mère, c'est la meilleure cuisinière du pays, tout le monde le dit au village. Ses confitures aux fraises sont bonnes, t'as pas idée!

— Tu penses rien qu'à manger, coudonc, Philippe. Fais attention, la gourmandise, c'est un péché. Monsieur le curé l'a dit hier encore au catéchisme. Me semble que tu pourrais faire un sacrifice et te priver de sucrage une semaine avant de faire ta communion.

Il écoutait pas. Il avait le nez en l'air pis il regardait vers le village.

— Qu'est-ce qu'y a?

— Je suis pas certain. Je pense que chez Pineau sont en feu. Ça brule pas mal fort. Tu vois pas la fumée?

— Tu rêves, je vois rien pantoute. T'as rempli ta chaudière? Moi avec. Arrive!

Dans nuitte qu'a suivi, y a eu un feu au village. Joseph Pineau avait peut-être ben chauffé son poêle même si il faisait doux... Parsonne a jamais su pourquoi, mais la maison a brulé toute la nuitte.

Le père pis ses deux filles avaient plus de place pour rester.

Qui c'est qui aurait pu penser qu'une affaire aussi ordinaire que le fait d'aller aux fraises partirait le bal? Je me trompe pas. C'est à cause qu'on a voulu faire des confitures que toute ça est arrivé.

Pourtant, c'était rien de nouveau. Toutes les ans, au mois de juin, on allait chercher du sucre chez le marchand général pendant que les enfants ramassaient les fruits. On sortait nos grands chaudrons de fonte pour faire cuire les fraises jusqu'à ce que ça fasse une belle nappe rouge. Ça sentait bon à vous revirer par-dessus la tête.

Ben cette année-là, le vent s'est mis de la partie avec les conséquences qu'on sait.

C'était quand même étrange, cette affaire-là. Le Philippe Bernier était pas fort à l'école, mais quand même. V'là qu'il voyait les choses avant qu'elles arrivent.

— Si c'est pour parde votre temps à dire des niaiseries, on vous laissera pus aller aux fraises. D'où t'étais, Philippe, tu pouvais même pas voir jusque chez Pineau. Prédire un feu, voir si ça se peut! C'est juste une coïncidence, rien d'autre.

Je me demandais, au fin fond du fond, si peut-être je devrais en toucher un mot à sa mère. Ah, et pis non, Gemma avait assez à faire comme ça avec la noce. Moi, j'avais mon chaudron sur le poêle.

— Fleur-Ange, passe-moi la louche.

J'étais énarvée par toute cette histoire-là; j'ai dû mal calculer mon affaire, je pense. Quand la confiture bouillante a touché ma main, j'ai vu des oiseaux de toutes les couleurs. Ça pas pris une minute que j'avais la main rouge, boursouflée pis que ça brulait, brulait. Je me retenais de crier tant ça faisait mal.

Philippe m'a regardée avec ses grands yeux qui allaient jusqu'au boutte du monde. Il s'est avancé, a passé sa main juste au-dessus de ma brulure et le feu s'est arrêté. D'un coup sec ! J'avais plus aucun mal.

— Qu'est-ce que t'as fait, mon gars ?

— Je sais pas. Ç'avait l'air de vous chauffer sans bon sens. Ça fait que j'ai essayé de vous ôter le mal.

Cet enfant-là faisait pas juste prédire le feu, il l'arrêtait !

Non, ça se pouvait pas ! Ces affaires-là, t'as beau y croire en pensée, quand ça arrive dans ta cour, c'est pas pareil. Du coup, je pouvais plus cacher ça à Gemma. Faudrait que j'y parle betôt. J'ai senti que le mal de tête s'en venait. Faut dire que chaque fois qu'il y avait des affaires étranges, la tête voulait m'éclater. Les deux petites Pineau étaient là qui écoutaient, la bouche ouverte de surprise.

— Bon, c'est assez ! Fleur-Ange, monte avec Michelle et Lucette. Elles vont rester icitte en attendant que la maison neuve seye prête. Tu vas leur donner du linge de corps pis leur prêter chacune une robe propre. Après, vous irez toutes les trois chercher ton père et monsieur Pineau au chantier. On va souper betôt.

— Vous voulez pas que je vous aide, môman ?

— Non. Va, va, je te dis ! Philippe, j'aimerais mieux que tu retournes chez vous. Je suis certaine que ta mère t'attend.

— M'man dit toujours qu'elle a pas besoin de moi. Votre main vous fait pus mal, hein ?

— Non, non. Oublie ça, mon gars.

J'avais juste une idée, faire le vide autour de moi pour me donner le temps de jongler. De décider quoi faire. Peut-être que je devrais en parler au curé ? Que c'était donc compliqué, des fois, de savoir où c'est qu'était son devoir ! Une chance, le bébé s'est mis à crier, comme pour me dire qu'il avait besoin de moi. Fallait que je seye pas mal à l'envers pour l'avoir oublié !

— Oui, mon Germain, maman arrive tu suite !

Finalement, j'ai profité d'une journée où fallait que j'aille au magasin général acheter de la fleur pour pousser une pointe jusque chez Gemma. On a examiné l'affaire sous toutes ses coutures.

— Icitte, les autres l'appellent le « petit docteur » parce qu'il fait passer le feu, le mal de dents, itou. Son père est fier sans bon sens, tandis que moi, à mon idée, mieux vaut pas parler de ces affaires-là.

— T'as raison. Quand même, faudrait les surveiller, nos jumeaux.

Mon Dieu que le monde sont donc suspect, des fois ! Gemma est venue la face toute rouge, elle tordait le coin de son tablier.

— Ça serait mieux que t'appelles pas les enfants comme ça, sais-tu, Rose-Délima. Des plans pour que le village jase. Surtout ceux de la terre. Y demandent pas mieux que de parler sur nous autres, tu le sais ben.

— Laisse donc faire le monde. Du fleuve ou bedonc de la terre, y s'en trouvera toujours pour dire du mal des autres.

— Quand même, des fois, ça prend pas grand-chose.

— T'es pas fâchée, toujours ? Je disais ça comme ça.

— Je sais que tu pensais pas à mal, mais si ça te fait rien, j'aimerais mieux une autre manière.

— Si ça prend juste ça pour te faire plaisir ! Pierre-Paul aime pas ça, lui non plus, quand je parle de même. Moi, des fois, je trouve qu'ils se ressemblent ces deux-là.

— Ah, non, là, je pense pas comme toi. C'est pas parce qu'ils ont des cheveux bruns qu'on peut dire ça ! Avant d'avoir les cheveux gris, Zotique était comme ça, lui avec.

— C'est ben vrai, tant qu'à ça. Bon ben… pour le feu, là, on décide quoi ?

— Moi, j'en parlerais pas. Le petit a cru voir de la fumée, y a eu un feu cette nuit-là. Faudrait quand même pas qu'il s'en trouve pour dire que c'est Philippe qui l'a mis !

— Sainte bénite, Gemma, que t'as donc peur du qu'en-dira-t-on ! Bon, c'est correct d'abord, on en parlera pus de cette histoire-là. Mais pour ma main, je sais pas trop quoi penser. Peut-être que le mal aurait passé même si ton Philippe m'avait pas touchée ?

— Je peux rien te dire de plus, Rose-Délima. Fais comme tu penses que c'est mieux.

Le bébé avait faim. J'avais pas le temps de m'attarder.

— Il profite, ton Germain !

— C'est vrai. Faut dire aussi que je m'en occupe beaucoup.

— Un peu trop, peut-être ? Tu l'étouffes cet enfant-là. Laisses-y de la place pour respirer.

Elle était-tu jalouse parce qu'elle avait pardu le sien ? J'étais fatiguée, énarvée par cette histoire-là, ça fait que je sais pas ce qui m'a pris, j'ai éclaté :

— Tu parles d'une affaire bête à dire ! C'est pas parce qu'on est des amies que t'as le droit de me montrer comment élever mes enfants. J'ai pas de leçon à recevoir de parsonne.

Pauvre Gemma ! Est restée la bouche grande ouverte sur sa surprise. Moi, ben je suis partie tu suite avant de dire des affaires que je regretterais par la suite. Non, mais, me reprocher d'aimer mon fils ! Franchement, y en a qu'ont du temps à parde. Elle ferait ben mieux de prendre soin de son dernier.

Je suis revenue, ben contente de me retrouver dans mes affaires. C'est encore là que j'étais le mieux, finalement : dans ma cuisine, avec parsonne pour me dire quoi faire.

Quand j'aurais fait manger le petit, j'avais dessein de pétrir. Du bon pain de ménage, avec de la soupe aux légumes frais, rien de meilleur pour remplir les ventres affamés.

Moi, mon monde, je m'en occupe tu sauras, Gemma Bernier !

***

Dans ma tête, je pouvais pas m'empêcher de penser aux deux enfants autrement que comme frère et sœur. Pas juste à cause de la couleur des yeux pis des cheveux, mais parce que souvent, ils avaient l'air de se comprendre sans même ouvrir la bouche.

J'avais pas de crainte qu'ils parlent, ni un ni l'autre. Avec son père qu'était tout le temps sur son dos, Fleur-Ange était pas bavarde. Philippe, on savait pas trop ce qu'il pensait. Par contre, pour les petites Pineau, c'était une autre histoire. Ça a pas pris beaucoup de temps que tout Roches-Noires a été au courant de ma brulure et de ce que Philippe Bernier avait fait.

C'est venu aux oreilles du curé et il m'a fait une visite le lendemain. Pas content.

— Ce ne sont pas des choses à colporter.

— Vous avez raison, monsieur le curé. Moi non plus, j'y créyais pas, mais on dira ce qu'on voudra, Philippe m'a réellement ôté mon mal.

— Foutaises! Il n'y a que Dieu ou ses saints qui sont capables de guérir. Vous n'allez quand même pas prétendre que Philippe Bernier est un saint?

— Je saurais pas dire : les saints, c'est plus votre affaire que la mienne. C'est à vous à décider si Philippe marche vers la sainteté ou pas.

— Taisez-vous, Rose-Délima Lepage! Un peu plus et vous alliez blasphémer. Vous n'avez pas honte? Je veux vous voir à confesse samedi prochain.

Tiens donc! C'était rendu pas correct de dire comme le prêtre, astheure? J'aimais mieux pas répondre à ça. On voit ben que c'est des hommes comme les autres, les curés. Ils veulent toujours avoir raison. Quand Pierre-Paul sait pas quoi dire, il fesse. Le curé, lui, parle de confesse. Je suis pas certaine que la syllabe de plus change quelque chose.

⁓

Le temps des fraises dure pas longtemps. Trois semaines, c'était quasiment fini. Pendant que les pots de confitures s'alignaient dans les cuisines, les hommes avaient fait une corvée pour rebâtir la maison des Pineau. Dans des cas comme ça, on tassait de côté les chicanes de territoire et chacun mettait la main à la pâte. Des fois, ça passait des commentaires pas trop catholiques.

— Pour une fois, le curé arait ben pu nous laisser travailler le dimanche, me semble !

— C'est péché de travailler le jour du Seigneur, tu sais ça comme nous autres, Albert.

— Péché ? C'est drôle, quand le curé a demandé qu'on répare la galerie du presbytère, c'était un dimanche, pis c'était pas péché, c'te fois-là.

Qu'est-ce que je disais ? On a beau avoir été élevé dans religion, faire ses Pâques et tout et tout, des fois les curés aussi, se trompent. Les affaires penchent pas toujours du bord qu'on voudrait.

Au chantier, malgré les discussions, ça travaillait vite et c'était de l'ouvrage ben faite. En un mois la maison neuve était prête. Plus belle que l'ancienne, sûr et certain. Pas comparable à la nôtre pour la grandeur, mais faut penser que Joseph était veuf pis qu'il avait juste deux filles.

Le dimanche après le feu, c'était le jour de la première communion. Avec toutes les dérangements, j'avais été obligée de travailler jusque tard la veille pour finir la robe blanche de Fleur-Ange. Ça me déplaisait pas. La petite m'avait tellement aidée, elle méritait ben ça !

Ah, c'était beau de voir les garçons d'un côté, en habit, avec leur brassard, pis les filles de l'autre côté de l'allée, dans un nuage de tulle blanc. Tout ce petit monde-là était en prière, les mains jointes. Têtes baissées, on pouvait pas leur voir le visage, mais on savait où c'est qu'était notre enfant.

Pour Fleur-Ange, c'était pas compliqué ; ses belles tresses brunes dépassaient de son voile. Elle avait les mains jointes sur son chapelet, ma fille. Un beau chapelet de cristal de roche, donné en cadeau par sa marraine, Rose Gamache. Avec ses yeux farmés, elle avait l'air d'une sainte, notre Fleur-Ange. Tout le monde le disait!

Je pense que pour une fois, même Pierre-Paul filait pas pour ergoter à cause que c'était une fille.

Chapitre 11

Le couvent des sœurs

L'école était finie. Bernard venait de finir sa versification au collège classique de Rimouski. Quand il était à la petite école, il avait sauté deux années pis ça avait pas l'air de le déranger d'être le plus jeune de sa classe parce qu'il nous rapportait une saudite bonne note.

— Quand je vais finir mon classique, j'aimerais ça étudier encore si vous pensez que son père serait d'accord. Je voudrais aller aux Hautes études commerciales.

— Je suis contente de voir que t'as de l'ambition. Je vas en parler à ton père, mon gars. Tu réussis ben, tu nous fais honneur, je vois pas pourquoi il t'empêcherait d'aller plus loin dans tes études.

À la condition de trouver l'argent, ben sûr. Parce que là, il était demi-pensionnaire à Rimouski. Il revenait à la maison toutes les soirs. Mais l'université, ça voulait dire Montréal ou bedonc Québec. Et pis ça, c'était une autre paire de manches.

— Ah, j'ai oublié de vous dire, je me suis trouvé un emploi à la Mercerie Lefebvre pour l'été.

Le cours classique déteignait, je cré ben. Il commençait à parler en termes, mon Bernard! Mais qu'on dise un « emploi » ou bedonc une « job », c'était du pareil au même : on pouvait toujours compter sur lui.

C'était pas la même affaire avec Claude, le seul de mes enfants qui passait pas son année. Faudrait qu'il double sa septième encore une fois. Celui-là, on se demandait ce qu'on ferait avec. Il était toujours à se batailler pour des folleries, il écoutait pas à l'école, il faisait ses devoirs à moitié. Cinquante-quatre pour cent, il y avait pas de quoi être fier.

— Quand ton père va voir ça, il sera pas content pantoute. Que c'est que tu vas faire dans vie, pas d'instruction ? Faudrait ben que t'ailles au moins ton certificat de septième année.

— J'aime pas ça l'école, sa mère. Vous le savez. Moi, je veux faire comme Antoine, aller sur les bateaux.

— Comme si j'avais déjà pas assez d'inquiétude comme ça, c'est rendu que je vas avoir deux gars en mer, astheure. J'aime mieux pas y penser. En attendant, va voir le marchand général. Il pourrait peut-être t'engager pour porter les commissions. Un peu plus d'argent, ça nuirait pas.

— Moi itou, sa mère, je vas travailler pour vous rapporter de l'argent.

— T'es trop jeune, Donat. Toi, Émile pis Fleur-Ange, vous avez réussi votre année, c'est toute ce qu'on vous demande.

— Fleur-Ange, c'est une fille, c'est pas pareil. Les filles travaillent pas.

— Ah, tu penses ça, mon petit gars ? Laver, repasser, faire le ménage, cuisiner, tu penses que c'est pas de l'ouvrage ?

— Oui, mais je veux dire travailler à une vraie job.

Le fils à son père, celui-là. Tant qu'à ça, le fils de toutes les hommes du village. Nous autres, les femmes, on se levait à la barre du jour, on lavait, on torchait, on cuisinait jusqu'à tard le soir. Mais non, pour nous autres, c'était pas vraiment travailler !

Fleur-Ange rapportait un bulletin avec une note de quatre-vingt-trois pour cent, la meilleure note de toute ma gang. Pensez-vous que son père l'a félicitée ? Jamais de la vie ! Il a signé toutes les bulletins sans dire un mot, sans même chicaner Claude. Comment vous voulez qu'après ça les enfants m'écoutent ?

C'était pas la même chose chez les Bernier. Philippe itou doublait son année avec une note de quarante-trois pour cent. Apparence que son père a passé proche de le tuer.

— Il le frappait, frappait encore. Des tapes par la tête que ç'avait pas de bon sens, je te dis, Rose-Délima. Un peu plus, il le tuait, ma parole ! J'avais beau essayer de le calmer, il était enragé noir. Il disait : « C'est en première année pis ça trouve déjà le moyen de doubler. M'en vas te donner une chance, mais c'est la dernière. Tu vas retourner en première année l'année prochaine. Si tu passes pas, je te sors de l'école pis je te fais travailler. Tu vas voir ce que c'est de travailler quand on a pas d'instruction ! » Finalement, c'est Jean-Claude qui a réussi à calmer son père comme il allait lever la main sur Philippe encore une fois.

— Pauvre Gemma. Mais dis-moi donc, toi, t'es instruite. Tu trouves-tu que c'est si important que ça, l'instruction ?

— Pour une femme, peut-être pas. Malgré que mes filles qui travaillent gagnent toutes un bon salaire. Mais pour les hommes, par exemple ! T'as juste à regarder Zotique pis Pierre-Paul. Zotique est allé plus longtemps à l'école, il est contremaitre au chantier. Il gagne le double de ton mari et pourtant, il travaille moins fort de ses mains.

— Oui, t'as raison. Faut dire aussi que Pierre-Paul boit pas mal tout ce qu'il gagne. Si c'était pas des gages d'Antoine pis de ce que je ramasse en cousant, je sais pas comment on ferait pour arriver.

— Il a quasiment toujours été comme ça, ton Pierre-Paul. Avant de se marier, c'était ben pire. Des fois, il partait sur une baloune qui durait une semaine. Quèqu'un le ramassait soul mort pour le ramener chez sa mère. Il dessoulait, retournait à l'ouvrage jusqu'à la paye suivante. Au chantier naval, ils le reprenaient à chaque fois parce que c'est le meilleur ouvrier de ce côté-citte de Québec.

— Si j'avais su ça quand il me fréquentait !

— Tu l'aurais pas marié ?

— Ah, ça, je sais pas. J'étais en amour que j'en voyais pas clair. La mère chez nous a essayé de me dire qu'on le connaissait pas, qu'il était pas de la paroisse, mais j'écoutais même pas.

— Nous autres, à Roches-Noires, on savait qu'il fréquentait quèqu'un de l'Ile, mais on savait pas qui. Et pis, même si on l'avait su, nous aurais-tu vus nous rendre à l'Ile pour te dire que ton promis était souvent en fête ? C'est délicat, ces affaires-là.

— En toué cas, je suis pognée avec astheure. Pognée pour la vie.

— Le regrettes-tu ?

— Malgré toute, je suis pas prête à dire ça. C'est pas un mauvais diable, il couraille pas, il est pas mauvais avec moi. Si c'était pas de la maudite boisson…

— C'est vrai, ça. Il couraille pas.

— Tu dis ça d'une drôle de manière. Y a-tu des affaires que tu sais pis que je devrais savoir ?

— Non, voyons, Rose-Délima. Qu'est-ce que tu vas penser là ?

— Ah, bon, tu m'as fait peur !

***

Ça faisait déjà une escousse qu'on parlait de ce fameux couvent des sœurs qu'était supposé se construire à Roches-Noires.

À l'été 1948, c'était pus une rumeur. Le couvent serait bâti sur la plus haute côte de Roches-Noires, la montée Rioux, juste à côté du manoir Aumont. Les sœurs enseigneraient aussi à la petite école, jusqu'à la quatrième année pour les filles. À partir de la cinquième année, elles iraient en classe dans la bâtisse du couvent. Les gars, eux autres, continueraient à la petite école jusqu'à la septième année.

Le contrat pour l'ouvrage a été donné à un bonhomme de Rimouski, Blanchette & Frères. Ludovic avait fait dire en chaire par le curé que toutes ceux qui voulaient se faire engager, fallait qu'ils donnent leur nom à la mairie. Le monde était content, oui pis non. C'est sûr que ça faisait de la gagne pour le village, pis l'argent était rare. Mais ce qui a le plus choqué le monde, c'est que Ludovic a pas fait de différence entre les ceusses de la terre pis les ceusses du fleuve. Monsieur Blanchette avait dit les métiers qu'il avait de besoin et pis Ludo a engagé le monde selon leurs compétences, comme il disait.

L'électricien pis le plombier venaient de Rimouski. Pour monter la charpente, là, c'était pas un ouvrage spécialisé, ça fait que c'était premier arrivé, premier servi. Ludo a aussi dit à ceusses-là qu'étaient engagés que le premier qui partirait une bataille sur le chantier serait clairé tu suite.

— Ça manque pas d'hommes qui demandent rien qu'à travailler, ça fait que j'arais pas de misère à vous remplacer.

À partir de la fin juin, les trucks ont commencé à charroyer du stock. Ça circulait d'un bord pis de l'autre. Y passaient devant chez nous avant de virer sur la montée Rioux. Ça faisait de la poussière partout, assez que fallait que je garde les châssis farmés en avant de la maison. Ça arrêtait seulement à noirceur.

Les jeunes étaient excités sans bon sens. Ils montaient toutes les jours voir comment ça avançait. Le foreman du chantier était pas content de voir autant de flos, il avait crainte qu'y en aille qui se blessent. En plus, y avait pas mal de monde pauvre dans le village; il voulait pas qu'y en aille qui seyent tentés par les outils qui trainaient sur le chantier.

En fin de compte, il a fait bâtir une petite cabane pour faire garder le site vingt-quatre heures sur vingt-quatre. Si tu voulais rentrer, fallait que t'ailles un tag avec ton nom pis ton métier dessus. Le gardien avait un livre. Il marquait les noms des gars qui rentraient pis des ceusses qui sortaient, avec les heures. Pis ben sûr, les flos pouvaient pas rentrer sur le chantier, y pouvaient juste regarder de loin.

Ben certain que mon Claude allait se fourrer le nez proche du chantier tant qu'il pouvait. À ce qu'il m'a conté, y avait un grand qui l'avait asticoté.

— Il a dit que les ceusses qui travaillaient sur les bateaux, c'est toutes des fifis parce qui font pas un ouvrage d'homme. J'y ai répond qu'il avait menti pis j'y ai sacré un coup de pied dans les jambes. Lui, ben pour se venger, il m'a fait une jambette pis j'ai tombé. Je m'ai garanti avec mon bras et pis là, je pense que mon poignet est cassé. M'man, allez-vous aller voir la mère Dalpé pour y dire que son Marcel a menti?

— On dit «madame» Dalpé. Et pis non, j'irai pas la voir. Va falloir que t'apprennes à pas fesser sur le monde chaque fois qu'y disent des affaires que t'aimes pas, mon gars. Là, c'est clair que le jeune Dalpé cherchait la chicane. T'avais juste à pas t'en occuper.

— Y a pas de saint danger! Si j'avais rien fait, j'y aurais donné raison de dire que ceusses du fleuve on est toutes maniérés.

— Je veux pus en entendre parler.

Chanceuse dans ma malchance, Pierre-Paul travaillait sur l'Ile pour trois jours. C'te fois-là, j'ai même pas attendu qu'y fasse noir avant d'emmener Claude chez le ramancheur. Si y en avait qui me voyaient, je pensais pas qu'ils en parleraient à Pierre-Paul. Pour le reste, ben ce qui se disait ailleurs, moi, j'en faisais pas de différence. Après toute, entre femmes, on se comprend. Les enfants, ça passe avant les chicanes de territoire.

La cabane était toujours aussi crottée. On a frappé, on est rentrés et pis là, j'ai eu toute une surprise. Le bonesetter était assis à sa table avec un livre. Jamais j'arais pensé qu'il savait lire!

Il nous a regardés drette dans les yeux.

— Un gars Lepage. T'es déjà venu pour te faire ramancher la cheville. Pis là, c'est ton poignet. Tu ressembles à ton père, toi. Il peut pas te renier. Lui itou, il haït pas les batailles. Mais tu sais, mon gars, fesser sur le monde, ça a jamais donné grand-chose.

J'allais de surprise en surprise. D'abord, ça faisait sept ans qu'on était venus. Il avait bonne mémoire, le ramancheur. Et pis comment il faisait pour savoir que Claude était batailleur ? Un poignet cassé, ça peut arriver n'importe comment !

Je savais qu'il allait lui faire du mal. Ramancher un poignet, ça se faisait pas tu seul. Comme de fait, il a dit à Claude :

— Ça va tirer un peu. Mais je sais que t'es courageux.

Juste de lui avoir dit ça, Claude a serré les dents sans dire un mot. Mais ça se voyait dans sa face que c'était souffrant ce que le ramancheur lui faisait. Par après, ça avait beau être sale alentour, il a trouvé des guenilles propres pour y strapper le poignet.

— Par chance que c'est ton poignet gauche pis que t'es droitier. Tu vas avoir du mal pour une bonne escousse pis tu seras pas capable de te servir de ta main gauche. Reviens me voir dans trois semaines. Pis arrête de te battre si tu veux faire quèque chose de bon dans vie.

C'te fois-là, j'avais pris mes précautions pour le payement. J'ai mis une piasse sur la table avant de sortir.

Trois semaines ! Y aurait pas moyen de cacher ça à Pierre-Paul. J'étais pas mieux que morte. Claude devait penser la même chose que moi parce qu'il a dit :

— On a juste à dire au père que c'est matante Fernande qui m'a soigné.

— Pour ça, faudrait que Fernande dise pareil.

Drette le lendemain, est venue à maison, Fernande.

— T'arais pas dû aller voir le ramancheur, Rose-Délima. Il pourrait te jeter un sort, tu sais. Cet homme-là a de la méchanceté dans tête pis dans le cœur.

— Sais-tu, Fernande, sans vouloir te contredire, là, le bonesetter a l'air d'avoir pas mal d'instruction. Il lisait quand on est arrivés.

— Ça devait être un livre à l'Index.

— J'ai pas vu le titre. En toué cas, il devine des affaires que c'est surprenant.

— C'est ça que je te dis, c'est un sorcier.

— Moi, j'ai rien à dire de contre. Ça fait deux fois que... Oh, mon Dieu !

— Tu voulais pas parler de la fois que Claude s'était foulé la cheville? Je le savais que t'étais allée cette fois-là itou.

— Mais t'as rien dit. Pourquoi?

— Parce que chacun mène sa barque comme il l'entend.

— Ça veut-tu dire que je peux compter sur toi encore c'te fois-citte?

— Oui, tu peux. Mais je pense pas que Pierre-Paul va te questionner. Il va supposer que t'as demandé à la garde-malade ou ben à moi de strapper ton gars.

Dans la nuitte qu'a suivi, y a eu un feu sur le chantier. Pas un gros, juste une pile de bois qui brulait. Le gardien a réussi à l'éteindre tu suite. Mais c'était certain que le feu avait été mis par quelqu'un.

— Si t'avais pas le poignet strappé, j'arais pensé que c'était toi, mon gars.

— Voyons, sa mère. Je suis peut-être tout le temps en train de me battre, mais jamais j'aurais été assez cave pour mettre le feu. Pourquoi vous questionnez pas mes frères?

— Parce que je suis certaine que c'est pas eux autres.

Quand c'est pas avec un, c'est avec l'autre que t'as du trouble. J'aurais dû écouter Claude. Le foreman a examiné les «lieux de l'incendie», comme il disait. Il a trouvé des botchs de cigarette. Des jeunes qui fumaient en cachette, ç'a l'air. Le gardien, lui, a dit que quand il s'était rendu là où c'est que c'est que le feu brulait, il avait eu l'impression de voir plusieurs jeunes se pousser. Parle avec un, parle avec l'autre, le foreman a fini par avoir une liste de noms de ceusses des jeunes qui se tenaient le plus souvent dans le coin.

Claude avait raison pour ses frères. Ils faisaient partie de la gang, eux autres itou. Il avait ben essayé de me le dire pis je l'avais pas cru! Émile pis Donat… Voir si ça avait de l'allure à leur âge! Eh oui, ça fumait en cachette, monsieur! Chanceux que leur père seye encore à l'Isle-aux-Brumes quand ça a sorti, cette histoire-là. Autrement, ils en auraient mangé toute une!

— Où c'est que vous avez pris ça, ces cigarettes-là ? Parsonne fume dans maison à part votre père, pis lui, il fume la pipe.

— Ben... on les a prises chez le marchand général. Il met les cigarettes proche du comptoir ; c'est facile d'en prendre quand il regarde pas.

— Tu veux dire que vous les avez volées ? Ah, c'est beau, c'est ben beau ! J'ai des enfants qui volent des cigarettes pis qui mettent le feu avec. On peut dire que vous faites honneur à la famille, vous deux ! Si je me retenais pas, je braillerais. Mes fils, des voleurs !

— Vous le direz pas à son père, hein m'man ?

— Je vas y jongler. Mais que j'y dise ou pas, ça veut pas dire que vous serez pas punis. Jusqu'à la fin de l'été, vous allez avoir toutes les deux une liste d'affaires à faire et pis je veux pas entendre une seule excuse. En plus, vous allez venir avec moi voir Alphée Arsenault, le marchand général, pour y dire que vous avez volé des cigarettes pis que vous le regrettez. S'il veut se faire payer, vous direz que vous êtes prêts à travailler pour lui.

— Voyons, sa mère. Des cigarettes, ça coute quasiment rien. Le père Alphée en vend à cenne.

— D'abord, on dit pas le « père Alphée », on dit « monsieur Arsenault ». Pis le prix des cigarettes a pas d'importance. Voler cinq cennes ou bedonc cinq piasses, c'est voler. Ça fait que vous avez le choix : vous allez voir monsieur Arsenault ou bedonc je conte toute l'affaire à votre père pis vous en subissez les conséquences.

Je savais que les deux moineaux aimeraient mieux n'importe quoi au lieu que leur père seye au courant. Je pouvais pas leur dire que la vraie raison pourquoi que je voulais pas en parler à Pierre-Paul, c'était parce que j'avais peur qu'il se contrôle pas pis qu'il en blesse un sérieusement. Il connaissait pas sa force, mon homme, quand il fessait. Mais fallait pas que je manque de respect à leur père devant eux autres. C'est pour ça que j'ai rien dit.

Quand que Pierre-Paul est revenu, j'y ai dit que le foreman avait pas trouvé c'était qui qu'avait mis le feu.

— Y a toujours une douzaine de flos qui trainent par là en plus du monde qui veut voir l'ouvrage avancer.

— Nos gars?

— Mange pas tes bas, c'est ben défendu pour eux autres d'aller au chantier.

C'était vrai que je leur avais défendu d'aller dans ce boutte-là pis je savais qu'ils m'écouteraient. Ils avaient ben trop peur de leur père pour faire autrement. N'empêche que c'est pas correct qu'y faille que tu te caches de ton mari pour élever tes enfants. Le mari, il devrait aider à l'éducation, pas nuire.

En tout cas, j'ai eu un été dépareillé. Émile pis Donat m'écoutaient au doigt pis à l'œil, ils faisaient toute ce que je leur demandais sans chialer.

Tard à l'automne, quand le couvent a été complètement fini avec les murs en brique dehors, les sœurs ont fait dire qu'on avait le droit de visiter. Elles appelaient ça une journée «portes ouvertes». J'ai demandé à Gemma si elle voulait venir avec moi pour la visite. Elle a refusé. Ça filait pas, qu'elle m'a dit.

— Les couvents, je connais ça. Oublie pas que j'ai passé proche de prendre le voile. J'ai assez vu de sœurs itou. Sont toutes pareilles.

Moi, ça m'intéressait à cause de Fleur-Ange, naturellement, même si elle était pour y aller juste quand qu'elle aurait fini la petite école.

J'ai toute visité. La chapelle, le dortoir, le réfectoire, les salles de classe, les toilettes, toute, toute. Ah, c'était ben beau! Ça sentait le neuf. On était sept parsonnes à visiter. La sœur qui nous guidait nous a dit qu'y aurait quatre sœurs enseignantes qui resteraient au couvent à l'année. En plus, il y avait la Supérieure, une cuisinière pis une sœur infirmière. En toute, il y aurait douze sœurs qui seraient tout le temps au couvent.

Chapitre 12

Le gardien du phare

Gemma avait de la grande visite chez eux. Ses filles mariées pis son plus vieux, Jean-Paul, étaient toutes venus pour les noces de leur sœur Blanche, sans compter les enfants qu'étaient pas encore établis. La maison était pleine.

Il y avait quasiment trente ans de différence entre Philippe pis Jean-Paul. Il s'était marié pis il était parti de la maison avant que le petit vienne au monde. C'était comique de voir Philippe regarder son frère comme s'il avait été le bon Dieu. C'est vrai qu'il était indépendant, peut-être à cause qu'il était parti de chez eux depuis un bon boutte. Sa femme, Suzanne, riait tout le temps. Elle était blonde pis quand elle dansait, on aurait dit que le soleil rentrait dans le salon. Toute le contraire de Gemma.

Parce que la femme à Zotique avait la fale basse pas à peu près. Sa Blanche qui se mariait, c'était de l'aide qui partait de la maison. Ce jour-là, à regarder Gemma, on aurait dit qu'elle était partie de la tête. Les plus jeunes pouvaient ben faire ce qu'ils voulaient, elle disait pas un mot pour les empêcher. Blanche essayait d'encourager sa mère.

— Inquiétez-vous pas, sa mère, on sera pas loin. On s'en va rester à Rimouski. Si vous avez besoin, vous aurez juste à téléphoner. Ça prend quèques minutes en char de Rimouski à icitte.

Moi, ben mon aide, c'était Fleur-Ange. Tant que Germain était au ber, je comptais sur elle pour le ménage pis, des fois, pour faire le manger. Pauvre petite, elle disait pas un mot plus haut que l'autre, même quand son frère Claude lui tirait les tresses pour la faire brailler.

Donat pis Émile trainaient sur la grève, ils s'amusaient à garrocher des roches dans le fleuve pour voir qui des deux pouvait tirer plus loin que l'autre. Je les laissais faire tant que je pouvais les voir de la maison.

Fleur-Ange s'est toujours rappelé de cet été-là. Je pense que même aujourd'hui, elle doit encore y penser. Les après-midi, Philippe venait souvent la chercher pour jouer. Eux autres itou, ils allaient sur la grève. Je pouvais les voir par le châssis du salon. Des fois, ils s'assisaient sur les marches de l'escalier qui menait au cimetière.

Rosaire Lévesque allait toutes les jours dire une prière sur la tombe de sa femme. Une fois, il s'est arrêté en voyant les enfants.

— Qu'est-ce que c'est vous faites là, les p'tits matelots ?

— Rien. On parlait.

Il s'est mis à rire.

— D'abord que vous faites rien, ça vous tente-tu de venir au phare avec moé ? Je vas vous faire visiter. Je suis pas sûr, mais je pense ben que j'ai un sac de nananes en quèque part dans maison.

Les jeunes, ça manque pas de souffle. Fleur-Ange m'a conté qu'ils sont montés jusqu'en haut du phare. Cent-vingt-huit marches ! Quand t'es rendu en haut, tu peux voir la lampe qu'y faut allumer toutes les soirs pis faire virer de bord deux ou trois fois par nuitte. Quand ils ont eu fini de visiter le phare, Rosaire a fait rentrer les enfants dans sa maison, juste à côté.

— Qu'est-ce qu'y a, Fleur-Ange ? T'as l'air surpris.

— Oui, je pensais que vous restiez dans le phare.

— Ben non, t'as ben vu qu'y avait pas de place. Juste la place pour l'escalier qui tourne. On appelle ça un « escalier en colimaçon ». Tu savais-tu ça toé, Philippe ?

— Je savais que vous restiez pas dans le phare, mais le nom de l'escalier, ça, je le savais pas.

— C'est pour sauver de la place que l'escalier tourne comme ça. La rampe est ben pratique pour se tenir. Surtout pour moé, avec mon pied.

— Pour quoi c'est faire que vous boitez, mononcle ?

— Comment, ta mère t'a pas conté mon histoire ? Ben assisez-vous, les p'tits mousses, m'en vas vous donner un verre de liqueur à fraise. C'est bon ? Astheure, écoutez ben ça : quand j'étais p'tit gars, pas plus haut que toé, mon Philippe, je me promenais sur la grève après l'école, même si on était pas supposés. Parce que l'hiver, quand la noirceur était venue, c'était ben défendu de rester dehors. On pouvait faire des mauvaises rencontres. Ben c'est justement ça qu'est arrivé : j'avais pas encore marché un mille que j'ai vu sortir une bête de la caverne de l'autre bord de chez Joseph Bastien. Un animal gros comme c'est pas disable. Au moins dix pieds de haut, avec des crocs plus longs que mes doigts. Y avait des grandes flammes qui y sortaient du nez pis qui allumaient les roches. J'ai eu peur, vous pouvez me craire ! Surtout que la bête venait vers moé. Y avait pas moyen de m'échapper. J'ai ben essayé de courir, mais c't'incarnation du diable-là courait ben plus vite que moé. J'avais juste l'idée de me sauver. Je regardais pas trop où c'est que c'est que je mettais les pieds, ça fait que je m'ai enfargé sur une roche pis j'ai tombé à terre, la tête la première. Je voyais plus rien, tout était noir. Parait que ton grand-père m'a trouvé là, sans connaissance. Quand j'ai repris mes idées, j'avais le pied toute croche pis je boitais. Ça fait que tu vois, c'est parce que j'avais pas écouté ma mère que j'ai été puni. J'ai pas arrêté de boiter. Ma mère m'a mené chez le ramancheur, mais c'était un de la terre, le père de celui d'astheure. Y a pas voulu nous aider parce qu'on était du fleuve. Y a fait assemblant de me soigner pis y m'a rendu plus pire encore. J'ai été au docteur itou, ben parsonne a rien pu faire pour moé. Je suis condamné à boiter pour le restant de mes jours.

Il y avait une bonne part de menteries dans cette histoire-là. Gemma m'avait dit que son frère était venu au monde avec un pied croche. Mais les enfants avaient beau pas y croire trop trop, ça leur faisait un peu peur pis ça les faisait rire en même temps.

Il commençait à vieillir, le Rosaire. Je pense que les enfants devaient le faire filer plus jeune. C'était pas pour rien qu'on disait qu'il était notre conteur. Des fois, il allait à l'auberge quand y avait des clients pis il chantait des chansons de marins.

J'ai pas compté, mais je dirais qu'en gros, Philippe pis Fleur-Ange ont dû aller voir Rosaire quasiment toute l'été. Des fois, il leur contait toutes sortes d'affaires; des fois, c'était Philippe qui rapportait des affaires qui se passaient chez eux. Fleur-Ange, je pense qu'elle devait surtout écouter. Elle était pas trop parlante, elle l'a jamais été.

Philippe avait une mère qui passait son temps à se barcer, Fleur-Ange avait un père qui venait en fusil juste à la regarder. Ah, les pauvres enfants! Par chance que le Rosaire était là, oui monsieur! Au moins, les flos ont eu un été pas pire à cause du gardien du phare.

C'est cet été là qu'ils ont décidé de se marier quand ils allaient être grands.

— On va aller rester à Percé, avec mon frère Jean-Claude.

Le gardien les faisait parler.

— Pis toé, Fleur-Ange, t'aimerais-tu ça partir de Roches-Noires?

— Je sais pas. Je pense pas que la mère voudrait. Faut que je l'aide, vous savez. Vu que je suis la seule fille.

— Quand on sera grands, ça sera pus pareil. Mononcle Rosaire, chantez-nous encore *Tout au fond de la mer*.

Tout au fond de la merrr
Les poissons sont assis
Attendant patiemment
Qu'les pêcheurs soient parrtis
Ah! Ah! Ah!

Les enfants battaient des mains.

— Encore, encore!

— Voulez-vous que je vous conte l'histoire du bateau qu'a coulé à Sainte-Luce-sur-Mer? L'*Empress of Ireland* qu'y s'appelait. C'était un soir où qu'y avait tellement de breume que t'avais de la misère à te voir les pieds. Ça fait que imaginez deux bateaux qui se rencontrent... Ben c'est ça que ça fait : une catastrophe! L'autre bateau, le *Storstad*, a rentré direct dedans l'*Empress of Ireland*, pareil comme un couteau qui rentre dans le beurre. C'est arrivé en... 1913! Non, je me trompe, c'était en 1914. Vous étiez pas encore au monde, vous deux.

— Moi, je suis née en 1942.

— Moi itou.

— On est nés la même date. Comme des jumeaux, qu'a dit, la mère chez nous. C'est pour ça qu'on va se marier. Pour être tout le temps ensemble.

— Une vraie bonne raison pour se marier, mes p'tits matelots.

— C'est vrai. Mononcle, que c'est qui est arrivé au monde qu'était sur votre bateau, là, l'*Imprécis*?

— L'*Empress*, Philippe. Que c'est qui est arrivé... Ben d'abord, y a pas mal de monde qui s'est neyé. Au moins mille parsonnes!

— Mille? Ça se peut pas, ça, mononcle. Vous devez vous tromper. On peut pas mettre mille parsonnes sur un bateau!

— Ben oui, mon Philippe, ça se peut. C'est gros, tu sais, ces bateaux-là. Tu connais ça, t'en vois passer, des fois. Y rentre plus que mille parsonnes là-dedans, mon gars.

— J'aurais jamais cru. Sur le bateau qu'a coulé, mononcle, y en a-tu qui sont réchappés?

— Réchappés? Sûr. Mais c'est pas ceusses-là qui sont intéressants, c'est les ceusses qui sont partis, les ceusses qui sont encore au fond de l'eau. Écoutez ben ce que je m'en vas vous dire parce que c'est important. Vous savez que les soirs de breume, le monde y sort pas des maisons.

— Parce que c'est dur de voir où tu vas pis que tu pourrais tomber pis te faire du mal.

— En plein ça! Mais c'est pas juste pour ça. C'est pour pas rencontrer les ceusses qui sont neyés pis qui flottent dans l'air. Parce qu'imaginez-vous qu'y a des fantômes qui se promènent. Moé, j'aime ça les voir. Surtout le fantôme d'une p'tite fille qu'était sur le bateau pis qui s'est neyée. A revient toutes les soirs de breume marcher sur la mer.

— Elle cale pas?

— Non. La p'tite fille touche pas à l'eau, a glisse au-dessus. C'est un fantôme, oubliez pas ça.

Il disait aussi qu'y avait des rescapés du naufrage qui s'étaient établis dans les terres, à Roches-Noires, le plus loin possible de la mer.

— C'est eux autres les ancêtres des ceusses de la terre. C'est des traitres, des renégats qui sont mauvais sans bon sens. Faut pas se fier à ces vendus-là. Oubliez jamais ça, mes p'tits matelots.

C'est comme ça que les flos apprenaient les légendes pis les contes du pays, qu'ils écoutaient les sons du fleuve. Rosaire leur jouait du violon ou bedonc il leur chantait des chansons. Une attendait pas l'autre: *Les sous-mariniers, Les Terre-Neuvas, L'harmonica, Marin, Matelot, Mon p'tit garçon.*

C'était comme un autre monde pour les enfants. Des fois, ils chantaient toutes les trois. Le gardien du phare connaissait des chansons en veux-tu, en v'là. Pis quand venait la fatigue, il entonnait:

Petit marin
Dans ton caban bleu et blanc
Tu es rentré sans savoir comment
As réussi à passer la coupée
Petit marin, il est l'heure d'aller te coucher

C'était le signal que les enfants devaient s'en aller. Ils discutaient pas.

— Dis à ta mère que je vas aller faire un tour, mon gars.

— Oui, mononcle!

Ils revenaient en se tenant par la main. Sitôt arrivé, les yeux brillants d'excitation, Philippe demandait:

— J'ai faim! Qu'est-ce qu'on mange?

Gemma sursautait dans sa berçante et regardait son dernier rejeton.

— Tes sœurs doivent être à veille d'arriver. On mangera betôt, quand tout le monde sera là.

Chez nous, les yeux dans le rêve, Fleur-Ange ouvrait doucement la porte. Du seuil, son père l'apostrophait:

— Y commence à être temps! Où t'étais passée? Arrive. Viens mettre la table, ça presse, si tu veux pas manger une claque par la tête.

Elle se dépêchait, espérant que son père la laisserait tranquille. Mais il trouvait à redire sur toute.

— T'as encore oublié le sel! Quand c'est que tu vas avoir du plomb dans tête? Mon thé! Non, Rose-Délima, assis-toi. C'est à Fleur-Ange à se lever. Envoye, qu'est-ce que t'attend? Grouille-toi!

Juste à y voir les yeux, je savais que ma fille pensait au lendemain, quand son père serait au chantier. Elle retrouverait ses deux amis: le gardien du phare pis celui qu'elle appelait son «fiancé», Philippe.

Chapitre 13

Le peddler

Après les Pineau et pis le chantier, c'est le ramancheur qui y a passé. Dans la nuitte du samedi au dimanche, un soir où c'est qu'il faisait doux, tellement que quasiment toute le village était assis sur leur galerie pour prendre une bonne bolée d'air avant d'aller se coucher.

Tout d'un coup, on a vu le ciel s'éclairer. C'était du vieux bois sec; le feu s'est répandu vite, la maison a brulé jusqu'au sol. Rasée complètement.

Le lendemain, en chaire, le curé a commencé par dire:

— Nous recommandons à vos prières l'âme de Joseph-Étienne Leblanc, décédé cette nuit dans l'incendie qui a ravagé sa maison. Il avait soixante-trois ans. Que notre Seigneur, dans sa grande bonté, l'accueille en son paradis.

J'avais entendu dire son nom rien qu'une fois, ça fait que je l'avais oublié. Les rares fois qu'on en parlait, on disait le «vieux», le «ramancheur» ou bedonc le «bonesetter».

Il se parlait souvent tu seul. Des affaires pas comprenables comme: «J'ai toujours gardé ton secret, mais tu m'as trahi!»

Apparence qu'il avait dû s'endormir soul, avec une cigarette allumée. Ils l'ont retrouvé, couché en rond, le corps toute noirci. Le feu l'avait même pas réveillé.

Les enfants ont couru voir. Pas moyen de les retenir, Philippe le premier. Il disait qu'il le savait qu'on allait avoir un feu. Je pensais que c'était des vantardises, mais apparence qu'il en avait parlé chez eux au souper.

— Pourtant, parsonne a entendu un chien hurler. Comment t'as su ça, le jeune?

— Pour le chien, ça, je pourrais pas dire. Mais pour le vieux fou, je le savais en dedans de moi, c'est toute.

— Le vieux fou! Parle pas de même, Philippe. Le ramancheur, c'était une parsonne humaine comme tout le monde.

— Mononcle Rosaire l'appelle de même itou.

— C'est pas une raison pour le répéter.

Une maison brulée, c'est attirant sans bon sens pour des enfants. On avait beau leur dire que c'était dangereux, qu'ils pouvaient se blesser, ils revenaient les joues sales, les souliers pleins de suie pis les mains noires d'avoir fouillé partout.

« On cherche un trésor », qu'ils disaient.

Pauvres enfants, va! Ça paraissait que c'était l'été. Au moins, on savait où les trouver quand on les cherchait. En tout cas, après un temps, ils ont dû avoir toute fouillé, assez pour comprendre qu'y avait pas de trésor.

Quand l'école a recommencé, les petits avaient repris du piquant. Après l'affaire des cigarettes, les deux garçons s'étaient amusés pas loin de la maison. Émile avait demandé si il pouvait prendre son bicycle. J'avais dit oui. À la fin de l'été, il avait les joues rouges, les yeux qui brillaient. Pour Donat, j'avais pas d'inquiétude, je savais qu'il ferait pu rien de croche.

Fleur-Ange avait profité des vacances, elle itou. Elle était allée quasiment tous les jours au phare avec Philippe. Je me doutais, aussi, que le Rosaire avait régalé les enfants d'histoires pas toujours vraies. Un bon conteur, c'est un peu menteur. Moi, je voyais pas le mal qu'il pouvait y avoir là-dedans, si ça pouvait distraire un peu la petite.

Quand son père était dans le boutte, elle faisait attention, mais le reste du temps, elle avait les yeux pardus. Je suis ben certaine qu'elle avait la tête ailleurs. Pour une fois, j'avais rien à dire de contre ça.

Au village, comme chaque automne, on attendait de la visite. Je dirais même de la grande visite. Le peddler avait fait dire qu'il serait là betôt. Lui, c'était pas comme le ramancheur, ça faisait longtemps qu'on savait son nom. Ben c'était pas un nom de par icitte, par exemple. Il s'appelait... Quelque chose qui ressemblait à Einstein. Hum... Non, ça me revient, là : Bernstein ! Oui, c'est en plein ça ! Zachary Bernstein. Il voulait pas qu'on lui donne du monsieur, fallait l'appeler Zack.

C'était un petit brun coque l'œil qu'arrêtait pas de jacasser pis de grouiller. Apparence que c'était un Juif. En campagne, il arrêtait maison par maison, même où qu'y avait des veuves ou bedonc des femmes qui restaient tu seules. Parsonne trouvait à redire à ça.

Mon idée, c'est qu'en allant voir ces femmes-là, il leur faisait dire ben des affaires. Les vieilles filles, ça s'ennuie, ça fait que le colporteur en profitait, ben quiens ! Il se tenait au courant des affaires de tout le monde.

Ah, il avait le tour, ça oui ! Il te posait une question qu'avait l'air ben innocente pis la première chose que tu savais, il t'avait fait conter des affaires que tu voulais garder pour toi. Par après, il colportait les histoires en même temps que son butin. Sa valise était pleine de commérages.

C'est comme ça qu'on a su que l'histoire de la Lise Desnoyers qu'était soi-disant partie travailler dans un presbytère d'un autre village était pas vraie : ses parents l'avait envoyée à Montréal pour avoir le bébé pis le donner en adoption. C'est Renée Desbiens qu'avait conté ça au peddler. Moi, j'aurais mieux aimé qu'il se garde cette histoire de fille en famille là pour lui parce que la petite Desnoyers a jamais pu se remontrer la face au village. À qui ce que ça a ben pu profiter de répandre une histoire de même ? Pis ben entendu, pas moyen d'avoir le nom du père, même si toutes les femmes se doutaient ben que c'était le jeune Proteau, le fils à Léocadie. Toujours la même affaire : rentrez vos poules, je lâche mon coq ! Mais l'histoire de la Reine Desbiens, la petite mautadine sainte-nitouche qui mangeait ses crottes de nez quand elle était petite, nous a fait ben rire ! Mettons qu'on aimait ben le contraste…

Aussitôt qu'il était parti, les femmes renotaient les paroles de Zack sur ce qui se passait chez tout un chacun.

Il venait deux fois par année, au printemps pis à l'automne. On attendait toujours sa visite avec impatience parce que comme il s'arrêtait dans toutes les villages, il ramassait les nouvelles d'une famille pour les donner à ceusses qui restaient ailleurs.

Il connaissait tout le monde, il appelait les enfants par leur petit nom et baisait la main aux dames. C'était plaisant, ça faisait du nouveau dans notre ordinaire. Longtemps après son départ, on parlait de sa dernière visite pendant les veillées.

Il vendait du tissu à la verge, pas mal plus beau que celui qu'on trouvait au magasin de coupons, des patrons *Simplicity*, du fil, des zips, ah, et pis aussi de la laine, des aiguilles à tricoter, des crochets et tout et tout. Des affaires qu'on pouvait pas toujours avoir au magasin général. En plus, c'était commode parce qu'on avait pas besoin de se déplacer. On pouvait regarder le catalogue tant qu'on voulait, prendre notre temps pour faire notre idée. Même si t'achetais rien, ça le dérangeait pas pantoute. Faut craire que de repartir avec sa cargaison de mémérages, c'était assez pour le contenter.

Pis pour nous autres, ben c'était ben commode si t'avais de la parenté dans les places où c'est qu'il était arrêté avant d'arriver chez vous. Il te donnait des nouvelles de toute ton monde. Et pis il donnait aussi de tes nouvelles en continuant son chemin.

L'année de la communion à Fleur-Ange, Zack est arrivé en octobre. Je me rappelle qu'y avait tellement de breume qu'on voyait même pas le fleuve de l'autre bord du chemin. Un peu plus, on se serait crus à l'Île.

L'aubergiste était pas fort sur le téléphone. Il avait envoyé son jeune en bicycle pour dire à tout le monde que le peddler était arrivé tard au soir, la veille. Pourtant, y avait tellement d'écornifleux sur les lignes que le village aurait été informé tu suite. Vu que les maisons du village étaient pas trop éloignées les unes des autres, c'était toujours chez nous que les voisines venaient l'attendre. Ça faisait son affaire ; il avait pas besoin de déballer son stock plusieurs fois et pis nous autres, ça nous donnait l'occasion de jaser.

Y en avait qui se demandaient si le peddler était marié. Moi pis Gemma, on pensait qu'il devait être garçon, sans ça, y avait pas une femme qu'accepterait de marier un homme coque l'œil pis qui découche tout le temps. Ben s'il était garçon, il pouvait-tu se marier avec une catholique ?

— Pourquoi tu demandes ça, Lucille ? Tu veux-tu le matcher, par hasard ?

— Laissez donc faire, vous autres ! Si le peddler attend après moi pour se marier, il a pas fini ses crêpes. Non, je me demandais ça parce que me semble que pour un homme, il est ben au courant des affaires qui intéressent les femmes, vous pensez pas ? C'est rare, les hommes qui connaissent ça, le tissu à la verge, les zips de couleur pis toute. Ma cousine qui reste à Rivière-Ouelle me disait ça quand est venue faire un tour. Comment ça se fait que Zack est capable d'avoir du meilleur stock que le magasin général ? Vous trouvez pas ça étrange, vous autres ? Après toute, c'est un Juif, pis les Juifs, ils sont pas de notre religion. Le curé l'a ben dit en chaire.

— Ta cousine ! Ça serait pas d'Alice Arsenault que tu parles ? La sœur d'Alphée, notre marchand général ?

Tout le monde a parti à rire. Sur les entrefaites, on a entendu une porte de char farmer. Zack était arrivé.

Je le vois encore, sur le pas de la porte, enlever sa calotte pis s'essuyer les pieds sur le paillasson avant de rentrer dans la cuisine. Je me retenais toujours de rire quand il me baisait la main parce qu'il avait une moustache et que ça chatouillait.

Quand il passait, j'ôtais la nappe de la grande table pour qu'il étale toute son butin.

— Bonjour, bonjour toutes les belles *ladies* ! Ah, que je suis content d'être à Roches-Noires ! C'est mon place favorite. Ici, les *ladies* sont belles pis fines. *Missize* Desrosiers? *Well*, je m'attendais pas à vous voir aujourd'hui. Je pensais bien que vous auriez eu votre nouvel bébé *although I can see it won't be long*. Ça va être votre troisième, *isn't it?* Comment va le petite famille? Ah, *Missize* Bonenfant! Toujours aussi *swell*. Attendez de voir les beaux patrons que j'ai pour vous autres. *Oh, and I almost forgot*, j'ai des beaux sets de vaisselle, cette année. Vous en trouverez pas de la plusse chic nulle part, même pas dans les grands magasins. C'est de l'exclusivité! À propos, *I heard, how do you say again...* à travers les branches, *I think*, qu'il y avait eu un noce cet été? Zotique devait être fier de marier son fille à un Tardif, *right?*

Il savait toute, il avait toute vu, toute entendu. Quand même, il nous a prises complètement par surprise quand il s'a viré du côté de Gemma pour ajouter:

— Je pense que les Bernier ont un autre raison d'être fiers... Philippe, votre *youngest*, votre petit dernier, comme vous disez, il fait parler de lui tout le long du *St. Lawrence River, right? They said* qu'il savait que la feu prendrait chez les Pineau avant que ça arrive. Vous, *Missize* Lepage, vous devez en savoir encore plusse longue. Vous étiez là, *weren't you*, quand le petit gars a parlé de cette feu-là? *Tell us, please*, pendant qu'on regarde les beaux tissus que je vous ai apportés.

Nous deux, Gemma pis moi, on aurait dû savoir que ça serait pas possible de garder le secret. On en a dit le moins possible. Et pas un mot sur ma brulure ni sur le ramancheur qu'était mort. J'avais pas envie que ça fasse des remous jusqu'à Québec. Il était ben fin, le peddler, mais je le trustais quand même pas.

Remarquez, c'était pas dur de savoir que Blanche s'était mariée vu que Gemma avait acheté le tissu pour la robe de mariée quand Zack était passé, au printemps. Mais pour la prédiction du feu aux Pineau, par exemple, allez donc comprendre comment qu'il était venu à boutte de savoir ça, lui. Apparence qu'y avait pas juste le ramancheur de sorcier; Zack donnait pas sa place non plus.

Madame Desrosiers a acheté de l'étoffe pour une robe. Lucille Bonenfant voulait juste regarder le catalogue. La mère Proteau a pris assez de tissu pour habiller sa corporence. Moi, j'ai pas pu résister à du beau fil en trois couleurs pis un peu de laine d'habitant itou. Pour tricoter des bas à mes hommes. Ça serait leurs étrennes.

Quand le peddler a voulu repartir, la breume s'était levée, on voyait pas ni ciel ni terre. Ça fait que je l'ai gardé à souper. Une chance, j'avais un rôti de bœuf avec des patates pilées. Il s'est pas fait prier pour rester. Si j'aurais eu du lard, il aurait pas mangé. Les Juifs, ils mangent pas ça, du cochon. C'est défendu dans leur religion.

Des fois, le curé se mettait à parler des Juifs en chaire. De coutume, c'était quand le peddler était pas loin d'arriver dans le coin. Notre curé disait qu'il fallait pas oublier que c'était pas chrétien de pas manger du cochon. Moi, je pouvais pas m'empêcher de penser que nous autres, on avait pas le droit de manger de viande le vendredi. Pis que c'était pas chrétien non plus de se moquer du monde. En tout cas, au moins, c'est comme ça que je savais qu'il fallait pas lui servir de ragout de pattes, au peddler.

Après souper, la breume a tombée, il a commencé à neiger de la petite neige folle. Zack est monté dans sa machine, en route pour l'auberge ou peut-être pour le village voisin. Ce que je savais pas, c'est que dans ses affaires, à même les zips pis les crochets, il avait mis du bavassage en masse contre Gemma, Philippe et pis moi avec, vu que j'avais pas voulu le renseigner.

Chapitre 14

Il est né le divin enfant

Le couvent des sœurs a ouvert officiellement à la fin d'octobre. C'était pour être un institut familial. Ça voulait dire que les filles allaient à l'école juste le matin. L'après-midi, c'était les cours de cuisine, de couture ou bedonc de tricot.

Pendant la journée portes ouvertes, on avait vu les classes, les salles avec les moulins à coudre. Y avait même deux métiers à tisser pour celles qui voulaient apprendre, malgré que c'était moins à la mode astheure. Mode ou pas, c'est quand même ben beau, une couvarte tissée au métier. En tout cas, moi, j'espérais ben que Fleur-Ange serait intéressée à apprendre. Mais elle avait le temps d'y jongler.

Un soir, tu te couches, c'est l'automne. Le lendemain, t'es rendue en hiver. Raide comme ça. Il avait mouillé la veille et pis là, au matin, les flaques d'eau étaient gelées. T'avais beau défendre aux enfants de glisser, ils t'écoutaient pas une miette. Faut dire que glisser, ça donne ben de l'agrément. Quand c'est que le jeune a pas d'accident, comme de ben entendu. Moi, j'avais été chanceuse jusqu'à date.

L'hiver, le chantier maritime farmait jusqu'au mois d'avril. Quand t'as un homme à maison, pis qu'il sait pas quoi faire de son corps, le temps est long sans bon sens. Quand il avait rien à faire, Pierre-Paul faisait encore plus la baboune. Mais pour s'encarêmer, ça, il y pensait même pas.

Les samedis soirs, il allait à l'Auberge du pendu retrouver les autres chômeurs. Des fois, y avait quelqu'un qui jouait du piano ; des fois, c'était Rosaire qui chantait une complainte.

Les ceusses du fleuve prenaient un coup, pis comme ils avaient pas d'argent, ben ils faisaient marquer. Après, quand ils recommençaient à travailler, y en avait qui devaient pas mal d'argent à l'aubergiste, mais ça, ils y pensaient pas.

Les ceusses de la terre y allaient, des fois, mais apparence qu'ils buvaient pas souvent. Les autres les étrivaient.

— Pas de danger que tu payes une traite, hein, Dumais ? T'es ben trop cheap pour ça.

— Cheap ou pas, j'ai pas d'argent à dépenser pour régaler des ivrognes, tu sauras.

Vu qu'il voulait se présenter comme maire au printemps, Pierre-Paul essayait de se retenir de boire. Il était pas toujours capable, mais il avait pour son dire qu'un ou deux verres, c'était quand même pas si pire.

Ce printemps-là, y avait quelque chose qui le travaillait, mon homme. On aurait dit qu'il trainait un sac de cent livres sur ses épaules. Il était tellement pas de service que le monde ont commencé à parler de contre lui.

Quand il criait des noms à Zotique, ça tirait pas à conséquences, vu que tout le monde était habitué. Mais quand il chantait des bêtises aux autres, même à Gérard Ruest, l'aubergiste, qui se présentait à la mairie lui avec, c'était pas pantoute la même affaire.

Après une grosse chicane, comme maire sortant, Ludo a décidé de parler à son frère.

— Si tu continues à insulter tout le monde, t'auras pas un seul vote le 16 avril.

— Je sais ce que j'ai à faire, Ludo. T'as entendu comme moi le fendant à Rosaire Lévesque dire que dormir la tête vers le fleuve, c'était pas bon pour la santé ? Voir si y connait ça. Non, mais pour qui il se prend ? C'est pas parce qu'il est échevin qu'il sait toute. Pis le docteur Lemieux qu'était là pis qu'a rien dit. Ces deux-là, ils manigranceraient quelque chose que j'en serais pas surpris.

— C'est juste des paroles en l'air, voyons. Quelle différence ça fait?

— Rosaire a toujours été menteur pis moi, je tolérerai pas qu'on conte des menteries au monde. Quand je serai maire...

— T'es pas encore maire. Moi, à ta place, je baisserais le ton.

— Ben tu y es pas, à ma place.

— Bon, bon, je dis pus rien.

— C'est ce que t'as de mieux à faire.

Pierre-Paul a continué à crier des noms à tout un chacun, chaque fois qu'il allait à l'auberge. C'était rendu que ça faisait même pas de différence qu'il seye en fête ou ben à jeun. Jusqu'à temps que Gérard Ruest se tanne.

— Là, je suis après perdre toute ma clientèle à cause de toi. C'est rendu qu'il y en a qui attendent que tu sois sorti d'icitte pour venir faire leur tour. Ça fait que si t'es pas capable de parler comme du monde, reste donc chez vous.

— L'auberge, c'est un lieu public. Je vas venir quand je voudrai, pis c'est pas toi qui va m'en empêcher.

— Ah, non?

À Roches-Noires, on avait jamais vu un homme se faire jeter dehors de l'auberge. Fallait que Gérard Ruest en aille plein son casse pour sortir Pierre-Paul à coups de pied dans le derrière.

— Bon voyage, monsieur le futur maire!

Pierre-Paul avait oublié toutes ses résolutions de pas prendre un coup. Il était tellement soul qu'il a même pas senti comment qu'il faisait frette. Il a fini par faire partir le char pis revenir à maison en zigzags.

Apparence que dans le village, ça parlait rien que du fait que Pierre-Paul s'était fait mettre dehors. On devient pas maire en criant des noms à tout le monde. Pierre-Paul a pardu toutes ses chances d'être élu, c'te journée-là. En plus, il avait eu frette quand il s'était fait sacrer dehors de l'auberge. Il avait pogné une extinction de voix.

Je sais que je devrais pas dire ça, mais c'était un vrai soulagement de plus l'entendre crier n'importe quoi. Il avait juste un filet de voix que, là, si quelqu'un de l'auberge l'avait entendu, c'est ben pour le coup qu'il aurait ri de lui. Vu qu'il sortait pas, c'est moi qui a payé pour lui. Quand je suis passée devant le notaire Desbiens pour aller au magasin général, ses trois filles regardaient dehors par le grand châssis du salon. Elles m'ont regardée en riant. J'avais tellement honte que j'ai baissé la tête.

❧

Noël approchait, les enfants avaient congé d'école. La boucane sortait toute blanche des cheminées, on gelait sans bon sens, mais les petits gars voulaient quand même aller glisser à la côte de cent pieds, de l'autre bord de chez Elzéar. À cet âge-là, ça a peur de rien, surtout pas du frette. Fallait les habiller comme des ours. Ça restait dehors jusqu'au souper pour vous revenir enneigé, affamé, les joues rouges, les doigts quasiment gelés.

— Ôtez vos bottes dans le portique et allez mettre vos mitaines et vos crémones à sécher sur le réchaud.

Ça riait, ça courait partout. Ça sentait l'hiver, la laine chauffée pis la soupe aux pois. Antoine, mon plus vieux, est revenu au village juste à temps pour les fêtes. Si j'étais contente de le voir, celui-là ? Ça se dit pas ! Quand tes enfants laissent la maison paternelle, c'est toujours comme s'ils partaient avec un morceau de tes entrailles.

Le jour que mon grand gars est revenu, ça me semblait qu'il était mon préféré. En même temps, j'avais souleur tout au fond de moi. Parce que je savais ben que dans pas longtemps, Claude penserait à partir à son tour.

Chez ceusses du fleuve, c'était la coutume de s'engager sur les bateaux. Mes garçons, y avait pas autre chose que la vie de

166

matelot qui les intéressait. Quand l'envie les prenait de naviguer, ça lâchait pas. J'étais pas tu seule à me tourmenter : c'était pareil pour toutes les femmes à Roches-Noires.

Ah, j'en ai pleuré des nuittes d'orage en pensant à mon Antoine ! Quand le vent vient chanter un requiem aux fenêtres, nous autres, les mères, on peut pas s'empêcher de craindre pour nos hommes. Une chance, mon mari allait pas sur l'eau. Lui, il s'occupait des bateaux de pêche, les goélettes. Ça, on pouvait pas se tromper : un bateau qu'était passé entre les mains de Pierre-Paul Lepage, on était sûr que tout était ben d'adon.

Mon homme avait beau pas être toujours fin fin, de le savoir sur la terre ferme, ça m'en faisait un de moins pour qui me ronger les sangs. Encore que c'était vite dit. Betôt, au printemps, ça serait les élections municipales. Je savais que si mon mari était pas élu, il recommencerait à boire. Déjà que là, avec les fêtes qui approchaient, il crachait pas dessus !

— Si tu veux pas faire pénitence pendant l'avent, pense au moins à ton cœur, Pierre-Paul. Le docteur t'a ben averti, pourtant !

— Un petit coup de fort avec les grands frettes, ma femme, ç'a jamais fait mourir parsonne.

~

Antoine est arrivé avec une drôle de nouvelle dans son barda de matelot.

— Saviez-vous, sa mère, qu'on parle pus rien que du Philippe à Zotique à Rimouski ?

— Comment ça, donc, mon gars ?

— Ben, paraitrait qu'il a un don pour guérir.

J'avais la tête pleine de points d'interrogation. Oh, sûr que le peddler avait dû colporter des histoires en même temps que son butin, à l'automne, mais le feu chez les Pineau, c'était du passé. Ça se pouvait quasiment pas que ça fasse encore jaser jusqu'à Rimouski. Surtout qu'à ma connaissance, y avait pas eu d'autres affaires depuis l'été.

— Ah, oui? Où c'est que t'as pris ça, au juste, cette histoire-là?

Comme Antoine allait continuer sur sa lancée, Pierre-Paul est revenu du village avec des bouteilles dans un sac en papier brun. Mon homme était passé à la Commission des liqueurs faire ses provisions pour Noël. Rien qu'à voir son plus vieux, l'extinction de voix a quasiment guéri d'un coup.

— Brrr, y fait pas chaud. Ma femme, verse-moi donc du thé. Avec un peu de gros gin, ça va faire du bien. Antoine, mon gars, ôte ta bougrine pis viens t'assire avec ton vieux père.

J'ai tendu la tasse de thé. Pierre-Paul a ouvert le sac, sorti une bouteille de gin et s'en est versé une bonne lampée.

— Pas trop, le père. Votre cœur!

— Commence pas, Antoine! Y a ben assez de ta mère qu'est tout le temps sur mon dos.

Ça s'est mis à jaser tandis que je brassais mon fricot.

J'étais prête. Mes gars avaient été me couper un beau sapin, on l'avait décoré avec des boules, des glaçons pis des cheveux d'anges. J'avais mis les étrennes en dessous de l'arbre. Tout mon petit monde était là, mon homme avec. Ah, j'aurais voulu les garder toujours avec moi, les coller tout contre, leur donner encore et toujours la vie, la bonne chaleur.

Ça commençait à sentir les fêtes. Ma dinde dégelait dans le four, j'avais sorti mes pâtés à la viande, mon ragout de pattes de cochon, mes beignes. Ma buche de Noël était dépareillée. Ça serait une belle semaine.

On a eu une vraie nuitte de Noël, comme dans les livres. Avec les gros flocons de neige, le velours noir dans le ciel, le fleuve qui faisait entendre sa chanson d'hiver. *Il est né le divin enfant.*

Donat, Émile pis Fleur-Ange étaient toutes les trois dans chorale paroissiale avec le Philippe à Gemma. Celui-là, il avait une belle voix, un «soprano d'enfant», qu'ils appelaient ça. Faut dire que ma fille se débrouillait pas mal non plus.

Les enfants avaient eu des pratiques quasiment depuis septembre. Ça valait la peine! C'était beau d'entendre les voix monter vers le ciel. En écoutant Philippe chanter tu seul, je me disais que ce serait ben correct si son don c'était juste de chanter, à cet enfant-là.

La famille est restée pour les trois messes, mais moi, je suis partie tu suite après le *Minuit, chrétiens* pour préparer la table du réveillon.

Il devait ben être vers les trois heures quand on s'est mis à table. Des patates pilées, un beau gros morceau de dinde, une tranche de pâté à la viande, du grévé, des atocas. Mon homme avait faim, mes grands itou. Émile et Fleur-Ange avaient de la misère à garder les yeux ouverts. Le gros de la faim parti, Antoine a demandé :

— Qu'est-ce que vous pensez de ça, vous, son père, que Philippe Bernier arait un don?

— On sait jamais. Peut-être ben que ça va faire un autre ramancheur astheure que le vieux torvisse a brulé.

— Pierre-Paul! Pas devant les enfants!

La petite a tendu la main vers un beigne en disant :

— Philippe, c'est comme si ce serait mon frère.

Le tonnerre aurait tombé dans la cuisine que ça aurait pas été pire. Pierre-Paul avait la face en feu, enragé pas possible.

— Que je t'entende pus dire ça, Fleur-Ange! Des plans pour que le monde pense toute de travers.

— Voyons, son père, c'est juste une manière de parler. Prenez-le pas de même. Vous êtes toute rouge, là.

C'était vrai que mon mari avait l'air d'une écrevisse. Au point que ça m'inquiétait. J'ai fait signe à Antoine de changer de sujet. Il a compris. Mon gars, il était vite sur ses patins, parsonne pouvait dire le contraire.

Les hommes se sont mis à parler de navigation. À écouter mon grand, c'était clair qu'il aimait son métier, qu'il aurait pas voulu faire autre chose pour toute l'or du monde. Les plus jeunes arrêtaient pas de poser des questions.

— Quand tu travailles pas, qu'est-ce que tu fais?

— Ça dépend. Tu retournes dans ta cabine ou, s'y fait beau, tu respires l'air du large. Y en a qui jouent aux cartes ou ben du ruine-babine, d'autres qui dorment, d'autres qui écrivent à leur blonde.

— T'en as une blonde, toi?

— Peut-être.

Tiens? Première nouvelle! Qui donc que ça pouvait être? Une d'ailleurs, probablement. Parce que j'avais beau faire le tour des filles à Roches-Noires, je voyais parsonne qui pouvait plaire à mon Antoine.

— C'est qui? On la connait-tu? Tu y écris?

— Ça, mon frère, y a juste moi qui le sais. On parlait du métier, là. Moi, ce que j'aime le mieux quand je suis en mer, c'est jouer de la musique à bouche avec le fleuve qui m'accompagne. Eh oui, notre Saint-Laurent, c'est un violoneux, pis un sapré bon à part de ça. Des soirs, on croirait que toute la mer donne un concert. Je connais pas de plus belle musique au monde.

Eh, qu'y m'a fait plaisir, mon gars! Il pouvait pas me faire un plus beau cadeau que d'aimer le fleuve autant que sa mère.

Les yeux brillants, Donat pis Claude, mes deux gaillards, en manquaient pas une parole.

— Moi, je veux être pilote branché. Y a juste ça qui m'intéresse.

— Pour avoir un diplôme de pilote, mon frère, va falloir aller à l'École de marine, à Rimouski. C'est long, tu sais, les études. Et la mère dit que t'es pas trop fort à l'école.

— Pour être pilote, je suis prêt à faire toute ce qu'il faut!

Ah, Seigneur! Qu'est-ce qu'y fallait pas entendre! Ça avait pas encore le nombril sec, pis déjà, des ambitions.

Ça dormait comme des bons, le lendemain. Je suis descendue pour mettre de l'ordre vu qu'on attendait pas mal de monde pour la veillée, ce soir-là. La parenté des deux bords était invitée. Attendu que Pierre-Paul était le plus vieux des Lepage, la veillée de Noël se faisait toujours chez nous.

Le pont de glace était pris, la visite de l'Ile serait là vers les quatre heures. Après souper, Ludovic arriverait avec sa femme et ses mousses. J'avais compté qu'on serait une quarantaine en tout. Et ça sauterait, ça danserait jusqu'aux petites heures !

J'avais oublié l'affaire de Philippe. Ou peut-être que j'avais poussé l'histoire au fin fond de ma tête, parce que je voulais pas en entendre parler. En seulement, je devais être la seule, parce que la visite était pas sitôt arrivée que les hommes ont commencé à jaser là-dessus, Antoine le premier.

— Quand j'ai débarqué, ça parlait juste de ça. Ça a l'air qu'hier matin, Zotique s'est rendu au magasin de fer, à Rimouski, avec son jeune. Vu qu'on est à la veille des fêtes, y avait pas mal de monde. Le petit Ruest, vous savez, celui qu'a pas toute sa tête à lui, a voulu jouer avec les outils pendant que son père parlait avec monsieur Meyrand. On sait pas trop comment il a fait son compte, mais ça a pas pris deux minutes que le petit gars s'est enfargé. Il a tombé par en avant pis y s'est taillé le bras sur une égoïne. Le sang pissait partout.

— Eh, qu'est-ce que vous voulez, Gérard Ruest est ben mal pris avec cet enfant-là qui comprend rien à rien.

— Cette idée, aussi, de l'emmener au magasin de fer !

— Gérard peut quand même pas le laisser enfermé tout le temps. Il a dû penser que ça donnerait du lousse à sa femme s'il s'en occupait pour un boutte.

— C'est ben beau, tout ça, mais qu'est-ce que le gars à Zotique vient faire là-dedans ?

— Ah, là, écoutez ben ça, son père ! À voir toute ce sang-là, tout le monde parlait en même temps, mais parsonne

faisait rien. Ça disait: «Faut y faire un tourniquet» ou bedonc
«Ça serait mieux de l'emmener à l'hôpital en vitesse.» Ben
v'là-tu pas le Philippe qui s'est avancé tranquillement, comme
quèqu'un qui connait son affaire. Il s'est penché vers le petit
Ruest, il a tendu la main au-dessus du bras blessé et il parait
qu'il a dit quèque chose qu'on comprenait pas. Ben vous
me crairez si vous voulez, mais le sang s'est arrêté tu suite.
Comme ça, sans rien, sans tourniquet. Quand le docteur est
arrivé, Jean Ruest avait plus rien qu'une longue cicatrice rose,
comme une blessure qu'a déjà commencé à guérir.

Antoine s'est arrêté pour prendre son souffle. J'y ai fait un
petit signe, en voulant dire de pas donner de détails. Les
petits écoutaient de toutes leurs oreilles et c'était mieux qu'ils
en entendent pas trop. Surtout que Fleur-Ange était presque
blême. Celle-là, quand quelque chose avait rapport à Philippe,
elle se possédait plus.

— Bon, ben c'est pas tout, ça. Je suis pas venu ici juste
pour jaser, moi. J'ai ben envie de stepper. Ma chère cousine,
voulez-vous me faire l'honneur?

Ils ont dansé longtemps. Bernard était fort pour jouer de
la cuiller, Ludo se débrouillait avec un violon, mon beau-frère
Hormidas était extra pour câler.

Pierre-Paul a commencé une chanson à répondre. Ça se
tordait de rire en répondant. On a dansé des sets carrés, j'ai
passé la traite, y avait de la liqueur en masse pour les enfants.
Y devait ben être vers les trois quatre heures quand j'ai été
coucher les plus jeunes en étant certaine que j'aurais pas sitôt
le dos tourné qu'ils s'installeraient sur les plus hautes marches
de l'escalier pour voir les grands se trémousser.

Je suis redescendue, j'ai préparé des tables pour les joueurs
de cartes. Les hommes installés, on a passé une autre traite.
Les femmes ont pris les berçantes, ben contentes de pouvoir
souffler un peu avant le lunch.

Ludovic avait pas fini de brasser les cartes que Pierre-Paul
a remis le sujet sur le tapis en disant une affaire tellement
surprenante que j'ai passé proche d'échapper mes lunettes:

— C'est pas étonnant que Philippe arrête le sang. C'est un septième garçon.

Il avait un drôle d'air en lançant ça. On aurait pu croire qu'il était fier, pareil comme si Philippe aurait été son fils. Hormidas a voulu mettre son grain de sel, comme de coutume :

— Pas septième de file. Attends voir : Elmire, Jeanne-D'Arc, Joseph, Blanche, après...

— Si tu commences à nommer toute la famille Bernier, on est pas sortis du bois ! Et pis tu les connais pas tant que ça, tu restes à l'Isle-aux-Brumes. C'est peut-être pour ça que t'as de la breume dans tête ? À la suite ou pas, c'est clair comme de l'eau de roche que cet enfant-là a un don.

— Ces affaires-là, ça se change pas comme on veut ! C'est rien que les septièmes en ligne qu'ont un don. C'est comme ça, pis pas autrement, bon !

— Ah ? Ben comment t'expliques ça, d'abord, ce qui s'est passé à Rimouski ? C'est pas la première fois que ce petit gars-là arrête le sang.

— Mon idée, c'est que cet enfant-là, il doit pas être de Zotique. On parle pour parler, là, mais Gemma parait encore ben pour son âge. Elle doit pas manquer d'occasions. Moi, ça me surprendrait pas pantoute qu'a l'aille sauté la clôture.

Y avait juste le malappris à Hormidas Langelier, le mari de ma sœur Clarisse, pour penser à des cochonneries comme ça. Devant les enfants, en plus ! Mes plus vieux avaient les oreilles et les yeux grands ouverts, craignez pas. Une vraie honte ! Pierre-Paul a quasiment sauté en l'air.

— T'es pas malade, des fois, le beau-frère ? Voir si ça de l'allure, dire des affaires de même ! Zotique Bernier a beau être un vrai verrat, sa femme a toujours été à sa place.

— Pogne pas les nerfs, Pierre-Paul. C'était juste pour faire une farce.

— Ben si tu veux mon idée, est pas drôle pantoute. Que je t'entende pus parler en mal de Gemma, mon salaud.

Avec la boisson, les hommes ont vite fait de se pogner. Pierre-Paul était enragé noir. Ça lui paraissait dans face. Pis l'autre, pas plus fin, en remettait :

— Ça serait-tu que t'arais un intérêt pour la femme à Zotique pour la défendre de même ?

C'est ben simple, j'ai cru que mon mari allait tuer Hormidas !

— T'as pas d'affaire à me déshonorer devant Rose-Délima, espèce d'innocent ! Je commence à comprendre pourquoi qu'a t'a pas voulu, t'es rien qu'un malfrat. Sòrs d'icitte, envoye, prends ta bougrine, ramasse ta femme pis tes mousses, pis sacre ton camp. Je veux pus te voir !

— Tu voudrais quand même pas que je m'en retourne à l'Ile en pleine nuitte ? Entends donc à rire, Pierre-Paul !

— Prenez-le pas de même, son père. Je suis sûr que mononcle a pas voulu mal faire.

— Toi, mon gars, t'es pas encore assez vieux pour me dire quoi faire dans ma maison. Dehors, la visite !

La place s'est vidée en un rien de temps. Ludo est parti lui itou avec son monde et a emmené ceusses de l'Isle-aux-Brumes dormir chez eux.

Noël a fini bête de même.

Chapitre 15

La nuit rouge

Depuis Noël, les choses allaient en rempirant. Pierre-Paul était rendu ben malendurant. Fallait faire attention à toute ce qu'on disait si on voulait pas se faire rabrouer. Les enfants filaient doux, moi avec. J'avais beau essayer, il y avait des affaires que j'étais pas capable de passer par-dessus.

Chaque phrase, chaque manière, je les ai repassées dans ma tête je sais pas combien de fois. C'était comme quand on allait aux petites vues que monsieur le curé passait dans le sous-sol de l'église, des fois, le dimanche soir.

Pourquoi donc que mon homme avait été aussi prime avec Hormidas? À craire que le beau-frère aurait eu raison quand il disait que Pierre-Paul pis Gemma avaient fait des affaires ensemble.

Si mon mari avait su ce qui me trottait dans la tête, j'étais pas mieux que morte. Non! C'était mieux de pas penser à des choses comme ça! En y jonglant, je voyais ben que ça avait pas d'allure. Gemma était une bonne catholique, pratiquante. Sans compter qu'elle en avait ben assez avec Zotique, qui passait son temps à lui faire des mousses, pour se bâdrer d'un autre.

Ça changeait rien à la situation. Hormidas avait beau pas être le gars le plus fin de la terre, y a des limites à se faire mettre dehors en pleine nuitte de Noël. Surtout par son beau-frère. Le pire, c'est que les deux hommes se parlaient plus depuis ce temps-là.

On était presque rendus à Pâques et l'affaire était toujours pas arrangée.

— Va falloir penser à faire ses Pâques. Fleur-Ange, tu vas t'occuper de Germain pendant que je vais à confesse. Arrive, Pierre-Paul !

— Achale-moi pas avec ça. J'irai quand ça m'adonnera, pis là, ça m'adonne pas.

La colère, c'est péché. Je serais portée à croire que la rancune avec est matière à confession. Mon mari avait pas vraiment de raison d'en vouloir encore à Hormidas pour une affaire d'hommes qu'avaient trop bu. Quand on récite le *Notre Père*, ça dit clairement qu'il faut savoir pardonner aux autres si on veut être pardonnés nous autres avec. Mon homme avait pas l'air de comprendre ça.

Je suis pas certaine pantoute qu'il avait communié, finalement. Je pense que non. Pas faire ses Pâques, c'est courir le risque d'être enterré la tête en dehors de la terre consacrée si on meurt dans l'année. Juste à y penser, j'avais le frisson ! Pierre-Paul est pas mort, chance à Dieu. Ben des fois, les péchés contiennent leur propre pénitence. C'est ça qu'est arrivé.

Les élections ont eu lieu le dimanche de la Quasimodo. Pierre-Paul a fait son jars dans la grande salle d'école toute la journée. Qu'il était donc poli ! Et je te salue celui-ci, et je te serre la main à celui-là. Le pauvre, au fin fond du fond, il savait ben qu'il était trop tard, qu'il était allé trop loin. Que c'était pas une poignée de main ou un sourire qui allait arranger les choses, effacer les bêtises qu'il avait dites au monde. Ben que trop fier pour s'excuser, le monsieur. Ah, ça non, y en était pas question !

La mairie est allée à l'autre candidat. Quand mon mari est revenu, après la fermeture des *polls*, il en avait gros à dire.

— Tu vois ? Je te l'avais dit que Gérard Ruest c'est un hypocrite ! Quand il m'a sacré dehors de l'auberge, c'était pour faire sa cabale. Pas assez courageux pour me faire face, ah non, il aimait mieux parler dans mon dos pour me voler la mairie ! Ah, c'est beau, encore ! Un homme qui vend de la boisson, même pendant le carême. À tout un chacun, en plus. Laissez-moi rire! Gérard Ruest, c'est pas d'autre chose qu'un infâme. Pareil comme Zotique. Ces deux-là, pas surprenant qu'ils seyent des amis. Ça fait qu'on va avoir un *bouncer* comme maire, astheure.

Quand ben même j'aurais mentionné que Gérard Ruest parlait à tout le monde, mais que surtout, il parlait comme du monde, lui, Pierre-Paul était ben que trop enragé pour écouter. C'était mieux de pas passer de remarques. Malgré que je commençais à plus être capable d'endurer.

Antoine sur les bateaux, Bernard au collège classique pis qui travaillait par les soirs pour gagner ses études, je me suis retrouvée avec un homme qui dessoulait pas, qui reniflait tout le temps, qui crachait à terre. Le pire, c'est que mes enfants étaient en âge de comprendre que leur père courait après sa damnation. Sainte misère, priez pour nous!

Me semblait donc que j'avais assez de problèmes de même. Pourtant, je m'étais trompée. Ah, si j'avais su!

❦

C'est ma Fleur-Ange qu'a parti le bal, sans s'en rendre compte, la pauvre.

On était au début du mois de Marie. Germain commençait à se trainer, il était toujours fourré partout, j'avais crainte que son père lui allonge une claque. Les autres étaient à l'église pour le Salut à Marie. Moi, j'ai commencé à dire mon chapelet.

Le bébé s'est endormi, Pierre-Paul ronflait de son côté. Juste comme je finissais un *Je vous salue, Marie*, Fleur-Ange est revenue de l'église toute excitée.

— Vous savez pas quoi, sa mère? Avec Philippe, on est allés au petit autel de la Vierge. Là, comme j'allais me mettre à genoux, Philippe s'est mis à regarder le ciel. Longtemps, tellement longtemps que j'ai été obligée de le tirer par la manche pour qu'y redescende sur terre. Il m'a dévisagée comme s'il me reconnaissait pas. Il avait les yeux enflés, il pleurait. Quand je lui ai demandé pourquoi, il a dit que betôt, il va y avoir un feu épouvantable ! Le ciel va être rouge tout partout à Rimouski, l'hôpital va passer au feu, l'hospice aussi, il va y avoir du monde sans bon sens qui vont être dans rue. Il va y avoir un autre feu, itou. À Cabano.

— Encore ! Seigneur de la vie, cet enfant-là est possédé, ma parole. Le feu, encore le feu, il pense rien qu'à ça. Si ça continue, va falloir demander au curé de l'exorciser. Mais là, j'ai pas le temps ni le gout d'écouter des insignifiances pareilles.

— C'est pas des... Si vous avez pas besoin de moi, j'aimerais ça monter prier dans ma chambre.

— Vas-y donc, prier. Ça fait pas de tort. Tant qu'à y être, prie donc pour Philippe. Pour que le bon Dieu y mette un peu de plomb dans cervelle, à cet enfant-là. Parce que répandre des affaires de même, ce serait assez pour que la panique pogne, ma grand foi du bon Dieu.

~

C'te fois-là, y a pas eu moyen de cacher l'affaire. Philippe en a parlé lui-même à tout le monde au village. Il voulait même que Zotique se rende à Rimouski pour avertir les autorités du danger. Y en avait qui riaient de lui pendant qu'il continuait sa campagne, pauvre petit mousse. D'autres pensaient qu'il fallait l'écouter.

— En tout cas, on peut dire ce qu'on voudra, cet enfant-là a du courage, plus que ben des hommes faits.

— Du courage ? Moi, j'appellerais ça de l'inconscience. C'est à se demander s'il a toute sa tête à lui, par bouttes.

~

Parsonne oubliera le 6 mai 1950. C'te samedi-là, y est ben gravé dans ma mémoire. En tout cas, toutes ceusses qui ont vu la tragédie vont s'en rappeler à jamais. Surtout que Roches-Noires, c'est juste à sept milles de Rimouski. Ça fait qu'on était dans les bancs d'en avant, si je peux dire.

Le souper était fini, la vaisselle itou. Fleur-Ange s'apprêtait à partir pour l'église. Il faisait beau, un peu venteux, mais quand même, la fenêtre de la cuisine était ouverte toute grande. Ça s'est mis à sentir la fumée d'un coup sec. Tellement, que ma première idée a été de vérifier le poêle. Toute était correct. C'est là qu'on s'est rendu compte que la senteur venait du dehors.

Comme j'allais sortir pour voir ce qui se passait, le voisin est arrivé à fine épouvante.

— Le feu est pris !

— Hein ? Où ça ?

— À Rimouski, c't'affaire !

Apparence que le feu s'était déclaré dans la cour à bois de la scierie. Le vent avait charrié des étincelles sur les toits. Plus ça allait, plus le vent soufflait fort. Le pont de bois a brulé, le feu a pris partout. La paroisse de Saint-Germain y passait au grand complet !

Les cormorans se garrochaient de bord en bord, comme pris de folie. Le ciel a viré complètement rouge, l'eau du fleuve a pris une couleur de malheur. Ça brulait tellement fort que ça éclairait comme en plein jour. On avait beau pas rester proche proche, ça sentait la fumée jusqu'icitte. La peur nous travaillait les entrailles. Moi, j'ai pas pris de chance, j'ai mis de l'eau bénite dans des bols pis j'ai placé ça au ras la porte. Comme ça, au moins, la maison serait protégée !

On a su que la prison avait passé au feu. L'hôpital Saint-Joseph avec. Même qu'il a fallu sortir les malades. C'était à se demander ce qu'on avait fait au bon Dieu pour être punis aussi cruellement. Y a ben juste l'église qui a été épargnée.

Les hommes viraient en rond, les femmes braillaient. Ceusses qu'avaient de la parenté à Rimouski se demandaient si leur monde allait périr.

La partie neuve du Séminaire, l'hospice pis un bon paquet de maisons ont été rasés. Y a trois jeunes garçons qu'ont voulu traverser sur le bord de la rivière. Apparence que le vent les a poussés dans l'eau. Ils sont morts neyés, les pauvres petits gars. Une vraie bénédiction du bon Dieu qu'y en aille pas eu plus, des morts.

À Roches-Noires, le curé a sonné le tocsin. Toutes ceusses qui pouvaient sont allés à l'église. Là, il a demandé aux femmes de préparer du manger, des couvartes, du linge itou, pour ceusses qu'avaient toute pardu. Les hommes, eux autres, iraient aider à monter des lits pliants dans grande salle d'école.

Ça a brulé jusqu'au dimanche après-midi. Dans les gazettes pis au radio, ça parlait juste du feu. Les journalistes ont appelé ça la « nuit rouge ».

Trois jours plus tard, le feu pognait à Cabano. Dans une couple d'heures, la moitié de la ville y avait passé. Philippe s'était pas trompé une miette, le petit sacripant. Tout est arrivé comme il l'avait dit.

Ça m'est venu aux oreilles, je me rappelle plus trop par qui, que Pierre-Paul avait été voir le notaire Desbiens, deux ou trois jours après le feu. Ça me démangeait de le questionner, mais je savais qu'il parlerait pas avant d'être décidé.

C'était pas ben dur à deviner qui se passait de quoi de grave parce que ça se parlait au village que Pierre-Paul avait été signer des papiers. Pis comme je connaissais mon homme, pour démêler le vrai du faux, ben faudrait se prendre de bonne heure.

Les trois filles du notaire devaient savoir la vérité, mais c'était pas moi qu'allait leur demander de quoi c'est qui se passait. Déjà que je les voyais faire assemblant de broder ou ben de coudre sur leur galerie.

Tricotées au crochet qu'elles étaient, ces trois-là. Sur le notaire, y avait une grande galerie qui faisait quasiment le tour de la maison. C'était là qu'elles s'assisaient, les filles, quand y faisait beau. Y avait quatre berçantes exprès. Une pour chacune des filles, la dernière, on savait pas pour qui. On avait jamais vu le notaire s'assire là. La mère était défunte depuis longtemps, peut-être ben que c'était quand même sa chaise, on sait jamais.

Réjeanne faisait pas rien que broder des mouchoirs, a brodait aussi sur les papiers du notaire, j'en étais certaine. C'était ben facile parce que, vu qu'a l'aidait son père dans son ouvrage de notaire, a connaissait les affaires de tout un chacun. C'est ben sûr qu'a devait toute conter à ses sœurs.

Renée avait toujours un ouvrage au crochet dans les mains, je suis convaincue qu'a devait crocheter des histoires de famille pis tirer des commentaires. Elle avait été maitresse d'école assez longtemps pour ça.

Et pis Reine, la maitresse de poste, ben qu'est-ce que vous pensez, elle était au courant de toutes les lettres qui rentraient pis qui sortaient. J'avais dans l'idée qu'a craignait pas, de temps en temps, de se servir de la boucane d'un canard pour rouvrir une lettre quand a voulait savoir de quoi c'est qu'il y avait dedans.

Quand c'est qu'y avait commencé à avoir le téléphone dans le village, Reine aurait ben voulu être opératrice itou. Faut dire qu'une opératrice, a peut écornifler à sa guise. Par après, on a su qu'on serait connectés au téléphone de Rimouski, où c'est qu'y avait déjà un « bureau central », qu'ils appelaient ça. Ça fait que les deux opératrices, c'était des filles de Rimouski. Reine a pardu une saudite belle occasion pour commérer.

Ah, oui, me semble de les entendre, ces trois-là, avec leur parler pointu ! Il fallait que la noirceur tombe avant qu'elles rentrent dans maison du notaire.

Oh, mon doux Seigneur, v'là astheure que j'étais rendue méchante, moi avec. Ça me trottait dans tête :

« Rose-Délima, si tu continues comme ça, tu vas être obligée de te confesser. T'as manqué à la charité chrétienne avec tes suppositions… Comment ça, me confesser ? J'ai rien dit à parsonne, moi. J'ai juste vu les filles dans ma tête. Penser, c'est pas la même affaire que parler, sainte bénite ! Ah, non ? Et pis les mauvaises pensées, quoi c'est que t'en fais ? Les mauvaises pensées, c'est quand c'est que tu penses aux affaires du litte. Ben quand t'es mariée, t'en as pas de mauvaises pensées parce que toute est permis. Ça fait que tu peux laisser faire pour la confession, Rose-Délima. T'as juste à faire attention pour pas dire à parsonne de quoi c'est que tu penses quand c'est que tu penses aux filles du notaire. »

Pierre-Paul a pas été le seul à aller voir le notaire après le feu. Apparence qu'y s'était brassé pas mal d'affaires dans les jours qui avaient suivi. Les ceusses qu'avaient pardu leur maison cherchaient à se loger, les plus en moyens parlaient de s'établir au village. Y en avait qui voulaient rester loin du moulin vu que c'était là que le feu avait pris. Ça fait que j'imagine que les filles Desbiens parlaient pas juste de Pierre-Paul.

Quand même, le notaire avait fait venir mon beau-frère Ludo itou, pour voir si y était intéressé à vendre les deux terres qu'il possédait dans le rang croche.

Quand Ludo est venu pour sortir du bureau, il a entendu le nom de Pierre-Paul, ça fait qu'il est resté pour écouter ce que les filles disaient.

— Je ne l'aurais pas entendu de mes oreilles que j'aurais refusé d'y croire. Quelle affaire, Seigneur, quelle affaire !

— Ah, on ne sait jamais ce qui bout dans la marmite des autres. En tout cas, le bon Dieu l'a bien puni.

— Moi, je trouve qu'au fond, c'est Pierre-Paul qui fait pitié, là-dedans. Pauvre homme, va !

— Même s'il lui arrive de lever le coude, Pierre-Paul Lepage est un homme de devoir, nous sommes bien placées pour le savoir toutes les trois. Il a fait ce qu'il avait à faire.

— S'il fallait que ça se sache...

— Ça ne se saura pas. Nous ne sommes pas des rapporteuses.

— Tu as raison, Reine. Quoique je me demande si... et puis non, ça vaut mieux comme ça!

— Continue ta pensée. Pas besoin d'avoir peur, personne ne peut nous entendre.

— Eh bien, je m'interroge à savoir si ça ne serait pas notre devoir de prévenir Rose-Délima. Après tout, ce serait une charité à lui faire, vous ne pensez pas, mes sœurs?

— Hum, ça demande réflexion.

Ludo en avait assez entendu. Il s'est raclé la gorge pour faire comprendre aux filles qu'il était là. Elles ont arrêté de parler, pis Renée a dévisagé mon beau-frère, pas plus gênée que ça. Par après, quand il est arrivé chez eux, il a toute conté à Fernande.

— Penses-tu que je devrais parler à Pierre-Paul pour en savoir plus?

— Ça donnera pas grand-chose. Je veux pas dire du mal de ton frère, mais tu le connais: s'il a dessein de rien dire, tu réussiras pas à savoir de quoi il retourne.

— C'est vrai. Pauvre Rose-Délima, je me demande qu'est-ce qui va encore lui tomber sur la tête.

— Je vas aller faire un tour demain, essayer de savoir si elle sait quelque chose.

Quand Fernande est venue le lendemain, elle s'est ben rendu compte que toute ce que je savais, c'est que Pierre-Paul était allé chez le notaire. On était pas plus avancées l'une que l'autre. C'est rien que pas mal plus tard qu'on a su de quoi il retournait.

Chapitre 16

Mon ange

Ma fille portait ben son nom. Un ange, c'est ça qu'elle était. Quand on disait le chapelet en famille, c'était une beauté de la voir, les mains jointes, les yeux farmés. Sûr et certain que le bon Dieu l'avait choisie pour son paradis. Pas trop vite, par exemple.

— Pensez-vous, sa mère, que si j'étais un garçon, mon père m'aimerait?

Qu'est-ce que je pouvais répondre à ça? Pauvre petite fille, va! Ma Fleur-Ange, c'était pourtant une enfant du bon Dieu, elle avec. Ah, Pierre-Paul, que t'en as fait du mal avec ta tête de pioche!

La petite était aidante, elle faisait toute ce qu'elle pouvait. Obéissante, itou. La seule chose qui la faisait s'entêter, c'était quand il était question de prières. Tenez, par exemple, le 15 aout, jour de l'Assomption de la Vierge Marie, j'aurais voulu la retenir que j'aurais pas réussi. Elle tenait absolument à aller au petit oratoire, juste à côté de l'église, pour dire son chapelet.

— Reste pas trop longtemps. Je veux que tu reviennes tu suite après tes prières. J'ai besoin de toi, aujourd'hui, fête de la Sainte Vierge ou pas. Y a la robe bleue à aller porter au manoir. Après, je voudrais que t'ailles chez les Bonenfant remettre le sucre que j'ai emprunté la semaine passée. Après, faudrait passer un coup de balai dans les chambres.

Ça prenait pas grand-chose pour lui faire plaisir, celle-là. Même avec une moitié de permission, elle est partie, toute contente. Elle avait comme des petites vagues de soleil qui dansaient dans ses yeux.

~

— Madame Lepage! Venez vite!

Ça criait tellement fort que j'ai passé proche de faire une fausse couture. Un peu plus, j'écharognais le matériel. J'ai tu suite pensé à un accident, je suis arrivée sur la galerie avec la patate qui voulait me sortir du corps. Philippe et Michelle Pineau étaient là, essoufflés d'avoir couru. Avant que j'aille eu le temps de demander ce qui se passait, Michelle m'a dit:

— Faudrait que vous veniez avec nous autres à l'oratoire. Fleur-Ange est blanche comme un linge pis elle a pas l'air de nous voir ou de nous entendre.

Ah, mon Dieu! J'ai ôté mon tablier vite fait.

— Émile? Prends soin de ton frère, je serai pas longtemps.

J'ai suivi les enfants. Ça court vite à cet âge-là, j'avais de la misère à garder mon souffle, ça me cognait dans poitrine, autant par l'inquiétude que par la course.

Quand on est arrivés à l'oratoire, j'ai d'abord vu Clémence Bigot, la sœur du curé. Vu que les Desrosiers sont voisins du presbytère, Yvonne Desrosiers était là, elle itou. Les deux avaient l'air énarvées sans bon sens.

— Ah, Rose-Délima! Vous v'là enfin!

— Qu'est-ce qui se passe, pour l'amour? Quèqu'un va-tu me le dire? Fleur-Ange? Qu'est-ce qu'y a?

— Ça sert à rien, a vous répondra pas. On a essayé avec Clémence. Elle est comme sans connaissance, votre Fleur-Ange, même si a l'a pas tombée.

Ma fille était blanche, blanche. Elle avait les yeux farmés, les mains jointes sur son chapelet.

— Fleur-Ange, c'est môman. Je te parle, là. Lève-toi, on s'en va.

Elle a enfin rouvert les yeux. Sa voix était toute changée.

— La Sainte Vierge veut qu'on prie pour les pécheurs, môman. Je l'ai vue. Elle est belle, vous savez. Encore plus belle que la statue qu'est dans l'église. Elle avait un chapelet fait avec des roses.

La déclaration m'a tellement pris de court que j'y ai répond la première affaire qui me passait par la tête.

— Tout le monde le sait que la Sainte Vierge est belle. Viens, astheure, faut s'en aller à maison. Ton frère est tu seul avec le petit.

Pendant que j'essayais de la faire lever, Michelle a passé une remarque qui m'a donné la chair de poule :

— La Sainte Vierge a apparue à Fleur-Ange, sûr et certain. Vous auriez dû la voir quand elle priait.

— Bon, on en parlera plus tard. Viens, ma petite fille.

— Non, pas tu suite, sa mère. On va d'abord dire un rosaire ensemble, vous voulez ?

J'ai même pas eu le temps de répondre que la petite s'est pâmée. Ça m'a donné un grand coup. Ma fille, ma seule fille ! De la voir là, à terre, comme morte, j'ai pensé que j'allais trépasser moi itou. S'il fallait que je la parde, cette enfant-là, je sais pas ce que j'aurais fait !

Je regardais son visage qu'était de la couleur des cierges qu'on allume à l'église. Il fallait absolument la ramener. Elle était molle comme de la guenille, trop pesante. Elle s'aidait pas pis j'étais pas assez forte pour la ramasser à moi tu seule.

— Venez m'aider, Clémence, on va aller la coucher dans son litte. Après, je vas faire venir le docteur.

— Ah, non, j'ai peur de ça moi, le monde qui se pâme. D'un coup qu'a tombe dans les mals, hein ? Je m'en vas avertir mon frère, là. Si votre fille a eu une apparition, c'est lui que ça regarde.

Michelle Pineau était un vrai paquet de nerfs.

— C'est pour ça qu'elle nous répondait pas, c't'affaire. Parce que la Sainte Vierge lui parlait. Ah, quand je vas dire ça à mon père !

J'avais pas le temps de demander aux enfants de se taire. Y fallait que je m'occupe d'abord de ma fille qui était toujours à terre.

— Je vas vous aider, Rose-Délima.

Une chance qu'Yvonne avait plus de bon sens que la sœur du curé. À nous deux, on a pris la petite et on l'a ramenée à maison.

— J'ai ben envie de lui donner une goutte du gin à Pierre-Paul avant d'aller téléphoner au docteur.

— Ça serait peut-être pas une mauvaise idée. Je vas rester avec elle, si vous voulez.

⁓

Le docteur Lemieux est venu quasiment tu suite. J'ai même pas eu le temps de lui dire ce qui s'était passé que le curé pis Pierre-Paul sont arrivés. J'étais énarvée, je craignais pour la petite, ben v'là qu'en plus, tout le monde s'en mêlait. Je savais plus trop où donner de la tête entre les trois hommes. Émile braillait pis le bébé hurlait de rage parce que je m'occupais pas de lui.

— Germain ? Tu veux-tu une claque par la tête ?

Mon dernier avait beau être encore petit, quand son père parlait comme ça, il savait où c'est qu'était son intérêt. On a plus entendu un son de son corps. Son père, par exemple, avait pas fini. Pendant que le docteur s'occupait de Fleur-Ange, il a continué à déparler :

— C'est une fille. Les filles, on le sait, ça ferait n'importe quoi pour se rendre intéressantes.

Des fois, c'est Pierre-Paul qui méritait une claque par la tête. Ou, en tout cas, que j'y dise :

« Me semblait aussi que ça allait remonter à la surface, cette affaire-là ! Quand c'est que tu vas en revenir, Pierre-Paul ? »

Le curé Bigot a renchéri sans le savoir :

— Quand elle sera revenue à elle, il faudra lui parler sérieusement. On ne peut pas permettre à une enfant de dire tout ce qui lui passe par la tête. Elle a l'âge de raison, c'est à vous autres, ses parents, de lui faire comprendre ça. Il y a très peu de véritables apparitions et notre sainte mère l'Église nous enjoint d'être très prudents, nous, ses prêtres, dans ces cas-là.

« Tiens, l'autre astheure ! Pas plus fin. Ma fille est à moitié morte pis faudrait la chicaner. Retenez-moi quèqu'un. »

Le docteur Lemieux s'est reviré à ce moment-là. Il avait de l'inquiétude dans le visage. De la rage aussi, j'ai l'impression.

— Sauf votre respect, monsieur le curé, les sermons, ça peut attendre. Le plus important, c'est de remettre cette petite fille sur pied. Je la trouve un peu maigrichonne, savez-vous, madame Lepage. Il lui faudrait un bon tonique. Beaucoup d'air frais, aussi. Insistez pour qu'elle aille souvent dehors. Rien de meilleur que l'air du large pour vous remettre d'aplomb.

Pierre-Paul l'a mal pris.

— Avez-vous envie de dire qu'on la magane ? Elle a toute ce qui lui faut, vous saurez. Je vais vous le dire, moi, ce qui va pas : elle passe son temps à dire des prières enfermée dans sa chambre.

— On ne prie jamais trop.

— Je regrette de vous contredire, monsieur Bigot, mais Fleur-Ange serait en bien meilleure santé si elle ne passait pas tout son temps à genoux sur son prie-Dieu. Je vous conseille même de l'enlever de sa chambre, madame. Qu'elle sorte, qu'elle joue dehors avec des enfants de son âge. Quelques semaines de grand air et vous verrez, elle se sentira beaucoup mieux.

A fallu la forcer. Je me suis entendue avec Gemma, qui m'envoyait son Philippe toutes les jours. C'était le seul moyen de faire sortir la petite. Par chance, *L'Almanach du peuple* annonçait du beau temps pour la dernière quinzaine du mois d'aout. Les enfants ont pu aller jouer sur la grève autant comme autant. Je savais qu'ils prenaient le bord du phare aussi. Rosaire s'assisait avec eux autres sur les roches pour leur conter des histoires.

Quand l'école a recommencé, en septembre, Fleur-Ange avait repris des couleurs. Comme de coutume, quand ça va d'un bord, les problèmes remontent à la surface de l'autre bord. Ça manque jamais.

Il me restait plus grand monde à maison. Claude avait lâché l'école sans nous en parler, à son père pis à moi.

— Je suis pas bon dans les écritures, son père, pis j'ai jamais aimé ça, l'école. Ça fait que j'ai parlé au cook de la *Marie-Thérèse*. Il serait prêt à me prendre comme apprenti pour le prochain voyage. Ça ferait de la gagne, mais il me faut votre signature vu que j'ai pas encore mes seize ans.

Pierre-Paul a même pas demandé mon idée avant de signer. Quand il s'agissait de ses garçons, il pensait toujours toute savoir.

Donat venait juste de rentrer pensionnaire au juvénat des frères de Sainte-Croix, ça fait qu'on le voyait plus. Il restait Émile, Fleur-Ange pis mon Germain, qui s'en allait sur ses deux ans.

Moi qu'avais été si contente quand on avait fait les agrandissements, je me demandais ce que ça donnait d'avoir ben des chambres. On avait presque plus parsonne à coucher. En plus, le docteur pensait que j'aurais pas d'autres enfants.

Rien qu'à regarder les chambres vides, je me morfondais d'ennuyance. Je jonglais à toute ça quand le téléphone a sonné. J'aimerais ça pouvoir dire que j'ai eu un pressentiment, mais ça serait pas la vérité. J'ai pensé à rien pantoute en répondant.

C'était la Mère supérieure de l'école qui téléphonait. Juste après la prière du matin, Fleur-Ange était restée à genoux, il y avait pas eu moyen de la faire lever. Elle était blême, elle parlait de la Sainte Vierge qui demandait de faire pénitence. Je pouvais-tu venir la chercher ?

J'ai pris Germain dans mes bras, je suis sortie demander à la voisine d'en prendre soin. Pauvre petit, il était juste en couche et en camisole. Une chance qu'il faisait encore doux !

Quand je suis arrivée à l'école, la Mère supérieure m'attendait.

— Fleur-Ange est dans la classe avec mère Saint-Constant. Nous avons fait sortir les autres enfants dans la cour pour éviter de les troubler. J'aimerais que vous rameniez votre fille chez vous, madame, et que vous la gardiez en attendant que nous prenions une décision à son sujet, en accord avec monsieur le curé.

— Je suis pas certaine de comprendre, là. Vous la mettez dehors de l'école ? Elle a pourtant rien fait de mal.

— Rien de mal, peut-être. Cependant, elle trouble les autres élèves en racontant ses soi-disant visions. Les enfants ne parlent plus que de ça. Mère Saint-Constant a du mal à obtenir le silence. Je crois que vous feriez bien de faire voir votre fille par un médecin spécialiste.

Des affaires de même, ça me donne mal au ventre ! Ça se serait pas passé comme ça du temps que c'était Blanche qui faisait l'école, vous pouvez en être certains. Astheure qu'on avait des sœurs comme institutrices, toute avait changé, pis pas pour le mieux à part de ça.

Je sais pas ce qui me retenait de lui arracher sa cornette, à celle-là. Parce que c'était ben juste si elle me disait pas que ma fille était folle, un coup parti.

Chapitre 17

Les filles du notaire

C'est Fernande qu'est arrivée à maison avec la gazette.

— Rose-Délima? C'est moi! T'as-tu vu les gazettes? Y parlent de Fleur-Ange.

— Hein? Dans les gazettes? Sainte bénite, t'es pas sérieuse?

La page du journal, je l'ai toujours gardée dans ma boite de souvenirs, avec les portraits des enfants, leurs bulletins, des rubans, des cartes de Noël. Ma mère m'avait montré qu'y fallait rien jeter. On sait jamais ce que tu peux avoir de besoin pis que tu te rappellerais pus.

L'Écho du large, mercredi 30 juillet 1952

HIER ET AUJOURD'HUI
ROCHES-NOIRES ET SA SAINTE
François Noroît, envoyé spécial

Fleur-Ange Lepage, dix ans, une jeune résidente de Roches-Noires, affirme que la Vierge lui est apparue à plusieurs reprises pour lui demander de prier et de faire des sacrifices pour « tous les pécheurs de la terre ».

Sa première vision est survenue il y a près d'un an, le 15 aout 1951, jour de l'Assomption de la Sainte Vierge. L'événement se serait produit au petit oratoire consacré à la Vierge, tout juste à côté de l'église Saint-Pascal.

D'autres apparitions auraient suivi au cours de l'été dernier et Pierre-Paul Lepage, père de l'enfant, proclame avec fierté que sa fille est une sainte.

Le 15 aout de cette année verra-t-il se reproduire le même phénomène? Le maire de l'endroit, Gérard Ruest, a confirmé à L'Écho du large que de plus en plus de gens de l'extérieur du comté venaient visiter sa petite localité. « Je pourrais pas dire si c'est de la piété ou bien rien que de la curiosité, mais on n'a pas assez de place pour tous les touristes qui veulent venir à Roches-Noires pour la fête de l'Assomption. Mais on refuse personne, ça fait que s'il n'y a plus de chambres à l'auberge, vous avez juste à venir à la mairie, on va vous trouver une place au village. »

Autant le maire s'est montré loquace, autant Adélard Bigot, curé de la paroisse Saint-Pascal, s'est fait silencieux. À l'archevêché, on s'est refusé à tout commentaire.

Y avait du monde qui sont venus de Québec soi-disant pour fêter l'Assomption, mais surtout pour voir si c'était vrai que ma fille avait des apparitions.

Par chance qu'y faisait soleil parce que toute ce que le monde a pu voir, c'était comment que le village était beau. Fleur-Ange a ben eu une autre apparition, mais chez nous, dans maison. Elle nous a parlé que la Sainte Vierge avait une belle robe bleue pis qu'elle nous demandait de prier pour les pêcheurs.

Ceusses-là qu'étaient venus pour se moquer sont partis sans rien voir. Il restait plus rien que les touristes qui venaient chaque année. On connaissait leur face, y en avait qui s'étaient fait des amis dans le village. Toute ce beau monde-là partait en septembre.

L'école était proche de recommencer quand c'est que Léocadie Proteau est venue me voir. Apparence que les filles du notaire s'étaient fait aller le clapet pour parler en mal de Fleur-Ange pis de Pierre-Paul.

— J'aime mieux t'avertir, Rose-Délima. Ces trois-là sont ben décidées, on dirait qu'elles cherchent la chicane.

— Sainte bénite! Pourquoi c'est faire qu'a nous laissent pas tranquilles? On leur a rien fait, coudonc!

— Ah, ça! Tu sais aussi ben que moi comment qu'elles aiment ça, commérer. Des fois, je me demande où c'est qu'elles trouvent le temps de faire leur ordinaire avec toute ce qu'elles bavassent.

— Bon, que c'est qu'elles avaient à dire c'te fois-citte?

— M'en vas toute te conter ça. C'est Reine qu'a parti le bal. Elle m'a dit: «Roches-Noires est un village privilégié d'avoir une sainte, ne pensez-vous pas?» Renée a renchéri: «Sainte, je ne sais pas. Candidate à la béatification, peut-être? Ce pourrait être une nouvelle mère Marguerite Bourgeoys, après tout! D'ailleurs, si les apparitions doivent se répéter d'année en année, j'en connais un qui serait bien capable de s'adresser directement au pape.» «Pierre-Paul Lepage ne saura plus où donner de la tête avec une fille en odeur de sainteté.» «Ce n'est pas parce qu'il le croit que c'est la vérité! Affirmer et prouver sont deux choses différentes.» «Chut, pas si fort! Vous, madame Proteau, qu'est-ce que vous en pensez?» J'y ai répond que je trouvais que Fleur-Ange était pieuse, mais qu'à part ça, j'avais rien à dire. «Comme Dame patronnesse, vous pourriez en parler au curé? Lui demander d'intervenir? Sinon, le village de Roches-Noires tout entier va passer pour un village de fous.» Je te dis, Rose-Délima, j'avais envie de leur donner une claque sur la margoulette à ces trois-là. Par après, elles ont commencé à se chicaner pour une autre affaire. Je pense qu'elles se sont même pas aperçues que je partais.

— C'était quoi, leur chicane?

— Écoute ben ça, tu vas rire. Apparence que Reine serait en amour avec Zack.

— T'es certaine ?

— Certaine, non. Mais c'est de ça que les demoiselles Desbiens parlaient, devant moi en plus. Pareil comme si j'aurais pas été là. « Pas si fort, Reine ! On pourrait nous entendre. » « Aucun danger, rassure-toi. Papa est à sa partie de cartes chez le docteur Lemieux et, par cette belle soirée, les gens se promènent surtout le long du fleuve. Quant à madame Proteau, nous savons qu'elle est discrète. » « Je m'en allais, de toute façon. J'ai de l'ouvrage qui m'attend. » « Au revoir, chère madame. » Je suis partie tu suite pour venir te rapporter ça, Rose-Délima. Mais pendant que je m'éloignais, les filles ont recommencé à parler même si elles savaient que je pouvais les entendre. « Reine, amoureuse du colporteur ! C'est romantique à souhait. » « Parlant de romantisme, quand donc aurons-nous la visite du colporteur, Reine ? » « Pourquoi, romantisme ? Zachary et moi avons une relation strictement professionnelle. » « Professionnelle, ah ouiche ! C'est ton amoureux, j'en suis convaincue. » « Mon amoureux, cet avorton ? Tu n'es qu'une mauvaise langue, ma sœur. Je renseigne Zachary sur ce qui se passe au village et en retour, il me fait des prix sur sa marchandise, voilà tout. D'ailleurs, tu en profites autant que moi, alors tes remarques… »

— Sainte bénite, Léocadie ! Tu vas pas me dire que Reine Desbiens penserait à faire une noce ? Elle est pourtant passée fleur depuis un bon boutte.

— Justement, peut-être ben que ça la démange.

— Léocadie ! T'as pas honte ?

— Ben, pis toi, Rose-Délima ? Tu vas aller à confesse demain ?

On est parties à rire toutes les deux qu'on pouvait plus s'arrêter. Quand on a repris notre souffle, j'ai demandé :

— Continue, Léocadie. De que c'est qu'elles ont parlé après que Reine a traité Zack d'avorton ?

— Elles en avaient encore à dire, crains pas. « Reine ! Renée ! Ça ne nous avance à rien de nous quereller. Parlons plutôt d'autre chose… Saviez-vous que Rosaire Lévesque a

été vu se promenant sur la grève en galante compagnie?»
«Non! Tu es certaine? Je me demande comment il s'y est
pris pour convaincre une femme de céder à son charme.»
«Son charme, dis-tu, Réjeanne? Ah, bravo! Celle-là, elle est
suave! Il ne faudrait tout de même pas exagérer. Le gardien
du phare est loin, très loin d'avoir un physique de jeune
premier.» «Justement.» «Quoi, justement?» «Rien. Tout
ce que je dis, moi, c'est que j'ai toujours trouvé qu'il avait une
tête de faux jeton.» J'étais rendue proche de la maison du
docteur pis je les entendais encore rire. Elles parlent pas juste
contre toi pis ta famille, Rose-Délima, elles disent n'importe
quoi sur n'importe qui. À propos... c'est-tu vrai que Rosaire
Lévesque fréquente?

— Là, tu m'en demandes trop, Léocadie. Tout ce que je
peux te dire, c'est que si c'est vrai, il a ben le droit, Rosaire.
Après toute, il est veuf.

— T'as raison, c'était juste pour dire.

Pour parler de franchise, Gemma m'avait laissé entendre
que son frère avait quelqu'un dans sa vie. En seulement,
Léocadie venait juste de me conter comment c'est que les
filles Desbiens étaient bavasseuses pis je voulais pas faire
comme elles.

Apparence que Rosaire Lévesque courtisait une femme de
Rimouski pis que c'était du sérieux. Gemma parlait de noces
pour l'été prochain. J'étais ben contente. Depuis le temps que
le Rosaire vivait dans l'ennuyance, s'il pouvait trouver à son
gout, c'est pas moi qui le blâmerait.

Chapitre 18

Le dévirement

Le docteur pouvait ben parler, il était pas tout le temps avec nous autres. Envoyer la petite jouer dehors, c'était plus facile à dire qu'à faire. Depuis que j'avais enlevé le prie-Dieu de sa chambre, elle s'écorchait les genoux à prier à terre sur le prélart. Et pis elle était toujours aussi blême. C'était pas d'avance trop trop. J'avais beau essayer de la raisonner, sitôt que j'avais le dos tourné, ma petite bougresse avait les mains jointes et les yeux levés au ciel.

— Fleur-Ange, ma belle fille, irais-tu me chercher une livre de beurre au village? En passant, tu pourrais arrêter porter une tarte aux Pineau. Faut ben aider Joseph un peu.

— Ça dérangerait-tu si j'arrêtais à l'église?

Qu'est-ce que vous voulez, ça faisait dix ans qu'on disait à cette enfant-là que la prière, c'était une bonne affaire. Comment qu'on pouvait faire pour y expliquer qu'il fallait qu'elle arrête, astheure? Que c'était plus bon pour elle? Quand ben même que la Mère supérieure disait que ma fille avait pas toute sa tête, moi, je savais ben qu'elle était intelligente. Assez, en tout cas, pour se poser des questions si on y disait une affaire une journée pis le contraire le lendemain, sainte bénite!

Ça fait qu'elle a continué à prier. À l'école, elle faisait attention maintenant pour être comme les autres, ni plus ni moins. À maison, c'était une autre paire de manches.

Quand le téléphone a sonné, le mercredi soir, ça m'est pas venu à l'idée que ça pouvait être ma sœur Clarisse qui appelait. Depuis la chicane entre les deux hommes, à Noël, les Langelier étaient plus revenus. Nous autres, les femmes, on se téléphonait de temps en temps. Pas souvent.

— Clarisse ? En quel honneur ? Chez vous, sont ben ?

— Les flos sont ben en toute, inquiète-toi pas. Hormidas file pas fort, par contre. Il tousse sans bon sens. Quand le docteur va venir à l'Ile, m'en vas y faire dire de venir chez nous. Mais c'est pas juste pour ça que je t'appelle. Je voulais t'avertir que le Zack est passé à l'Ile aujourd'hui. Il devrait être à Roches-Noires demain, je suppose.

— Ah, ben. Il a pourtant pas accoutumance de venir tard de même dans semaine. C'est rare, même.

— C'est pour ça que je voulais te le dire, d'un coup que t'arais besoin de quoi de spécial.

— Sainte bénite, non, j'ai besoin de rien. Même que ça va me bâdrer en grand de l'avoir avec ma grosse commande de couture pour un mariage. Mais bon, c'est dans la coutume que le peddler vienne icitte, dans maison. Je peux quasiment pas refuser.

— Tu pourrais pas garder Fleur-Ange à maison pour te donner un coup de main ?

— M'en vas y jongler.

Quand j'ai raccroché, j'avais pas mal d'inquiétude pour Hormidas. Clarisse avait pas de garçon en âge de prendre la terre si jamais y arrivait de quoi à son mari. Pis ma sœur, c'était pas quelqu'un qui pognait les nerfs pour rien. Si elle m'en parlait, c'était parce qu'Hormidas filait vraiment pas. J'avais beau l'avoir refusé comme parti, c'était quand même un de la famille astheure qu'il avait marié ma sœur. Si j'aurais pas été aussi occupée, j'aurais pris le traversier pour une couple de jours, mais là, je pouvais juste pas.

Pis le peddler qui s'en venait. Celui-là, il pouvait pas faire comme d'habitude, non? Rapport qu'à ma connaissance, il avait jamais passé la fin de semaine dans le boutte. De coutume, il faisait sa tournée au commencement de la semaine. Après, il devait s'en retourner chez eux. Où c'est que c'était chez eux, ça, parsonne le savait au juste.

— D'où c'est que vous venez, Zack?

— De Rivière-Ouelle. C'est là que j'étais hier.

— Non, je vous demande pas où c'est que vous étiez hier, je voudrais savoir où c'est que vous restez.

— *Well*, je reste à l'auberge.

— Lâche-le, Yvonne. Tu vois ben qu'y veut pas te répondre.

— *Nice*. C'est très gentil de vous occuper d'un peddler, *missize* Desrosiers. Laissez-moi vous montrer ce que j'ai apporté pour les *ladies* de Roches-Noires...

Y avait pas moyen d'y en faire dire plus, ça fait que ça faisait longtemps qu'on essayait plus de le faire parler.

J'ai fait ce que Clarisse avait dit, j'ai gardé Fleur-Ange à maison pour m'aider. Elle était pas manchote pantoute, la petite vinyenne! Elle savait déjà faufiler, ses bords de robe étaient aussi ben faits que les miens. On s'est mises à l'ouvrage toutes les deux. Quand les voisines sont arrivées pour attendre le colporteur, on avait déjà une bonne journée de faite.

Pour tuer le temps en attendant Zack, la mère Proteau s'est mise à dire qu'a l'aurait des chiens à donner dans le boutte de Noël. Sa chienne venait de mettre bas.

— Vous pouvez venir voir quand vous voudrez, en choisir un ou deux, gênez-vous pas. Y en a six. Trois mâles, trois femelles. Premier arrivé, premier servi. Y devraient être sevrés quèque part en décembre.

J'ai vu les yeux de Fleur-Ange qui s'allumaient comme le fleuve au coucher du soleil. Ça fait que je me suis dit que peut-être d'avoir un chien, ça lui ferait une manière de distraction. Pis un chien, y fallait que ça sorte dehors pour faire ses besoins. Si c'était le chien à Fleur-Ange, a serait ben obligée de s'en occuper.

— T'aimerais-tu ça, Fleur-Ange ?

— Son père voudra jamais.

Pauvre petite fille, va ! Était tellement habituée à se faire dire non… Fallait ben que j'en parle à Pierre-Paul. Ça valait la peine d'essayer, après toute. J'ai pas eu le temps de jongler plus longtemps que ça cognait à porte. Le peddler venait d'arriver.

Tout le monde s'est assis autour de la grande table pour voir ce que Zack avait d'intéressant à nous montrer. Ça s'est mis à parler, parler, moi comme les autres. Ça faisait du bien, au fond, de se détendre un peu, surtout que j'avais mal dans le dos. Fleur-Ange disait pas un mot, j'avais presque oublié qu'elle était là. Tout d'un coup, Zack s'est arrêté en plein milieu d'une phrase.

— C'est de la couleur solide, ça déteint p… *Goodness gracious!* Qu'est-ce qui se passe avec votre fille, *missize* Lepage ?

La petite avait tombée à genoux, elle regardait vers la fenêtre pis elle était presque pâmée.

— Fleur-Ange ? Qu'est-ce qu'y a ? T'es malade ? Parle à môman, voyons ! De où c'est que t'as du mal ?

Pas moyen de lui tirer un mot. Elle a joint les mains, elle a fait signe que oui avec la tête et pis elle a dit :

— Oui, je promets.

Après, elle a fait un signe de croix et elle m'a regardée d'une drôle de manière. On aurait dit que son regard passait au travers moi, comme si j'avais été transparente.

— La Sainte Vierge pleure, sa mère. Elle dit qu'il y a trop de méchants qui offensent son Fils sur la terre. Il faut beaucoup prier. Elle demande qu'on bâtisse une chapelle en son nom, sur le terrain du père, proche du ruisseau.

— Ah, ben ça, c'est pas croyable !

— T'as vraiment parlé à la Sainte Vierge, Fleur-Ange ?

— C'est pas surprenant, cette enfant-là a toujours été pieuse.

Les remarques se croisaient tellement vite que j'avais pas le temps de placer un mot. C'était aussi ben, tant qu'à ça, parce que j'aurais pas su quoi dire.

La réunion a fini drette là. Tout le monde s'est levé en même temps, comme si qu'y avait le feu.

Lucille Bonenfant est sortie la dernière. Juste comme la porte se refermait, je l'ai entendue qui disait au peddler :

— Mon idée, c'est que cette enfant-là, c'est juste une faiseuse.

Pas gênée, la Bonenfant ! Fallait être effrontée en s'il vous plait pour dire des affaires de même ! Surtout qu'elle savait ben que j'allais l'entendre.

———

Avec le peddler qu'avait toute vu, pis la grande langue à madame Desrosiers par-dessus le marché, la nouvelle allait faire le tour du village dans le temps de le dire !

Comme de fait, ça faisait pas plus qu'une heure que le monde était parti quand le curé Bigot a frappé à la porte. Il avait le visage aussi rouge que Pierre-Paul quand il est en boisson. Je me doutais qu'il voulait chicaner Fleur-Ange, mais je trouvais pas ça correct. La petite était déjà assez virée à l'envers de même, c'était pas le temps d'en remettre. Elle avait rien fait de mal, après toute.

Je me trompais pas.

— J'exige que vous la fassiez examiner par un médecin aliéniste. Pour tout vous dire, madame Lepage, je crains que votre fille ait perdu la raison. Il est évident qu'elle essaie de se rendre intéressante et je parierais qu'elle n'a rien vu du tout.

Ça, c'était lui qui le disait !

— Fleur-Ange a toujours été une bonne fille, monsieur le curé. Pourquoi la Sainte Vierge lui apparaitrait pas ?

— Eh bien, parce qu'il ne suffit pas de prier pour voir la Vierge, tout simplement. Moi, je vous dis que ce sont là des mensonges. Votre fille n'est pas une sainte, loin de là, madame. Attention au péché d'orgueil !

— Il est pas question d'orgueil là-dedans. C'est quand même pas un péché de dire au monde qu'il faut prier !

— Bon, bon. Si vous le prenez comme ça, je ne dis plus rien. Je vais en référer à Monseigneur l'archevêque. Mais, en attendant, je vous interdis formellement de parler de ce qui s'est passé aujourd'hui à qui que ce soit.

— Même si je parle pas, je peux pas empêcher les autres de placoter. Le peddler était icitte quand c'est arrivé.

— Vous voyez ce que je vous disais ? Elle a attendu qu'il y ait des témoins avant de faire son petit numéro. Votre fille est une simulatrice, madame. Pas autre chose.

Pierre-Paul est arrivé sur les entrefaites. C'était pas encore son heure pour revenir, mais Zack avait pas résisté de s'arrêter au chantier pour bavasser. Ben mon mari avait beau pas être trop fin avec la petite, il endurait pas que quelqu'un parle en mal de sa famille.

— Simulatrice ? Que c'est que ça veut dire ? Arrêtez donc de parler avec des mots à cinq piasses si vous voulez qu'on vous comprenne.

— Tu veux des mots ordinaires ? Je vais t'en donner, mon Pierre-Paul. Simulatrice, ça veut dire que ta fille fait des accroires à tout le monde. Mais ça ne prend pas avec moi. Je l'emmène à l'église. Je veux l'entendre en confession. Tout de suite.

Si le curé Bigot pensait impressionner Pierre-Paul, il se trompait du tout au tout. Mon mari a pas fait ni une ni deux, il a passé la tête dans l'escalier pis il a crié :

— Fleur-Ange ? Le curé veut que t'ailles à confesse. Il dit que tu contes des menteries pis que t'as rien vu pantoute après-midi.

— Ça fait rien, son père. Faites-vous-en pas avec ça, la Sainte Vierge m'a avertie que le monde voudrait pas me croire.

Quand Fleur-Ange est revenue de la confession, elle avait l'air ben en toute. Je savais que c'était pas de mes affaires, mais j'ai pas pu m'empêcher d'y demander de quoi c'est que le curé y avait donné comme pénitence.

— Rien, sa mère, rien pantoute. Il m'a posé ben des questions. Par après, il a dit une affaire que j'ai pas trop compris : « Te donner des prières comme pénitence relève de l'ironie. Tu peux retourner chez toi. » Oui, c'est ben ça. Vous savez ce qu'il voulait dire, vous ?

En entendant ça, j'ai retenu ma colère et j'ai menti à ma fille :

— Je suis pas trop certaine. Peut-être qu'il voulait dire que vu que tu pries déjà, c'était pas nécessaire de te donner une autre pénitence.

❧

Le vrai miracle, c'était pas tant que la Sainte Vierge aille encore apparu à ma fille. Non. Même au risque de passer pour sacrilège, moi, je dirais que ce qui était miraculeux, c'est que Pierre-Paul, d'un coup, voyait plus la petite de la même façon. Comme s'il avait commencé à se rendre compte que d'avoir une fille dans famille, c'était pas si pire que ça, après toute. Peut-être ben aussi que c'était pour faire enrager le curé, on sait jamais.

— Prie la Sainte Vierge pour ton père, Fleur-Ange. Dis-y qu'a va l'avoir, sa chapelle. Dépareillée, à part de ça.

Il aurait donné la lune à sa fille, ça l'air. La petite était contente sans bon sens. Moi, j'avais de la méfiance. Pensez si je le connaissais, mon homme, depuis le temps qu'on était mariés. Ben là, avec son dévirement, il aurait mijoté un mauvais coup que j'en aurais pas été étonnée pantoute.

Chapitre 19

Les fantômes d'hiver

Depuis la journée que Fleur-Ange avait eu une apparition pendant que Zack était là, Pierre-Paul était comme un homme nouveau. Il avait beau être du fleuve par son ouvrage, il avait quand même pas mal de terre à lui. Justement, cour à cour avec la maison, on avait un boutte de terrain qui faisait rien. Il a décidé de bâtir la chapelle que Fleur-Ange disait que la Sainte Vierge voulait. Pourtant, la petite avait beau être pieuse, son père était pas pareil, loin de là. Je me disais qu'il devait avoir une idée derrière la tête pour accepter de bâtir une chapelle.

Mais le pire, c'était pas ça. Il a décidé sans m'en parler que Fleur-Ange était assez instruite pour astheure pis qu'elle avait pu besoin d'aller à l'école.

En plus, il est allé à Rimouski acheter une petite statue de la Sainte Vierge. Il a mis une plaque de bois en dessous de la statue, des lampions tout le tour et pis il a installé ça dans la chambre à Fleur-Ange.

— C'est pour toi, ma fille. Tu vas pouvoir prier tant que tu voudras.

— Sainte bénite, Pierre-Paul, me semble qu'elle prie déjà assez comme ça. Oublie pas que le docteur a dit qu'elle devrait passer plus de temps dehors.

— Le docteur, y connait rien dans religion. Pis il viendra pas me dire quoi faire dans ma maison!

— Parce que toi, tu connais ça, la religion ? C'est ben juste pour que tu fasses tes Pâques, sainte bénite !

⁓

Avant, Pierre-Paul regardait même pas sa fille. Après, la petite avait juste à dire que c'est qu'elle voulait, elle était certaine de l'avoir. Comme si d'un coup sec, elle était rendue un garçon. Son septième garçon !

À force de jongler, j'ai fini par comprendre. Même si Fleur-Ange était pas un septième garçon, elle avait quand même un don : elle pouvait voir la Sainte Vierge ! Pierre-Paul pourrait se vanter dans toute le village. Ah, les hommes !

Astheure, c'était rendu qu'il passait pas mal de temps avec la petite pour y demander son idée sur la chapelle.

La construction a commencé à l'automne. Il y avait comme un vent de piété, ma parole ! Quasiment toutes les hommes de la paroisse venaient donner un coup de main quand ils avaient fini leur ouvrage. Y a même eu deux de la terre qui sont venus demander si y pouvaient aider. Pis Pierre-Paul a accepté. Oui, le dévirement de Pierre-Paul, c'était ça, le vrai miracle.

Les meilleures brodeuses de Roches-Noires ont commencé à travailler sur des nappes d'autel pis des ornements sacerdotaux. Je peux dire aussi que les aiguilles faisaient pas juste rentrer dans le tissu. Elles piquaient dans la réputation du monde itou. Moi, j'allais plus ben souvent aux réunions des Dames patronnesses parce que je trouvais qu'y avait déjà assez de bavassage comme ça. Les commérages, c'est jamais bon. Ça fait toujours du mal aux ceusses qui font parler d'eux autres et pis, des fois, ça fait même du mal aux ceusses qui bavassent.

J'ai été voir Gemma pas longtemps après que Fleur-Ange aille laissé l'école.

— Serais-tu d'adon pour que Philippe arrête chez nous après l'école ? Il pourrait montrer à Fleur-Ange ce qu'il a appris dans journée.

— Si tu veux. Mais tu sais, mon gars, je suis pas certaine qu'il écoute comme il faut à l'école. Je sais pas s'il va être capable de montrer de quoi à ta fille.

On aurait dit que Philippe avait commencé à faire plus attention à l'école parce qu'il savait que le soir, faudrait qu'il montre des affaires à la petite. Il faisait ses devoirs avec elle, pis des fois, c'est elle qui l'aidait au lieu du contraire. Quand les devoirs étaient finis, Philippe chantait. Le petit torrieux ! Il avait une vraie belle voix. Quasiment comme les chanteurs au radio.

Au mois de novembre, on a eu des bourrasques en masse. Pierre-Paul a été obligé d'arrêter de travailler sur la chapelle, mais elle était quasiment finie.

C'est ce mois-là que Fleur-Ange a recommencé à voir encore la Sainte Vierge. Presque à toutes les jours. Des fois, je me demandais si c'était ben bon, ces apparitions-là. La petite était faible sans bon sens, c'était ben juste si elle pouvait se mettre à genoux sur le prie-Dieu que Pierre-Paul avait remis dans sa chambre.

— Je sais qu'on est pas supposés raisonner avec les affaires de l'Église, mais si la Sainte Vierge prend le temps de t'apparaitre, me semble qu'a pourrait s'occuper itou de pas te rendre malade.

— C'est pas elle qui me rend malade, sa mère, c'est de voir qu'y a du monde qui prie pas.

Que c'est qu'on peut répondre à ça ?

Au début de novembre, Ludo a recommencé à sculpter ses petites statues. Mais au lieu de faire des faces de pêcheurs pis des petits bateaux, il a commencé à faire des crèches, des statues de la Sainte Vierge pis des saints. Parler pour parler, fallait quand même dire que c'était ben beau, ce qu'il faisait.

Au mois de décembre, j'ai sorti les décorations de Noël pis j'ai commencé à faire du manger. Fallait faire un peu plus que

de coutume cette année-là parce qu'on allait fêter les fiançailles d'Antoine. Dans l'idée de distraire un peu la petite, j'y
ai demandé si elle voulait m'aider. Fleur-Ange, quand tu y
demandais d'aider, elle disait jamais non. On a fait du manger
en masse. Des tourtières, du ragout de pattes, des beignes, des
tartes, il y avait de quoi nourrir toute la paroisse.

Dire que mon plus vieux allait se marier! J'avais de la
misère à y croire. Me semblait qu'il était encore à faire ses
premiers pas. On prend donc pas le temps de voir grandir ses
enfants!

— Ça va faire toute drôle d'avoir une Anglaise dans
famille, même si elle parle français. On devrait avoir un beau
Noël. Ça serait encore mieux si ton père se raccordait avec
ton oncle. Ça fait une éternité que j'ai pas vu ta tante Clarisse,
pis je vois pas l'heure où on va pouvoir s'embrasser. Mathilde
a fait dire qu'elle pouvait pas venir. Ça fait que si ton père
veut pas entendre raison, je verrai parsonne de ma famille
à Noël.

— Je vais dire une prière. Vous inquiétez pas, sa mère, la
Sainte Vierge, a va toute arranger.

Elle répondait toujours ça. Était comme devenue une
machine à prières. J'étais pas certaine pantoute que c'était
bon pour elle, même si ça aidait les autres. Pour la première
fois, en mettant du sucre en poudre sur les beignes, j'ai
commencé à comprendre pourquoi le curé Bigot était inquiet.
On savait plus où c'est que ça allait cette histoire-là. Ça nous
sortait des mains, ça prenait le large avec un grand vent.

Pierre-Paul, lui, y trouvait ça normal d'avoir une fille qui
voyait la Sainte Vierge. Non, pas normal, mieux que normal.
C'était rendu qu'il disait qu'il était le père d'une sainte.

~

Juste avant la noirceur, j'ai jeté un coup d'œil au fleuve.
Les vagues commençaient à être pas mal fortes. C'était pas
bon signe. C'est vrai qu'on était en décembre, mais quand

même! J'avais comme une inquiétude dans le cœur, une souleur qui montait en même temps que la marée.

Quand on espère, on trouve toujours le temps long. Mon Antoine serait avec nous autres betôt. L'ouvrage fini, il me restait plus juste à patienter. C'est plus facile à dire qu'à faire, des fois. L'ennuyance, ça te ronge par en dedans.

Ça me démangeait de le voir, mon grand gars. Surtout qu'on avait su que le *Lily Belle*, son bateau, avait été retardé. Il serait pas à Pointe-au-Père avant le matin du 25 décembre.

On était pris pour accueillir sa promise qu'on connaissait pas encore. Elle nous avait écrit pour nous dire qu'elle prendrait le traversier entre Morlieux et Rimouski le 23 décembre. Pierre-Paul est allé la chercher vers les sept heures du soir.

Elle s'appelait Mary O'Shaunessy. C'était pas un nom de par icitte et pis c'était dur à prononcer pour nous autres. Quand Pierre-Paul est arrivé avec elle, parsonne a parlé. C'est Bobo qu'a parti le bal en jappant pis en tournant autour d'elle.

Ce chien-là, finalement, c'était plus un embarras qu'autre chose. Avec Fleur-Ange, on était allées le choisir, le dimanche d'avant. Aussitôt qu'on est revenues, ma fille l'a mis à terre pis v'là que mon Germain s'est mis à montrer le chien avec son doigt. Y criait :

— Bobo! Bobo!

Ça commençait à être inquiétant, c'te manière qu'avait le petit de parler encore comme un bébé, vu qu'il venait d'avoir ses quatre ans.

— Parle comme il faut, Germain! Le chien t'a mordu?

— Pas bobo à Germain. Bobo, lui!

— Bon, bon. C'est comme ça qu'y va s'appeler.

Bobo arrêtait pas de japper. On savait pas quoi dire, on filait mal. C'est la petite qui s'est réveillée la première et a montré des manières.

— Occupe-toi pas du chien, y mord pas. Tu t'appelles Mary? Moi, c'est Fleur-Ange. Viens, on va monter ta valise. Tu vas dormir dans ma chambre.

C'est pas pour critiquer, mais réellement, je me demandais ce qu'Antoine y trouvait. Elle avait la face et les bras couverts de taches de rousseur, les cheveux quasiment aussi rouges que le feu dans le poêle à bois. Ah, elle avait des beaux yeux, par exemple, ça, on peut pas dire le contraire. Des fois bleus, des fois verts. De la même couleur que le fleuve.

Fleur-Ange avait l'air de trouver sa future belle-sœur pas mal à son gout. Je les entendais rire toutes les deux pendant que Mary défaisait sa valise. Les deux filles sont redescendues en se tenant par la main.

Malgré que la Mary cassait son français, on avait pas de misère à la comprendre.

— *Please*, où il est, Antoine?

A fallu la mettre au courant. Lui dire qu'elle aurait pas sa bague de fiançailles pendant la messe de minuit, rapport qu'Antoine arriverait juste le lendemain.

On a veillé tard, ce soir-là, malgré que la petite demoiselle avait les yeux qui farmaient tu seuls. Pierre-Paul posait pas mal de questions: où c'est qu'elle avait rencontré Antoine, comment ça faisait de temps qu'ils se fréquentaient. Le plus vieux se mariait pis c'est lui qui aurait le bien en héritage, ça fait que c'était important de connaitre celle qui runnerait la maison un jour.

— Ça fait deux ans, le *Lily Belle* a accosté à Morlieux pour apporter de la marchandise. Toutes les matelots sontaient descendus, il faisait trop tempête pour partir *right away*. Les matelots *stayed* deux jours. C'est comme ça que j'ai connu Antoine. Après, il écrivait des beaux lettres à moi. Il disait qu'il aimerait voir moi encore. Il est revenu l'été dernière pour deux semaines. Il a parlé à mes parents qu'il voulait me marier.

Elle était toute rouge, la petite demoiselle. L'émotion, faut croire.

— T'as l'air fatiguée, Mary. Tu peux monter dormir si tu veux.

— *Oh, yes*. Le voyage, vous comprenez?

Les filles sont montées. Les filles! Ça me faisait toute drôle de dire ça, moi qu'en avais toujours eu juste une. Ben là, après les noces cet été, j'en aurais deux. Elles avaient l'air de ben s'adonner à part de ça.

Je regardais Pierre-Paul. Il avait pas l'air content.

— T'as de quoi qui te travaille, Pierre-Paul?

— Ouin. On la connait pas beaucoup, la petite demoiselle, mais d'après ce qu'elle nous dit, Antoine la connait pas ben gros lui non plus. Je me demande ben quelle sorte de mariage ça va faire.

— Qu'est-ce tu veux, Antoine est d'âge à se décider tu seul. Il est majeur, il a pas besoin de notre consentement pour se marier. Ça fait qu'on est aussi ben de pencher sur son bord. Et pis comme tu dis, on la connait pas, on peut pas savoir, comme tu dis, mais ça m'a l'air d'une bonne fille.

— Ah, toi, on sait ben, tu vois toujours les choses du bon côté.

— Pas toujours, non. Mais pense que Mary vient d'un village aussi petit que Roches-Noires. Si c'était une mauvaise fille, ça se parlerait. Le curé de sa paroisse a dû écrire au curé Bigot, comme c'est supposé. Ça fait que je pense qu'on peut être tranquilles pour la moralité de Mary.

— J'avais pas pensé à ça. M'en vas y parler, au curé.

— Ça presse pas, le mariage est juste pour l'été. Attends que Mary parte. À la regarder aller avec nous autres, on va pouvoir se faire une meilleure idée.

Vu que le mariage se ferait dans sa paroisse, sur la Côte-Nord, Mary avait pris le bateau pour venir se fiancer chez nous. Je trouvais ça courageux, moi, d'affronter toute une famille. Après toute, elle nous connaissait pas, elle non plus.

En tout cas, loin ou pas, y était pas question que je manque les noces de mon plus vieux! Aussitôt qu'on avait su pour les fiançailles, j'avais acheté de l'organdi au peddler pour la robe de fille d'honneur de Fleur-Ange.

Pierre-Paul était reparti tu suite après que les filles étaient montées. Probable qu'il était parti prendre un coup à

Rimouski. Depuis que Gérard Ruest siégeait à la mairie, c'était rare que mon mari mette le pied à l'Auberge du pendu.

J'espérais qu'il se mettrait pas en fête le soir de Noël. Au moins, si je pouvais pas inviter ma sœur, rapport à cette fameuse chicane, qu'on aille quand même un peu de bon temps. J'avais pas confiance, pour ben dire la vérité. Quand Pierre-Paul commençait à boire, il savait pas s'arrêter. Je comptais plus les fois où c'est qu'il m'avait fait honte devant le monde.

～

Le 24 au matin, après déjeuner, avec Fleur-Ange, on a emmené Mary au presbytère pour rencontrer le curé Bigot, comme c'était la politesse.

Ce curé-là, quand c'est pour chicaner le monde, la boucane y sort par les oreilles, pis le reste du temps, il est assez frette pour renfrédir n'importe qui. Là, c'était clair qu'il avait pas encore reçu la lettre du curé de Mary. Pis c'était clair itou qu'on le dérangeait.

— O'Shaunessy, vous dites? Ce n'est pas un nom français, ça. Vous êtes anglaise, mademoiselle? Protestante, aussi, je suppose? Notre sainte mère l'Église ne voit pas d'un très bon œil les mariages entre protestants et catholiques. Enfin! Dites toujours à votre pasteur de m'écrire. En français, s'il vous plait. Maintenant, vous allez devoir m'excuser…

Un peu plus, il nous mettait à porte net, fret, sec. Mais la petite s'est pas découragée. Elle a dit qu'elle était irlandaise, pis catholique, pareil comme nous autres. Pis que le curé de sa paroisse pouvait dire qu'elle était une bonne fille.

— Je vais dire au curé Gallant d'écrire à vous. Il parle français, *you know*.

— Comment, c'est Edmond Gallant qui est curé à Morlieux? Ça, par exemple! Nous étions ensemble au Grand Séminaire. Je n'ai pas encore reçu sa lettre, mais je vais lui écrire tout de suite. Vous êtes catholique, alors ça ne posera aucun problème pour le mariage.

Il a changé d'air du tout au tout tant il était content. Je pense ben que ça doit être une des rares fois où je l'ai vu sourire. Il a tendu la main à la fiancée.

— Je vous souhaite tout le bonheur possible, mademoiselle. Vous avez ma bénédiction.

C'était terminé, on pouvait s'en retourner.

On avait pas sitôt ouvert la porte du presbytère que le vent s'est engouffré en dessous de nos manteaux. Une chance, j'avais mes *bloomers*, Fleur-Ange itou. Mary avait beau être habituée au climat du fleuve, elle grelottait, la pauvre. Le frette devait pas être aussi pire sur la Côte-Nord, je suppose.

C'est drôle comme le monde parle du temps pareil comme si y avait matière à se vanter. L'été, t'entends dire qu'on a eu de la chaleur dépareillée, mieux que toute le reste de la province, pis l'hiver, on se pète les bretelles pour dire qu'y a fait frette icitte comme nulle part ailleurs.

Justement, Mary a demandé :

— Il fait froid toujours *like this* ?

— Non, au contraire. D'habitude, on a du temps à grosse neige à Noël. Le vent devrait tomber betôt. Fleur-Ange pourra te faire faire le tour du village et t'emmener au bord du fleuve. Savais-tu que Roches-Noires, c'est un des plus beaux villages du Bas-du-Fleuve ? D'après les savants, les roches qui ont donné le nom au village sont là depuis des mille pis des mille ans.

J'étais partie pour la gloire. Quand je parle du fleuve, moi, j'en aurais pour des heures. Mais là, les petites claquaient des dents.

— Bon, ben en attendant, arrivez, les filles, on va se réchauffer.

— Tony doit avoir froid, lui aussi.

— Tony ? Ah, Antoine ! C'est comme ça que tu l'appelles ? Ça fait drôle. En toué cas, crains rien, ma fille, ton fiancé est habitué au frette. Il est fort, mon fils. Ça va te faire un bon mari.

J'ai passé proche de dire que ça lui ferait de beaux enfants aussi, mais avec Fleur-Ange qui écoutait, j'aimais mieux pas parler de ça.

Ma future belle-fille avait le visage rouge, je savais pas si c'était de joie ou bedonc si c'était le vent qui jouait avec elle. On a enlevé toute notre grément d'hiver. J'ai mis mon tablier.

— Faut que je commence ma boulange.

— Boulange? *I'm sorry. What does it mean*, boulange?

Juste un peu après dîner, Philippe est arrivé. Poussé par la curiosité, je suppose. Peut-être aussi par le vent qui faisait entendre sa complainte. Ça sifflait, ça lyrait, on aurait dit un beau chant triste, comme mon Antoine aime en jouer sur sa musique à bouche.

Philippe nous chantait pas une aussi belle chanson :

— C'est du temps à danger qu'on a. Ça va continuer encore pour une couple de jours. Y a des bateaux qui vont avoir de la misère.

Celui-là, des fois, j'aurais filé pour lui faire manger une bonne claque.

— Tu parles d'une affaire à dire, petit morveux ! Tu vois pas que la fiancée d'Antoine se ronge déjà les sangs, là, pis que moi, je suis toute virée à l'envers? T'es-tu obligé d'en remettre?

Quand il avait une affaire dans tête, cet enfant-là, parsonne le faisait changer d'idée.

— C'est pas pour vous inquiéter, madame Lepage. C'est juste que je le sens dans mes os qu'on va avoir du mauvais temps pis que ça va durer longtemps.

— Dans tes os ! On croirait entendre parler un petit vieux de quatre-vingt-dix ans !

Il a continué comme s'il m'entendait pas.

— On est pas près de revoir les étoiles dans le ciel.

— Les étoiles, astheure ! En plein après-midi ! Si c'est rien que ça que t'as à dire, t'arais pu rester chez vous. Que c'est que t'es venu faire icitte, au juste ?

— J'ai une commission pour vous. Ma mère fait dire qu'elle va à Rimouski si vous avez besoin de quèque chose. Je sais pas si elle pourra se rendre parce que la tempête va commencer betôt.

Mary écoutait le petit parler et je voyais son visage pâlir d'inquiétude.

— Bon. T'as fait la commission, tu peux dire merci à ta mère, mais j'ai toute ce qu'y faut. Écoute, mon gars, je sais que tu fais pas ça pour mal faire, mais j'aimerais mieux que tu parles pus de tempête. Le vent a tombé, le ciel va se clairer, là. Retourne chez vous, dis à ta mère qu'on ira faire un tour avec la promise d'Antoine d'icitte deux ou trois jours.

Plus tard, j'ai su que Gemma s'était pas rendue à Rimouski. Son gars avait tellement insisté qu'elle s'était contentée d'aller au magasin général.

— Vous pourrez pas revenir, sa mère. Les chemins vont être bloqués pis vous allez être stuckée à Rimouski.

Le ciel était clair, pourtant, même si on voyait pas d'oiseaux.

Les clients se sont pas gênés pour étriver Philippe quand il a commencé à parler de gros temps. Avec ce qui s'était passé pour le feu de Rimouski, on aurait pourtant dû se douter que le jeune pouvait avoir raison. Non, c'était comme si on avait toute oublié. A fallu avoir la tempête drette à nos portes pour y craire.

La première chose qu'on a su, on n'avait plus de courant. Pas de téléphone non plus. C'était pas pour ça qu'on entendait rien. Les têtes des clous pétaient au frette, les murs criaient, le plancher craquait. Les bardeaux se lamentaient à force que la mauvaise température les malmenait. La neige dessinait des paysages sur les vitres. Fallait chauffer le poêle au rouge tant la bourrasque travaillait fort à faire geler les fils électriques.

De ma souvenance, c'était ben la pire tempête de l'histoire du Saint-Laurent. Pourtant, j'en avais vu une, pis une autre. Mais des comme celle-là, jamais. On voyait ni ciel ni terre, rien qu'un tourbillon blanc sur fond gris. On savait même pas si c'était le jour ou bedonc la nuitte.

Pour une fois, j'étais contente d'avoir les lampions à Fleur-Ange. On les a allumés pour avoir un peu de lumière. Ça nous évitait de se cogner contre les meubles. Par chance, les enfants m'avaient rentré du bois en masse. J'en avais de reste pour chauffer le poêle. On a pu manger chaud.

Vu que j'avais fait toute mon manger des fêtes, y restait juste à le réchauffer. Mary a trouvé ma tourtière ben bonne. Elle m'a demandé ma recette. Les deux filles m'aidaient tout le temps, ça faisait drôle à cause que j'avais juste l'habitude d'avoir Fleur-Ange pis que ma pauvre petite était pas forte. Mary, elle, était ben vaillante. Je commençais à me dire que ma future belle-fille était dépareillée.

— On va pas à messe de minuit, sa mère?

— Pauvre Fleur-Ange, parsonne peut sortir sans risquer de partir au vent. Même si le curé dit sa messe de minuit, y aura pas grand monde, je te le garantis.

On est restés collés ensemble dans maison. La tempête nous a volé notre Noël.

Je me faisais du sang noir. Bernard était parti dans la famille de sa blonde, il reviendrait juste pour le jour de l'An. Claude avait fait dire qu'il resterait à Québec, chez une cousine à moi. Donat passait les fêtes dans sa communauté.

J'avais pas de nouvelles de mes sœurs. Et je pouvais même pas téléphoner pour savoir si tout était correct à l'Ile.

On savait rien du *Lily Belle* non plus, même pas s'il avait pu accoster à Pointe-au-Père. Arrivé ou pas, il y avait aucun moyen pour Antoine de s'en venir jusqu'à Roches-Noires. Toutes les chemins étaient barrés.

Trente-six heures de vent enragé, de fions méchants, de poudrerie serrée, de souleur au cœur, d'empêchement de dormir. Quand il s'agit de tes enfants, la peur te tord les entrailles.

Pierre-Paul avait pas l'air de s'en faire avec ça, lui. Il était assis dans sa berçante, occupé à vider les bouteilles qu'il avait achetées supposément pour passer la traite pendant le réveillon pis la veillée. Il disait que vu que parsonne pouvait en profiter, fallait aussi ben que ça se gaspille pas. Comme si la boisson, ça se gaspillait... N'importe quelle excuse pour boire ! Quand il était parti comme ça, y avait pas moyen de raisonner avec lui, même avec une étrangère dans maison.

Fleur-Ange pis Émile essayaient de chanter des chants de Noël, mais ça restait pris dans gorge tant on avait pas l'idée à la réjouissance. Des fois, Mary chantait avec eux autres aussi, quand elle connaissait la chanson ! M'en vas vous dire une affaire, c'était pas mal drôle d'entendre les paroles en anglais pis en français en même temps ! À part de m'aider quand j'avais besoin pis de chanter avec les deux flos, Mary jouait au parchési avec Émile. Bobo dormait sous la table presque tout le temps. Aussitôt que j'avais une minute, je prenais mon crochet pour m'occuper les mains.

J'entretenais le poêle pour garder un accroire de chaleur. Parce qu'on avait beau pas avoir du frette dans le corps, le sentiment nous gelait à penser aux ceusses qu'étaient pas avec nous autres.

Le ronflement des flammes arrivait pas à enterrer le bruit de la bourrasque. Je pense que j'ai dû m'assoupir parce que d'un coup, je me suis revue chez nous, à l'Ile, pas longtemps après qu'on avait su pour mon père.

On était réunis, tout le monde, autour du poêle. Mon frère bourrait sa pipe. Il s'est tourné vers ma mère en disant :

— Si vous voulez mon idée, sa mère, on n'est pas rendus au boutte de l'hiver. Avec un temps à bourrasque de même, y va y avoir des deuils dans paroisse, sûr et certain.

Dans mon rêve, ma mère s'était mise à pleurer; nous autres, les plus jeunes, on avait suivi.

Le chien s'est lamenté. Ça m'a réveillée en sursaut.

Pierre-Paul s'est levé, il est allé jeter un coup d'œil dehors. C'était le petit jour, le vent avait arrêté ses folleries. La neige arrivait quasiment jusqu'au milieu de la porte.

Émile m'a regardée d'un drôle d'air.

— À quoi vous jonglez, sa mère, pour être blême de même? On dirait que vous avez vu un revenant.

— Tu trouves? C'est rien. J'ai caillé pour un boutte, j'ai dû rêver, je crairais ben.

On n'a plus jamais entendu parler du *Lily Belle*.

Quand les chemins ont enfin été débloqués, que le téléphone pis l'électricité sont revenus, les «autorités», comme on les appelle, ont envoyé des télégrammes partout, y ont parlé aux capitaines d'autres bateaux, y ont rien trouvé. C'était comme si le bateau avait pas existé.

La tempête a emporté avec elle une autre partie de ma vie. On aura beau dire, le cœur d'une mère, c'est fragile. À force d'en arracher des morceaux, des fois, ça casse. Tu peux pas toujours le recoller.

Ma peine, je l'ai gardée en dedans. Ça servait pas à grand-chose de crier, même si c'est ça que j'aurais voulu faire. Tu te révoltes, tu comprends pas pourquoi tes enfants partent si jeunes pis que toi, faut que tu restes.

Pierre-Paul est allé reconduire Mary O'Shaunessy au quai de Rimouski. Il était pas trop de bonne humeur parce qu'elle avait pas voulu attendre la bénédiction du jour de l'An avant de s'en aller. Ben moi, je comprenais.

Elle est partie sans regarder en arrière. Veuve avant d'être mariée.

Au cimetière, on a fait mettre une inscription :

À la mémoire
d'Antoine LEPAGE
péri en mer en sa vingt-deuxième année
un jour de tempête.
Que Dieu soit avec lui.

Une inscription, une croix, ça ramène pas un homme. La mer est jalouse, ça, je le savais déjà. Le plus souvent, elle garde les corps. J'ai pardu la vue de mon grand gars, ses yeux brillants, ses cheveux frisés. J'ai pardu la voix d'Antoine quand il parlait du fleuve pis de sa musique.

Trente-six heures d'enfer. Je pouvais pas m'empêcher de penser que mon Antoine avait dû souffrir terriblement avant de mourir. Apparence que les vagues avaient ben proche vingt pieds de haut.

Au phare, Rosaire Lévesque a craint pour sa vie. Pourtant, lui non plus avait pas cru l'avertissement de son neveu. Il devait se faire du mauvais sang parce qu'il avait pas vu venir la tempête pis que quand t'es gardien de phare, faut que tu connaisses la mer autant quand elle se fâche que quand elle est belle.

Je suppose qu'il devait se dire : « Quand tu ressens plus le temps à venir dans ton intérieur, t'es trop vieux pour faire ton ouvrage. C'est l'heure de laisser la place à un jeune. »

Mais pour trouver un jeune qui le remplacerait, ça, par exemple, ça serait pas facile. Ça prenait quelqu'un qui comprenait le langage du fleuve, qui était capable de faire la différence entre une complainte ou un cantique.

Philippe ? Sûr, le fils de sa sœur Gemma était capable de voir venir les tempêtes, il l'avait prouvé, mais il était encore pas mal jeune. En plus, Rosaire créyait pas que Philippe resterait au village quand il serait en âge de partir.

Le maire Ruest avait fait annoncer au prône que toutes les ceusses qui avaient besoin d'aide pour nettoyer pis réparer après la tempête avaient juste à se rendre à l'auberge donner leur nom à Réjeanne Desbiens. La fille du notaire marquait les demandes sur un papier pis, par après, il fallait remplir une formule. Ceusses qui savaient pas lire ou écrire pouvaient se faire aider.

Quand les inscriptions ont été finies, le maire a décidé que les réparations se feraient d'abord pour ceusses-là qu'en avaient le plus besoin. La première place qu'il fallait réparer, c'était le phare pis la maison à Rosaire Lévesque. Après, ça serait le dispensaire de la garde, la boulangerie pis l'auberge. La chapelle de Pierre-Paul serait réparée en dernier.

Pierre-Paul a passé proche de s'étouffer quand il a su qu'il passait après tout le monde.

— Non mais, vous êtes malades! Depuis quand la Sainte Vierge passe en dernier? Le vent a quasiment toute jeté à terre dans chapelle, on peut pas laisser ça comme ça, quand même!

Apparence que le maire Ruest a lâché un grand soupir. C'est vrai que la séance du conseil serait pas mal longue si Pierre-Paul commençait à faire du trouble pour une affaire aussi claire.

— Parle donc avec ta tête, Pierre-Paul! C'est le phare qu'on peut pas laisser comme ça. Me semble que ça coule de source. Pas de phare, ça veut dire des bateaux en perdition. C'est ça que tu veux, peut-être?

Des fois, les mots, ça peut faire ben du mal. Je pense ben que le maire a pas réalisé sur le coup qu'on venait de parde notre Antoine dans tempête. Pour une fois dans sa vie, Pierre-Paul a pas dit un mot, il a pas fait de scène. Il est sorti, il a pris le bord de la maison. Quand il est arrivé, on avait juste à le regarder pour savoir qu'y s'était passé quelque chose de grave. Dans ces temps-là, je le questionnais pas, j'attendais qu'il me dise que c'est qui se passait.

Il a mis sa tête dans ses mains pis il a pleuré.

Le lendemain de la séance du conseil, Ludo est venu à maison avec Zotique Bernier.

— Tout le monde comprend que tu seyes parti vite hier soir, Pierre-Paul. Gérard Ruest a pas voulu mal faire, tu peux être certain de ça. Il se sentait mal sans bon sens. Avec Zotique, on a pensé qu'on pourrait venir te porter la cédule des travaux. On commence tout de suite lundi à travailler au phare. Faut que toute seye en ordre à la fin de la semaine au plus tard. Après, on va réparer sur Rosaire. J'ai dit à l'assemblée qu'on pouvait compter sur toi. Me fais pas mentir. Tu vas venir aider ?

— Non. J'irai pas. Je veux rien savoir. J'ai de l'ouvrage en masse, icitte. Et pis, c'est pas parce que Lévesque est échevin qu'il a le droit de passer en premier.

Le beau Zotique était pas pour manquer une occasion de se chicaner, comme de raison.

— Rosaire passe pas en premier parce qu'il est conseiller municipal, mais parce qu'il est gardien du phare. Sa maison est maganée effrayant, tu l'as vu pareil comme nous autres. Ça prend juste un sans-dessein comme toi pour pas comprendre ça !

— Si t'es venu pour m'insulter, Zotique, je te retiens pas. Sacre ton camp, ça presse !

Les trois hommes ont arrêté de parler. Ils se regardaient dans face. Tout d'un coup, on a entendu une petite voix :

— Je vas prier, dire un chapelet pour que tout le monde s'accorde. La Sainte Vierge laissera pas le village dans le trouble, vous le savez, son père.

Ludovic en a profité :

— La vérité sort de la bouche des enfants, mon frère. Et pis, quand ben même tu voudrais, tu peux pas travailler à la chapelle tu suite, y a six pieds de neige à déblayer sur toute la longueur du terrain. Écoute, viens nous aider. Au printemps, aussitôt que la neige sera fondue, je te promets qu'on va finir la chapelle en un rien de temps. Il reste quasiment pus rien à faire.

— Je vas y jongler.

C'est toute ce que Rosaire pis Zotique ont réussi à avoir. Pis encore, c'était pas avec leurs arguments, c'était la petite qu'avait réussi à les faire se parler comme du monde.

Chapitre 20

La petite fille de porcelaine !

Pas longtemps après Noël, Fleur-Ange a recommencé à faire de la toile. Quasiment à toute minute. Le docteur Lemieux est venu deux fois. La deuxième fois, il en avait gros à dire.

— Une enfant qui passe presque toutes ses journées enfermée à prier, c'est pas normal. Pas étonnant qu'elle s'évanouisse fréquemment, elle est très faible. Elle s'alimente bien ? Je parierais qu'elle se prive.

— C'est vrai, ça, Fleur-Ange ? Tu manges pas à ta faim ?

— C'est pour faire des sacrifices. Pour racheter nos péchés.

J'en revenais pas ! J'avais donc eu tellement la tête ailleurs que j'avais pas vu que ma petite fille se rendait malade ?

Le docteur était pas content.

— Faut prendre soin de ta santé, tu comprends ? C'est toujours pas la Sainte Vierge qui t'a demandé de ne pas manger ?

— Non. Elle a juste dit qu'il fallait prier pour que le bon Dieu pardonne nos péchés.

— Bon. Dans ce cas-là, on va voir à te faire reprendre des forces. Tu vas me promettre de manger comme il faut. Après, on pensera à te retourner à l'école. Pour le moment, il faut sortir dehors, prendre l'air.

— Quand c'est que je vas pouvoir prier ?

— Le soir, avant de te coucher, si tu veux. Pas pendant des heures, par exemple. Il faut dormir. Le sommeil, c'est important aussi.

Fleur-Ange était tellement blême que ça faisait peur. Elle a farmé les yeux et on est descendus, le docteur pis moi. J'avais les jambes pesantes pis encore, je savais pas que rendue en bas, le docteur Lemieux allait me planter un poignard dans le cœur :

— C'est très sérieux, madame Lepage. Votre fille est anémique, son état se détériore. Elle est fragile comme de la porcelaine, cette enfant-là. Si elle continue à se priver de nourriture, elle va passer en faiblesse avant la fin de l'année.

Quand le docteur est sorti de chez nous, Bobo dormait à côté du poêle. Il a ouvert un œil, il a vu que la visite s'en allait, ça fait qu'il est monté se coucher à côté de la petite. Ce chien-là, c'était pas un chien, c'était quasiment l'ange gardien de la petite. Il devait sentir qu'elle était malade, ça fait qu'il se collait contre elle, comme pour y donner de la chaleur. Pierre-Paul voulait pas, moi, je laissais faire. Je savais que la petite était ben attachée. Et pis pour une fois qu'y avait quelqu'un qui l'aimait, j'étais pas pour y ôter.

Quand il était pour arriver un malheur, le chien de l'auberge le faisait savoir, lui, mais y avait juste ceux qui allaient être éprouvés qui l'entendaient. Si tu marchais un matin dans rue pis que tu rencontrais quelqu'un qu'était blême avec les yeux cernés à cause qu'il avait entendu ce damné chien, y avait de grandes chances pour qu'un de sa famille aille prendre pension au cimetière dans les jours qui venaient.

Pour Antoine, on n'avait rien entendu, la bourrasque était trop forte. Ben pour Fleur-Ange, j'avais pas l'intention d'attendre un signe avant de faire quelque chose.

Ma fille allait vivre. Même s'il fallait que je me batte contre le monde entier. À commencer par son sans-cœur de père qui pensait juste à lui dans cette affaire-là. Le père d'une sainte ! Ben moi, j'aimais mieux être la mère d'une petite fille ben ordinaire, pis la garder avec moi.

Quand tu restes dans un village, c'est aisé de savoir c'est quoi qui se passe chez les voisins. Ils avaient vu arriver le docteur, ils l'avaient vu partir, ils savaient qu'on avait quelqu'un de malade. Quand le monde s'informait, Pierre-Paul faisait comme si de rien n'était.

— Ma femme fait demander si vous avez besoin…

— Ben non, tu diras à Jeanne-Mance de pas se faire de bile, Rose-Délima a pogné les nerfs pour rien. Toute est ben correct.

J'ai fait toute ce que le docteur disait. Pierre-Paul continuait de vivre dans un rêve. Pas moi. Du foie, des épinards, j'ai suivi la diète à la lettre. A fallu un bon deux mois avant que Fleur-Ange retrouve ses couleurs. Je me suis juré qu'elle les pardrait plus.

Quand le docteur a trouvé qu'elle était assez forte pour retourner à l'école, j'ai parlé à son père. Il voulait rien savoir, mais j'ai tenu mon boutte. Depuis le temps que je le connaissais, mon entêté de mari, je savais comment le prendre.

— Ça va t'avancer à quoi d'avoir une fille ignorante ? On va faire rire de nous autres pis elle itou, c'est toute ce que tu vas gagner.

À vrai dire, c'était pas que je trouvais ça si important que ça, que ma fille seye instruite. Je le suis pas beaucoup, moi, avec ma cinquième année. Ça m'a pas empêchée de me marier pis d'avoir une famille. Mais j'avais dans ma tête d'avoir une enfant en santé. Ça fait que si la santé passait par l'école, ben ma fille irait à l'école.

J'ai parlé fort. À Pierre-Paul. À la Mère supérieure itou. Des fois, c'est ça que ça prend. J'ai gagné. Fleur-Ange a repris la classe au mois de mars. Elle était en retard, comme de raison, mais avec l'aide de son frère Émile pis de Philippe Bernier, elle s'est rattrapée. Elle a passé ses examens de fin d'année comme les autres.

Cet été-là, je m'étais juré de surveiller ma fille, de voir à ce qu'elle continue de manger comme il faut, de l'obliger à aller dehors, même s'il fallait me fâcher. Le docteur m'avait fait tellement peur ! Pas question que je la laisse se casser, ma petite fille de porcelaine.

⁓

Les touristes étaient arrivés. Au village, y en avait qui louaient des chambres ou qui offraient chambre et pension, même.

Comme par les années passées, Ludovic avait sorti toute son attirail de statues de bois. Sauf que cette année-là, il vendait juste des affaires pieuses. Il mettait toute ça sur une sorte de comptoir, devant chez eux, au bord de la route 132. Le monde arrêtait, achetait sans bon sens. Les statues de la Sainte Vierge se sont vendues tellement vite que Ludovic a été obligé de recommencer à sculpter par les soirs.

Gemma Bernier avait un comptoir, elle avec. Elle vendait des pantoufles tricotées à main, des couvartes tissées au métier, des napperons crochetés, de la confiture maison. Les touristes avaient beau être achalants, des fois, les ventes d'été, c'était comme une manne pour nous autres.

Toutes les matins, à la barre du jour, avant d'aller au chantier, Pierre-Paul partait pêcher de la morue qu'on salait ou qu'on vendait fraiche. Moi, je faisais du pain de ménage. J'ai toujours aimé ça, pétrir. Ça sent bon, c'est de l'ouvrage plaisant, ça fait comme le mouvement des vagues sur la grève. Faire du pain, c'était ma manière à moi de jongler à des belles affaires. Je le faisais bon. J'avais pas de misère à trouver des clients, je vous en passe un papier.

À Roches-Noires, le fleuve est dépareillé. Le paysage est « noble », comme ils disent dans les papiers pour les touristes quand ils sont au meilleur de leur expression. L'auberge était remplie à craquer, toutes les chambres louées, Gérard Ruest avait même engagé deux des filles à Zotique pour aider tant y avait de l'ouvrage.

Au mitan du mois d'août, juste avant l'Assomption, c'était la folie furieuse. Ça débarquait à pleins chars avec des licences des États. Les autobus fournissaient pas d'arriver. On aurait dit une déferlante qui se jetait sur nous autres.

Je pouvais quasiment plus envoyer Fleur-Ange dehors pour qu'elle prenne l'air. Le monde se garrochait dessus quand ils la voyaient.

Il se passait pas de journée sans que les chars s'arrêtent le long de la route. Il y avait du monde partout, dans la cour, autour de la chapelle.

Pierre-Paul avait mis un tronc pour les dons, dans chapelle. Eh ben, ça débordait! Y en avait qui s'arrêtaient pour parler à Fleur-Ange, qui lui donnaient de l'argent, aussi. Quand la petite était pas là, ils laissaient les cennes à terre, sur le pas de la porte ou sur le siège de la balancigne.

Un soir, Pierre-Paul a compté devant moi l'argent qu'était rentré dans une journée: ça montait à presque vingt-cinq piasses. Le salaire d'une semaine!

~

C'est arrivé le samedi de l'Assomption. Avec Fleur-Ange, on est allées à la messe le matin, de bonne heure. On a eu de la misère à rentrer tant l'église était pleine. On s'est mises dans un banc au fond pour pas se faire remarquer. C'était rendu qu'on pouvait même plus faire nos dévotions en paix, ma grand foi du bon Dieu.

Vers les deux heures de l'après-midi, c'est parti en grande. Le comptoir était vide, on avait toute vendu. J'étais occupée à raccourcir une robe. C'était tranquille, j'avais dit à Fleur-Ange qu'elle pouvait aller se balancigner dehors, en arrière. Germain jouait dans le sable avec un truck.

La première chose que j'ai entendue, c'est le bruit des brakes. Ensuite, un coup, des portes de char qui se rouvraient, pis Germain qui s'est mis à crier comme un pardu. Bobo était couché à terre sur l'asphalte avec du sang qui coulait de son oreille. Mort.

Quand je suis sortie par en avant, les deux enfants étaient plantés deboutte, figés ben raide, à regarder le chien. Dans le temps de le dire, y est arrivé quatre autres chars pleins de touristes qui venaient voir la chapelle. Ils ont débarqué, ça virait la tête de tous bords, tous côtés. Il y a un homme qu'a vu Fleur-Ange au bord du chemin. Il s'est approché. Quand ça s'est su qu'il parlait à celle qu'avait les apparitions, ça a été du délire. Le monde voulait la voir, la toucher, des vrais fous, ma foi.

Une femme s'est mise à genoux devant ma fille, elle a tiré sur le bord de sa robe jusqu'à la déchirer. La petite est partie à pleurer de plus belle, Germain hurlait quasiment.

J'ai pris les enfants par la main pis j'ai crié au monde :

— Allez-vous-en ! Laissez-nous tranquilles. Vous voyez pas que mon gars a de la peine pis que sa sœur est quasiment pâmée ?

Il y avait un homme, un grand fanal, qui semblait pas être avec les autres. Il a crié :

— Sainte Fleur-Ange, priez pour nous !

J'ai fait ni une ni deux, je suis rentrée avec les enfants pis j'ai barré la porte d'en avant.

Germain continuait de brailler, Fleur-Ange avec. Fallait que je fasse quelque chose pour calmer mes deux moineaux.

— Assisez-vous, les enfants. Pleure pas, mon bonhomme, on va en avoir un autre chien. Betôt. Là, m'en vas monter vous chercher un jeu, vous allez vous amuser tranquilles en dedans aujourd'hui. Le monde va finir par s'en aller. Après, vous pourrez sortir.

J'étais enragée noir. Penser que ces gensses-là privaient mes enfants du grand air… Le docteur avait pourtant dit que c'était important de les faire jouer dehors. Je commençais à penser qu'on pourrait peut-être envoyer Fleur-Ange chez ma sœur à l'Isle-aux-Brumes. Juste pour une semaine ou deux, avant l'école. Me semble que ça y aurait fait du bien. C'est vrai qu'avec Hormidas qui filait pas, Clarisse en avait plein les bras.

Quand je suis rentrée dans chambre à Fleur-Ange, je suis arrivée face à face avec un fouineux qu'avait un kodak sur son épaule. Il avait dû rentrer par en arrière pendant que j'étais dans rue à parler avec les touristes, je suppose. Je l'ai surpris en train de fouiller partout.

— Qu'est-ce que vous faites là ?

Il m'a tendu la main, pas plus gêné que ça.

— Frank Noroît, journaliste. Vous êtes la mère de Fleur-Ange ? J'aurais quelques questions à vous poser. À votre fille, aussi.

Non, mais tu parles d'un effronté !

— Je répondrai pas pis ma fille non plus, sainte bénite !

— Je fais mon travail, madame. Il faut bien que la population soit informée si votre fille a vraiment vu la Sainte Vierge.

— Comment ça, si elle a vraiment vu ? Êtes-vous en train de traiter ma fille de menteuse en plus, là vous ? À part de ça, vous êtes dans une maison privée, vous saurez. Allez-vous-en, vous avez pas d'affaire icitte.

Il m'a regardée comme si j'étais folle raide pis il a continué à ouvrir les tiroirs.

A fallu que j'appelle Pierre-Paul pour le forcer à sortir.

Apparence que j'aurais été mieux d'y répondre, à ce fameux journaliste. C'est effrayant ce qu'il a dit de nous autres dans sa gazette. J'ai toujours gardé son papier, je sais pas trop pourquoi. Peut-être pour pas oublier comment c'est que le monde peut être méchant.

L'Écho du large, mercredi 20 aout 1953
SAINTE BÉNITE !
François Noroît, envoyé spécial

Il n'y a pas pire aveugle que celui qui ne veut pas voir. Depuis quelque temps déjà, c'est tout le Bas-Saint-Laurent, voire la province au grand complet, qui est en passe de souffrir de cécité !

« *Sainte* » *Fleur-Ange Lepage n'a pas d'apparitions. C'est une jeune fille maltraitée par un père cupide qui profite d'elle.*

Il s'en faut de peu pour joindre à cet état de fait la complicité du curé Bigot, plus habile à étouffer quelques phrases anodines avec sa soutane qu'à porter véritablement ses culottes en chaire ou à cuver son vin de messe. Monseigneur l'archevêque Sansoucy, quant à lui, vénère le silence et ne ramène pas tout ce beau monde à l'ordre.

Combien d'entre vous ont sacrifié leurs économies, gagnées après de durs labeurs, pour prendre le train en direction de Sainte-Anne-de-Beaupré ? Combien d'entre vous ont eu les pieds gelés, il y a maintenant de cela quinze ans, en allant rendre un dernier hommage au frère André parce qu'ils l'avaient rencontré à sa petite cabane sur la montagne ? Deux exemples de l'expression d'une véritable foi. Ici, nous avons affaire à une jeune fille mal nourrie pour faire croire à l'extase. Une famille prête à transformer sa progéniture en veau d'or. Mesdames et messieurs, c'est Satan lui-même qui en appelle à votre naïveté et à votre portemonnaie.

Je l'ai vue, cette jeune prodige. Elle ne fait que répéter toujours la même phrase : « Il faut prier pour les pêcheurs. » Ou bien la Vierge Marie n'a pas grand-chose à nous dire, ou bien c'est sur le quai de Roches-Noires qu'il faudra amener Fleur-Ange. Prier pour nos pêcheurs !

Lucille Bonenfant, voisine des Lepage et femme honnête et respectée s'il en est, a été témoin d'une scène de ménage où le père a refusé que sa protégée mange du lard. Sans doute considère-t-il que l'état de faiblesse de l'enfant est garant des apparitions ? Leur fréquence est directement proportionnelle à la diminution des forces de la petite fille. Lorsque vous la voyez, la jeune Fleur-Ange n'est pas en extase, elle est au bord de l'évanouissement.

Quand leur fils Antoine a disparu, au cours de la désormais célèbre tempête de Noël dernier, la peine de la famille Lepage ne s'est pas exprimée. Seuls importaient les travaux de réfection à la petite chapelle. Plusieurs personnes qui ont côtoyé la famille pendant la période de deuil vous le confirmeront.

Il est temps que ce cirque religieux prenne fin pour préserver ce qui reste de nos âmes. À preuve, la Sainte Vierge aurait même vu le coup venir en soufflant à l'oreille de la petite que personne ne voudrait la croire. Trop facile, monsieur Lepage! Si vous me trouvez dur, sachez que mon combat ne fait que commencer en ces pages.

J'ai appris que vous avez eu le culot d'inviter l'honorable Maurice Duplessis, notre premier ministre et notre procureur général. Il n'est pas question que Roches-Noires devienne la risée de notre belle province de Québec. Nous ne méritons pas un tel sort.

Nous n'admettons pas qu'un regrattier des âmes du type de Pierre-Paul Lepage s'interpose devant notre sainte mère l'Église et notre pape Pie XII en déclarant sa fille sainte. Il est là, le véritable péché! Comme il est péché de vendre à pression ces horribles sculptures signées Ludovic Lepage.

Nous n'acceptons pas de faire rire de nous alors que le miracle de guérison se mesure à l'offrande versée. C'est un scandale que personne ne semble évaluer à sa juste valeur. Le miracle, dans toute cette histoire, c'est de constater toute la crédulité dont l'être humain est capable. Au jour de l'éveil, monsieur Lepage, vous ne rencontrerez personne, je dis bien personne, qui vous prendra en pitié. Non, personne. Pas même notre Sainte Vierge.

Pour une fois, tout le monde sauf Zotique était de notre bord. C'est ben beau les chicanes de village, mais ça prenait un journaliste sans-génie en torpinouche pour écrire des affaires pareilles! Dire qu'on avait pas eu de peine pour Antoine pis que ma fille était menteuse! Pis se moquer de mon patois, sainte bénite!

Qui c'est qu'avait pu y parler en mal de nous autres de même? Ça serait-tu Zotique? Il était toujours content quand c'est qu'y arrivait de quoi de déplaisant à notre famille.

— Pourquoi vous faites pas un effort pour vous raccorder, Zotique pis toi? Après toute, la chicane a l'air de dater de quasiment cent ans, me semble que ça serait le temps d'oublier ça, tu penses pas?

— Mêle-toi pas de ça, Rose-Délima. Zotique est un infâme, ça toujours été comme ça, pis ça va toujours être comme ça. Apparence qu'il a été vu avec le journaliste pas plus tard qu'avant-hier. T'as vu ce que ça donné ? Ben trop content si y peut nous nuire, celui-là. Pis c'est avec cet escogriffe-là que tu voudrais que je me raccorde ? Jamais, t'entends, Rose-Délima ? Jamais ! Astheure, je m'en vas voir le notaire. J'ai d'autre chose à faire que de m'occuper de Zotique, moi.

— Voir le notaire ? Pour quoi c'est faire ?

— Tu le sauras dans le temps comme dans le temps.

Je pouvais juste espérer que mon escogriffe à moi allait pas s'embarquer dans une affaire qu'avait pas d'allure. Ben, ça pas été long que j'ai su ce qu'il mijotait parce que, pour une fois, il m'a conté que c'est qui s'était passé sur le notaire, et pis pour une fois, je trouvais que c'était une bonne idée.

⟋⟍

Apparence que le notaire Desbiens devait avoir lu les gazettes, lui itou, parce qu'il était comme un peu gêné.

— Qu'y a-t-il pour votre service aujourd'hui, monsieur Lepage ?

— Je voudrais acheter le terrain en amont du mien. Bonenfant devrait vendre sans problème, je sais qu'il en fait rien pantoute.

— Attendez ! Il s'agit bien de la bande de terre très étroite qui jouxte votre propriété ? Mais, mon cher ami, si Albert Bonenfant n'en fait rien, c'est précisément qu'il n'y a rien à en faire ! Pourquoi vous encombrer de ce lot ? Il est impossible d'y faire pousser quoi que ce soit, ce n'est que de la pierraille.

— Je sais, mais j'ai mon idée, voyez-vous.

— Et cette idée ?

— Ah, ça ! J'aime mieux rien dire pour astheure.

— Comme vous voudrez. Si vous avez de l'argent à gaspiller, ce sont vos affaires, après tout. Je fais préparer une offre d'achat. Vous pouvez revenir la signer demain.

Pierre-Paul a sorti du bureau du notaire avec un grand sourire.

———

Les celles qu'ont dû avoir la fale basse, c'est les filles du notaire. Parce qu'a pouvaient pas savoir pourquoi Pierre-Paul voulait acheter le lot vu qu'il l'avait pas dit au notaire. Je les entends d'icitte :

— On peut toujours alléguer qu'il perd la tête, mais ça ne nous avance guère pour connaitre ses projets.

— Cet homme a toujours été impulsif. Nous en savons quelque chose avec cette histoire de testament. De là à le croire fou, c'est tout de même aller un peu loin ! Non, on ne m'enlèvera pas de la tête qu'il doit certainement avoir une bonne raison pour désirer entrer en possession d'un terrain qui n'a aucune valeur.

— Et que cette raison doit être en rapport avec son étiquette de « père d'une sainte ».

— Reste à savoir si le père d'une sainte est un saint. Parce qu'alors, on pourrait en informer les journaux ! Ce jeune Noroît me parait avoir une belle carrière devant lui.

— Il est vrai qu'on parle beaucoup de ces visions, actuellement.

— Trève de plaisanteries. La jeune Fleur-Ange joue bien son jeu.

— Tu penses vraiment qu'elle feint, comme le prétend ce journaliste ?

— Évidemment ! Tu ne vas tout de même pas me dire que tu crois à ces apparitions, Reine ? Je ne t'aurais pas crue aussi naïve !

———

Ça pris encore une couple de jours avant que le monde sache c'était quoi l'idée de Pierre-Paul.

Aussitôt que les papiers ont été signés, mon mari s'est fait aider par Ludo pour apporter des planches pis des outils sur le terrain. Même Zotique a pas pu s'empêcher de venir écornifler. Il les a attrapés sur le pas de la porte et pis il a apostrophé Pierre-Paul :

— Qu'est-ce que tu manigances, pour l'amour ? Tu vas pas te mettre à bâtir sur ce terrain-là ?

— Tiens, la belette qui se montre le boutte du nez... Ce que je fais, mon Zotique, c'est mes ognons. Et pis, t'as toujours prétendu que j'avais pas toute ma tête, ça fait que là, ça va te faire une preuve de plus.

— T'es dans les patates ! Voir si je dirais des affaires de même. Ben au contraire, si je peux t'aider...

— Oui, je te vois venir, mon écornifleux. Tu voudrais ben savoir ce que je suis en train de faire, hein ? Après, t'irais bavasser tes menteries à tout le monde comme t'as fait avec le journaliste ! C'est pour ça que t'offres tes services, penses-tu que je le sais pas ? Ben merci quand même, mais tu viendras pas fourrer ton nez dans mes affaires, c'est-tu clair ? Viens-t'en, Ludo !

J'avais quasiment envie de rire quand j'ai entendu Zotique qui parlait tu seul :

— J'ai toujours pensé qu'il lui manquait un taraud.

À l'automne, on pouvait voir des charpentes de bois, enlignées à partir de la rue jusqu'au fleuve. Ça ressemblait à des petites maisons que le monde appelle des « cabines ». Pierre-Paul avait décidé d'en construire huit pour quand les touristes viendraient l'été prochain. Ah, les langues se faisaient ben aller, au village. Comme de quoi que Pierre-Paul avait trouvé le moyen de faire la piasse...

— Il perd pas le nord, notre Pierre-Paul !

— Ç'a ben l'air qu'il a trouvé le moyen de faire le motton sans trop se forcer.

— Bonenfant doit se mordre les doigts d'avoir vendu.

— Pas sûr ! Il en faisait rien, de ce terrain-là. Ça prenait Pierre-Paul pour penser à l'exploiter.

— Manière de parler. Quand ça va être fini de bâtir, je gagerais que c'est encore la pauvre Rose-Délima qui va faire toute l'ouvrage.

— Ah, ben ça, qu'est-ce que vous voulez, à chacun sa chacune, comme on dit.

En fait, presque tout le monde dans le village commençait à craire que Fleur-Ange avait vraiment vu la Sainte Vierge. Ceusses de la terre itou. Et pis après toute, quasiment tout le monde profitait de l'argent des touristes. Le fameux journaliste avait beau dire ce qu'il voulait, ma Fleur-Ange, c'était pas une menteuse. Ça fait que pourquoi qu'a l'aurait dit des menteries pour une affaire de même ?

Le gros notaire Desbiens fournissait pas de faire signer des contrats. Il y avait du monde qui voulait acheter une terre, d'autres qui cherchaient une maison toute faite ou bedonc un chalet. Ça faisait quasiment la file devant son bureau. Je sais pas si c'était à cause de l'argent, mais il engraissait, notre notaire. J'avais même entendu le docteur l'étriver sur la rue :

— Attention ! Si tu continues à manger autant, tu vas finir par avoir un tour de taille de la taille d'une tour.

— Ça suffit, les remarques désobligeantes, François-Xavier. La plaisanterie commence à être passée date.

Une couple de jours avant, un homme était allé voir le notaire pour acheter le manoir. Les propriétaires trouvaient qu'y avait trop de monde qui venait à Roches-Noires, ça fait qu'ils avaient décidé de vendre. Toute ce qui se brassait dans son bureau, ça finissait toujours par sortir. Ses filles laissaient tomber une couple de mots icitte pis là, pis à la fin, tout le monde était au courant. Pis mon amie Lucille, qui faisait le ménage chez eux, s'organisait toujours pour me dire ce qui se passait.

Le docteur Lemieux était pas content. Pourtant, Fleur-Ange était en santé astheure. Mais y avait encore une affaire qui le chicotait: il trouvait que notre fille riait pas souvent. « Une enfant de cet âge-là devrait pas être aussi sérieuse », qu'il m'avait dit à sa dernière visite.

Ben là, je pouvais pas faire grand-chose. Nous autres, on était pas responsables si la petite voyait la Sainte Vierge. Me semble, au contraire, que c'était un signe que notre fille était ben pieuse. C'est vrai que des fois, je trouvais que Pierre-Paul y allait fort à faire de l'argent avec les apparitions.

Des fois, quand il venait à maison, le docteur Lemieux avait l'air d'un vrai enragé quand je lui disais que Fleur-Ange priait encore. Une fois, il était même monté pour la tirer par le bras. « Tu es trop pâle, Fleur-Ange. Il faut que tu respires le bon air du fleuve. »

Pierre-Paul, lui, était toujours de bonne humeur. Même si Fleur-Ange avait quasiment plus d'apparitions, les touristes continuaient, été après été, de louer des cabines, de se rendre à chapelle pis icitte, à maison, pour faire des dons en argent.

— Entrez, entrez, on va vous guérir.

Il y avait jamais eu de guérisons. Des fois, je commençais à avoir peur que l'élastique nous pète dans face. Pis je trouvais que ça, ça allait trop loin.

— Pourquoi tu dis ça, Pierre-Paul ? Tu le sais ben, que parsonne a jamais été guéri. D'un coup que le bon Dieu te punit d'avoir menti, hein ?

Ça empêchait pas mon homme de montrer la chambre à Fleur-Ange de la main droite, tout en tendant la main gauche.

— Donnez ce que vous voulez, la Sainte Vierge est pas regardante.

Le monde regardait le prie-Dieu, les cierges pis les statues.

Surtout, y regardaient Fleur-Ange qui portait son voile de communion pendant les heures de visite.

En tout cas, il rentrait de l'argent comme c'est pas disable.

Plusieurs fois, le docteur Lemieux avait donné son idée, en disant qu'on devrait serrer les articles religieux qui trainaient tout partout dans chambre à Fleur-Ange. Pierre-Paul voulait rien savoir. C'est vrai que Fleur-Ange se pâmait plus, astheure. Mais des fois, elle restait longtemps plongée dans une sorte de place de où c'est qu'on pouvait pas aller nous autres, Pierre-Paul pis moi.

Finalement, Pierre-Paul a mis le docteur dehors de la maison.

— Fleur-Ange est une enfant encore fragile. C'est dangereux pour son état mental de la laisser errer dans un monde à part.

— De quoi c'est que vous dites là, docteur? Avez-vous envie de dire que Fleur-Ange est en train de virer folle? Prenez la porte, pis ça presse. Parsonne va venir me dire dans face que ma fille est mentale.

Le curé, lui, avait dit en chaire que c'était des «histoires pas catholiques». Ça nous a fait ben rire. La Sainte Vierge est pas catholique, peut-être?

Par contre, Monseigneur l'archevêque est venu. Il a obligé Pierre-Paul à changer l'affiche devant la maison paternelle: *Chambre et pension, miracles et guérisons*. On a été obligés d'ôter les deux derniers mots.

Pour les cabines, Pierre-Paul avait appelé ça le *Domaine des Miracles*. Monseigneur, y a fait dire qu'il allait être excommunié s'il changeait pas le nom. Mais là, par exemple, c'est Pierre-Paul qui a gagné. Il a changé l'affiche pour le *Domaine des Fleurs et des Anges*.

— Ma fille s'appelle Fleur-Ange. J'ai ben le droit de mettre les cabines à son nom!

Monseigneur était pas content, mais il a pas eu le choix, c'est Pierre-Paul qu'avait raison.

Ça été une vraie bonne année, ça, faut le dire. Les terrains que Pierre-Paul avait achetés sur le bord du fleuve, il les a vendus le double de ce qu'il avait payé. J'ai eu un frigidaire neuf, un poêle électrique et pis une télévision.

Pierre-Paul s'est fait aider par Ludo pour faire deux chambres de plus dans le grenier. A fallu toute nettoyer à grandeur, peinturer itou. J'ai quasiment été obligée de me battre avec les hommes pour qu'ils me laissent un espace pour mettre les affaires qui venaient de leur famille pis qui trainaient là.

— Va falloir vider ces vieilles malles-là. Y doit y avoir des affaires intéressantes là-dedans.

— C'est d'adon, mais je vas faire ça en prenant mon temps. En attendant, faites-moi un espace avec une porte qui barre.

L'escalier pour aller au grenier avait des rampes toutes travaillées. Quand je voyais comment c'est que Ludo travaillait ben, j'en revenais pas à chaque fois. S'il avait voulu, je suis certaine qu'il aurait pu faire sa vie avec ça.

On a mis des meubles neufs dans toutes les chambres pis dans le salon. Pierre-Paul a vendu les vieux meubles qui lui venaient de sa mère.

— Tu devineras jamais combien que le gars a payé pour la crédence. Le monde sont fous, ma parole!

On a remplacé la crédence par un buffet avec des vitres. J'ai eu une verrerie de cristal pis un set de vaisselle avec un filet d'or autour des assiettes.

En plus, Pierre-Paul s'est acheté un char de l'année. Y avait plus rien pour l'arrêter.

Il s'est fait aider par Ludovic pour changer la galerie d'en avant. Les hommes ont mis des vitres partout pour faire un «solarium», qu'ils appelaient ça.

— Tu vas pouvoir regarder ton fleuve à ton aise, sa mère.

J'aurais pu, mais les berçantes étaient presque toujours occupées par des pensionnaires. Des fois, quand Germain dormait pis qu'y avait du monde dans le solarium, je me rendais direct sur la grève. Mais il se trouvait quasiment toujours quelqu'un qui venait me retrouver pour me parler. Ça fait que je pouvais pas écouter ce que le fleuve me disait. Fallait que j'attende que les pensionnaires partent à la fin de l'été avant d'avoir du temps pour moi.

De toute ce que Pierre-Paul m'a donné, ce que j'ai le mieux aimé, c'est le manteau d'hiver doublé en fourrure que je mettais le dimanche pour aller à messe. Malgré qu'il faut dire que cette église-là serait jamais ben chaude.

～

Six mois avant, Philippe avait parlé d'un feu qu'y était pour avoir à l'église. Et pis c'te fois-là itou, il avait ben deviné. Apparence qu'une église, ça brule plus vite qu'une maison, on sait pas trop pourquoi. L'air circule dans plus grand, le plafond est plus haut, ça aiderait le feu, y parait. En tout cas, les murs étaient noircis, y avait des bancs qu'avaient brulé, le maitre-autel était magané à cause que le feu avait pris dans sacristie. Le curé a été obligé de faire faire pas mal de réparations. L'église était plus moderne, asteure. Mais notre curé était tellement frette qu'y réussissait à renfrédir le dedans de l'église pis c'était pas plus chaud qu'avant.

Malgré que frette, faut le dire vite. Parce que pendant son sermon du dimanche la boucane lui sortait par les oreilles, ma grand foi du bon Dieu.

Il disait que les riches auraient ben de la misère à entrer dans le Royaume des cieux. Mais ça pas fait beaucoup d'impression, je pense. Le monde regardait Pierre-Paul parce que c'était de lui que le curé parlait, manquablement.

Le curé aimait pas Pierre-Paul. C'était sa bête noire. Il disait qu'il avait tous les défauts. Prenez, par exemple, les sept péchés capitaux : à l'entendre, Pierre-Paul les faisait toutes. À commencer par l'orgueil. Parce que mon mari s'était vanté d'avoir une fille qu'était une sainte. Si c'était pas de l'orgueil, ça !

L'impureté ? « L'impureté est un péché qui consiste à se laisser aller volontairement à des pensées ou à des désirs mauvais, à des regards ou des paroles déshonnêtes, à faire de mauvaises actions seul ou avec d'autres », qu'il disait en chaire.

À son idée, Pierre-Paul pouvait pas faire autrement que d'avoir des mauvaises pensées pis d'être jaloux. Ça faisait deux péchés, ça. L'impureté pis l'envie.

L'avarice? Pierre-Paul ramassait de l'argent.

— C'est vrai, mais vous pouvez quand même pas dire qu'il est proche de ses cennes. C'est quasiment lui tu seul qu'a payé pour les réparations de l'église.

— Je ne dis pas le contraire, mais quand même...

Ce curé-là, quand il avait une idée derrière la tête, tu pouvais pas la lui faire changer.

La colère? Tout le monde a entendu parler des chicanes de Pierre-Paul avec tout un chacun.

Là, je cré ben qu'on pouvait pas s'ostiner.

La gourmandise? On pouvait rien dire parce que tout le monde savait que Pierre-Paul aimait ben manger.

Y restait juste la paresse. Parsonne pouvait dire que Pierre-Paul était paresseux. Notre curé, il ressemblait à Pierre-Paul, des fois, parce qu'il tenait à avoir le dernier mot. J'ai passé proche de lui rire dans face quand il a dit:

— Dieu, dans sa grande bonté, a sans doute protégé Pierre-Paul Lepage de la paresse.

Chapitre 21

Dies irae

Zotique a tombé raide mort, un matin d'hiver. Comme ça, sans avertissement. Il était même pas malade. Apparence qu'il s'est levé à la barre du jour avec un mal de tête, pis tout d'un coup, il a tombé le nez dans son bol de café pis c'était fini.

L'enterrement s'est fait comme la première neige se montrait le boutte du nez. Le curé a chanté le *Libera* en français. Une nouvelle affaire, astheure : les cérémonies du culte, fallait que ça seye en français. Pour des funérailles, c'était encore plus triste qu'avant vu qu'on comprenait toute ce qui se disait.

C'est rien qu'au printemps qu'on a su de qu'est-ce que c'est que Zotique était mort : une embolie du cerveau. Apparence qu'y a eu un caillot de sang qu'a toute bloqué dans une veine. C'est pour ça qu'il avait défunté vite de même.

En tout cas, pour en revenir à Gemma Bernier, était rendue veuve. On savait qu'elle serait pas dans misère. Par chance, les plus vieux étaient déjà placés depuis belle lurette. Mais elle restait quand même tu seule pour élever ses trois derniers.

Pour nous autres, ça aurait dû s'arrêter là, mais faut croire que Pierre-Paul avait pas mal de peine. Sûr, il voulait pas le montrer, il était ben trop orgueilleux. Mais je voyais ben qu'il filait un mauvais coton.

Deux semaines après les funérailles, il m'est arrivé avec une idée aussi folle que les tourbillons qu'on voyait à travers la vitre.

— Qu'est-ce que tu dirais, ma femme, si on prenait Philippe avec nous autres ? Ça donnerait une chance à Gemma.

Je m'attendais tellement pas à quelque chose de même que j'ai restée la bouche grande ouverte. C'est juste quand qu'il a répété que ça serait une bonne action de prendre le Philippe à Gemma que j'ai compris qu'il était sérieux comme un pape. Je sais pas ce qu'il avait vraiment en tête, mais je savais comment que Gemma le prendrait : comme moi si on m'ôtait un de mes enfants.

— Tu y penses pas ? Son petit dernier, voyons ! Elle voudra jamais nous le laisser.

— Ça, c'est pas sûr. Apparence que Blanche voudrait que sa mère aille rester avec eux autres. Elle emmènerait les deux avant-derniers, on prendrait Philippe icitte. Rimouski, c'est juste à côté, elle pourrait voir son gars quand elle voudrait. Pour nous autres, Émile marche sur ses quinze ans, il va partir betôt, tu vas rester juste avec les deux derniers. Ça fait que me semble qu'on pourrait. Fleur-Ange est capable de t'aider astheure qu'a va mieux.

Ah, le chat venait de sortir du sac ! C'était une idée de la petite, c't'affaire-là, j'en aurais donné ma main à couper.

— J'ai-tu ben compris, mon mari ? C'est Fleur-Ange qui t'a demandé pour que Philippe vienne rester icitte, hein ?

— Ces deux-là, ils sont quasiment comme frère et sœur.

— Ah ? Dans le temps, ça te faisait sauter au plafond quand quèqu'un disait ça. Que c'est qui t'a fait changer d'idée ?

Il m'a pas répond. Moi, je me cassais la tête pour essayer de comprendre. Je faisais rien que penser :

« Quand Fleur-Ange est née, tu voulais rien savoir, c'est tout juste si tu voyais qu'elle était là autrement que pour fesser dessus. "Donner la vie", comme qu'ils disent, ça veut pas juste dire mettre sa semence dans un ventre. Être père, c'est pas mal plus que ça. Et pis v'là que quand elle s'est mise à avoir des apparitions, tout d'un coup, tu t'es rendu compte que t'avais une fille, pis ça avait l'air de faire ton affaire. Pourquoi donc que tu veux aussi avoir Philippe ? »

J'étais complètement en dehors de la track, mais ça, c'est des affaires qu'on sait juste quand on a le nez dessus.

En tout cas, Pierre-Paul a dit qu'on avait juste à demander à Gemma, pis qui j'étais, à part de ça, pour savoir d'avance ce qu'elle en penserait? Mais moi, je me doutais ben que ça se ferait pas tu seul, cette histoire-là. Comme de fait, on avait pas sitôt mis le pied chez les Bernier que ça regardait mal. Gemma a mis sa main dans poche de son tablier pour pas être obligée de serrer celle de Pierre-Paul. Pis elle nous a fait assire dans salle de séjour, comme si on était de la vraie visite.

Mon homme a débité son affaire toute d'une traite. Plus ça allait, plus je trouvais que c'était une idée de fou, de gars en boisson, même si on était le matin, de bonne heure, pis que je savais qu'il était à jeun. Gemma est venue blême, mais apparence qu'elle avait la même idée que moi.

— Coudonc, toi, as-tu bu? Tu parles d'une idée! Tu penses-tu vraiment que m'en vas te laisser partir avec mon garçon de même? J'attends juste de vendre la maison pour aller rester à Rimouski avec Blanche. Pis il est pas question que je laisse Philippe icitte. Il va venir avec moi.

— Tu fais pas confiance à Rose-Délima?

— Fais-moi pas dire ce que j'ai pas dit, Pierre-Paul Lepage! T'es venu me demander pour Philippe. Ma réponse, c'est non.

Philippe est arrivé sur les entrefaites.

— Aller rester chez vous? Pourquoi? Mes frères sont partis, c'est à moi d'aider. M'en vas rester avec vous, sa mère. C'est ma place.

Pierre-Paul a eu beau argumenter qu'il pourrait se rendre à Rimouski tant qu'il voudrait, même qu'il irait le conduire en machine, pas moyen de le gagner à venir chez nous. Ça faisait pas plus que quinze minutes qu'on était là que Gemma s'est levée pour nous montrer qu'a voulait qu'on parte. On s'est retrouvés dehors, pas plus avancés que quand on était arrivés.

Je faisais une face longue pour réconforter Pierre-Paul, mais on peut pas dire que j'étais désappointée. Cet enfant-là, il écoutait rien ni parsonne. Mon homme, par contre, s'ostinait :

— Il arait été ben mieux avec nous autres.

— Je vois pas ce que ça changerait. Il est toujours rendu icitte.

— C'est pas pareil pantoute ! Là, c'est comme si on l'avait en élève.

Vu que c'était clair que Gemma nous laisserait jamais son Philippe, pas besoin de rempirer les choses en partant une chicane.

— Je le sais ben, mais elle veut pas, pis c'est son flo à elle. Une mère, ça laisse pas partir son enfant à moins de pas avoir le choix. Élever les enfants des autres, c'est pas si facile qu'on pense.

Je m'étais pas trompée, pour Philippe. Après la mort de son père, il avait plus le gout à rien. L'hiver d'après, il s'est mis à manquer l'école. Il faisait du pouce jusqu'à Rimouski. Rendu là, il trainait partout. Il passait des heures à *pool room*, en bas de chez Lyrette. Cette place-là, ça faisait longtemps que ça aurait dû être farmé. Philippe fumait, itou. Il venait juste d'avoir douze ans pis c'était déjà un petit bum.

Pierre-Paul en démordait pas.

— S'il avait resté icitte avec nous autres, ça serait pas arrivé. Moi, je te l'arais placé, le jeune. Ce qu'il a besoin, c'est d'un père.

— Peut-être. Ça se trouve que son père, c'était Zotique, pis il est mort. On peut rien faire contre ça.

Mon mari a rien trouvé à dire, mais je sentais qu'il se rongeait les sangs et j'arrivais pas à comprendre pourquoi.

Un enfant qui voit l'avenir, je souhaiterais pas ça à parsonne. Je peux dire que tant qu'à moi, j'aime autant pas savoir ce qui m'attend. Me semble que si tu sais que tu vas être malade ou bedonc que tu vas avoir un accident, tu dois jongler juste à ça. Et pis, d'un coup que c'est péché ? On sait jamais. C'est pas pour rien que le curé était de contre ces affaires-là. Je sais ben que c'était un curé sévère, ben que trop même, à mon idée. En seulement, ça voulait pas dire qu'il connaissait pas son affaire.

Je me rappelle encore que Philippe contait qu'il était pour avoir des gros changements dans le village. En tout cas, si c'était vrai, ça serait pas ma fille qui changerait. Ma Fleur-Ange continuait à prier. C'était une bonne fille. Des fois, Philippe venait la voir. Dans ce temps-là, il se tenait sur le piton. J'avais été ben claire :

— Si tu vois dans l'avenir, c'est ton affaire. Je veux pas que t'en parles devant Fleur-Ange. Et pis tu fais attention à comment que tu parles quand t'es icitte. Au premier sacre, je te jette dehors pis la porte va être farmée pour toi par après.

Peut-être ben que c'était parce qu'il se conduisait mal au village que le monde faisait pas de cas de ses prédictions. Encore aujourd'hui, je me demande s'il avait deviné ce que Pierre-Paul mijotait. Il en a jamais parlé. En tout cas, s'il a vu venir l'idée de mon homme, il était ben le seul. Pourtant, ça a mis le feu au village. Pas n'importe quel feu, à part de ça. Un grand feu qu'a brulé, brulé, jusqu'à temps qu'il reste plus rien que des braises qui t'envoyaient de la fumée en dessous du nez de temps en temps.

Chapitre 22

Toponymie

Mon snoreau de mari avait rien dit à parsonne, sauf à Ludovic, comme de ben entendu. Parce que c'est son frère qu'a fait les pancartes. En premier, il voulait pas.

— Ça marchera jamais, ton idée.

— On perd rien à essayer.

Il a fini par accepter pis se mettre à l'ouvrage. Comme toute ce qu'il faisait, Ludo a fait des pancartes dépareillées. Au printemps, les hommes les ont installées aux deux bouttes du village, pour remplacer les autres que Ludovic pis lui avaient ôtées.

Qu'on vienne de Lévis ou bedonc de Rimouski, quand on arrivait aux premières maisons, au lieu de l'annonce de Roches-Noires, on voyait une belle grande planche, peinturée toute blanche, avec des lettres ben fancy. Ça disait : *Notre-Dame-du-Fleuve*.

Pierre-Paul avait décidé de changer le nom du village.

Ça a fait toute un charivari, ça, on peut le dire. Le téléphone dérougissait pas, y en avait qui étaient contents, mais c'était surtout du monde qui nous criait des bêtises. Je savais plus où donner de la tête. J'ai décidé de pas répondre. C'est Pierre-Paul qu'avait parti le bal, ben qu'il s'arrange avec ses troubles. C'est ben beau appuyer son homme, y avait des limites. Pis moi itou j'aimais pas le nouveau nom, pis encore moins la façon que ça s'était fait. Franchement, je trouvais que quand les gens disaient que ça avait été fait par en arrière, par en dessous pis pas mal hypocrite, ben y avaient raison.

Le maire est venu chez nous. De coutume, monsieur Ruest était un homme aimable, la face toujours égale. Ben là, il était de mauvaise humeur pis ça paraissait. Il a même pas cogné à porte, il est rentré direct dans maison et a apostrophé mon homme sans dire bonjour ou aucune formule de politesse:

— Pierre-Paul Lepage, là, t'es dans le trouble. Le nom d'un village, ça se change pas de même. Faut remplir des papiers, ça prend la permission du gouvernement. Pis on consulte le monde, aussi.

— Duplessis est un bon catholique. Il va vouloir. Pis le monde sont catholiques avec.

— Être catholique, ç'a pas rapport pantoute. Non, c'est un problème géographique. Sur les cartes, c'est le nom de Roches-Noires qu'est marqué. Le monde sauront plus où c'est qu'y sont. À part de ça, parlant de catholique, pis le curé, lui? Hein? T'as-tu pensé au curé?

— Le curé a rien à dire. Si c'était juste de lui, parsonne arait su que ma fille voyait la Sainte Vierge pis que notre Philippe avait un don. C'est un village de miracles icitte, Gérard Ruest. Faut que ça se sache.

Fleur-Ange me regardait avec la face de quelqu'un qui en revenait pas. Je sais pas si c'est la question que son père voulait que le monde sache pour les apparitions de la Sainte Vierge, les miracles ou bedonc le don de Philippe. Mais moi, ce qui m'avait vraiment frappée, c'était le «notre» Philippe. Que c'est qu'il voulait dire, au juste? J'ai passé proche de lui demander drette là. Le maire prêtait pas attention à mes émotions, ça fait qu'il a continué:

— Espèce de tête de bois! Comment tu peux dire que le curé a pas d'affaire là-dedans? Les registres d'état civil, eux autres? Hein? Toutes les papiers des actes de naissances, de mariages, de décès? Ton Bernard vient de se marier à Roches-Noires, là, ben asteure, quand Claude va vouloir fonder une famille, ça va être écrit Notre-Dame-du-Fleuve sur les registres. Pis ça serait la même place ? Ç'a pas d'allure pantoute, c't'affaire-là. On peut pas changer toute ça parce que Pierre-Paul Lepage a décidé qu'il aimait pas Roches-Noires. Notre-Dame-du-Fleuve ! Franchement ! Où c'est que t'as été pêcher ça, un nom de même ?

— Ben quoi, c'est toujours ben pas pire que Roches-Noires. Ça non plus, on sait pas d'où ça vient. On est du monde du fleuve, pis la Sainte Vierge nous a apparue. Pour quoi c'est faire que la place s'appellerait pas comme ça ?

— Malade ! T'es juste un maudit malade, Pierre-Paul ! Tu vas aller m'ôter ces pancartes-là tu suite.

Comme de raison, Pierre-Paul a bucké.

— Les pancartes, a vont rester où c'est qu'a sont.

Là, le maire a pris un grand respir.

— Monsieur Lepage, selon les pouvoirs qui me sont dévolus, je vous donne jusqu'à demain pour enlever vos pancartes. Sinon, c'est la police qui va les ôter et qui vous imposera une amende. C'est un avis officiel.

Après, il s'est tourné vers moi et m'a dit d'un ton plein de pitié :

— Rose-Délima, je vous plains d'être obligée de rester avec un fou pareil.

Pierre-Paul s'est mis à hurler « Dehors ! » plusieurs fois en avançant vers le maire d'un air menaçant. Maudit que j'ai eu peur qu'il fesse dessus ou qu'il fasse une follerie comme ça ! Gérard Ruest a dû penser à la même chose.

— Aggrave pas ton cas en faisant quèque chose que je te promets que tu vas regretter pendant longtemps, Pierre-Paul. Si t'attaques un édile dans l'exercice de ses fonctions officielles, c'est très grave. Tu pourrais aller en prison. Pis oublie pas ce que je t'ai dit : t'as une journée pour agir comme du monde. Après, ça va mal aller, je te le garantis.

— Écoutez-moi donc ça, notre maire qui parle en termes, asteure. Prends ton édile avec toi pis va exercer tes fonctions ailleurs.

Si je m'étais pas mise entre les deux en tenant Fleur-Ange par la taille, Pierre-Paul aurait pas résisté. Il avait pardu l'esprit, je pense. Avec Fleur-Ange, j'ai marché avec le maire jusqu'à porte pis je l'ai laissé sortir.

J'ai pas dit un mot à Pierre-Paul jusqu'au soir. Après le chapelet en famille, j'en pouvais plus. Je questionne pas souvent, mais là, franchement, fallait que je sache ce qu'il avait dans tête.

— Comment ça que tu parles de Philippe Bernier comme si c'était ton garçon?

— Tu rêves, ma femme. J'ai jamais dit ça.

— T'as dit: «notre» Philippe a un don.

— Fais pas un drame avec rien, Rose-Délima. La langue m'a fourché, c'est toute. Je parlais de notre Philippe à nous autres, à Roches-Noires comme de ben entendu.

— Ce sera pas notre Philippe à nous autres ben longtemps. Il s'en va rester avec sa mère à Rimouski.

Pierre-Paul a pas voulu en démordre. Il s'est entêté. Autant pour l'histoire de Philippe que pour les pancartes. Quand j'y ai demandé s'il était pour les ôter, il est parti à rire. Ça fait que je suis restée avec mon questionnement.

La police est venue, a fallu payer l'amende. C'était un gros morceau, quasiment le revenu d'une moitié d'année qui disparaissait parce que Pierre-Paul s'était entêté. Avant que la police arrive, il avait fait le faraud. Mais quand il s'est retrouvé avec quatre polices dans cuisine, il a filé doux comme un agneau. Apparence que le maire avait averti que Pierre-Paul pourrait être agressif.

Ah, si seulement ça avait fini là, avec l'amende! Pas de danger! Quand tu pars le bal, faut que tu t'attendes à ce que les autres dansent itou. À la séance du conseil municipal, il parait que ça a recommencé à parler fort.

Cette histoire-là, c'était une saudite bonne raison pour que les ceusses de la terre pis les ceusses du fleuve s'étrivent. Ceusses de la terre voulaient pas changer de nom.

— Des roches, y en a partout, pas juste au bord de l'eau. Le nom de Roches-Noires adonne ben pour tout le monde.

Ceusses du fleuve voulaient changer, mais ils étaient pas d'accord avec le choix de Pierre-Paul.

— Changer pour changer, on va trouver quèque chose qu'a de l'allure.

— La parole est à Henri Proteau. On t'écoute, Henri.

— Je propose «L'Anse à Proteau».

— Pourquoi «L'Anse»? C'est pas une anse, icitte, c'est un cap de roche. Pis pourquoi «Proteau»? T'es pas le seul à avoir un nom de pionnier, Henri Proteau! Il y a les Desrosiers, les Rioux, les Bernier, tant qu'à ça.

Rosaire a mis son grain de sel itou:

— Si on commence à parler de mettre le nom de quèqu'un du coin, on va se chicaner pendant des années. Moé, je propose qu'on appelle le village «Cap au Phare». C'est un nom qui sonne correct, me semble. C'est un nom visuel, comme qu'on pourrait dire.

Manquablement que le Proteau était pas d'accord.

— On commence à le savoir, Rosaire Lévesque, que t'es le gardien du phare. T'es pas obligé de le répéter tout le temps. Tu veux tirer toute la couvarte sur ton bord, mon sacripant?

— Je demande la parole.

— On t'écoute, Morin.

— Pour quoi c'est faire qu'on demande pas au curé son idée? Après toute, c'est lui qui va être obligé de faire les changements dans les registres.

— Demander au curé! T'as toujours été une grenouille de bénitier, Jean-Pierre Morin. Voir si le curé va changer toutes les inscriptions dans ses registres.

— On a juste à demander une commission rogatoire au député.

— Tu parles d'une idée de fou, toi! On est assez grands pour décider tu seuls, me semble.

— Minute, minute ! J'ai mon mot à dire, vous pensez pas ? Tant que je vas être maire, le village va continuer de s'appeler Roches-Noires. On va demander à Ludovic de faire des belles pancartes neuves.

— C'est lui qu'a fait les autres.

— Justement, elles sont belles, parsonne peut dire le contraire. Mais le village garde son nom, un point c'est toute.

— C'est ça, donne raison à ceux de la terre. J'ai toujours su que t'étais sur leur bord, monsieur le maire.

— Ceux qui sont pas contents ont juste à me mettre dehors.

— Ça, tu peux te fier sur nous autres ! Drette aux prochaines élections à part de ça.

Ben la tempête a fini par se calmer quand le maire a rappelé que ça servait à rien d'essayer de changer le nom du village sans avoir une assez bonne raison.

— Avez-vous une idée de ce que ça va couter ? Vous avez de l'argent de reste, vous autres ?

Ça, quand tu parles de tirer de l'argent des poches du monde, c'est un argument qui fesse. En tout cas, le maire a pas pardu ses élections.

Tout ça pour dire que, cinquante ans après la fameuse chicane du conseil municipal, le village s'appelle encore Roches-Noires. Les pancartes de Pierre-Paul sont encore là, en arrière des autres. Les polices les avaient pas ôtées. Astheure, on a de la misère à les voir. A sont cachées par le foin pis quasiment pourrites par les embruns.

Chapitre 23

Les fils Lepage

Pierre-Paul portait pas à terre. Les cabines avaient pas désemplies. Il avait une liste d'attente longue de trois pans.

— Je pense à bâtir une auberge, ma femme.

— Tu trouves pas que t'as des idées de grandeur ? Comment tu veux la faire marcher, ton auberge ? Fleur-Ange pis moi, on a de l'ouvrage de reste avec les pensionnaires pis la couture pour les autres.

— Carmelle pourrait vous donner un coup de main. Bernard tiendrait les livres. Il le fait déjà pour les cabines.

Des fois, faut se retenir de parler pour pas dire des affaires qu'on regretterait par la suite. Pierre-Paul était travaillant, ça, parsonne pouvait dire le contraire. Mais c'était pas une raison pour forcer les autres à travailler pour lui.

Encore chanceux que Bernard seye resté à Roches-Noires au lieu de s'établir à Rimouski après son mariage ! Ça faisait pas longtemps qu'il s'était marié à Carmelle Thivierge, une fille d'East Broughton, qu'est à une couple de milles de Tring-Jonction. Un saudit beau mariage !

Ma belle-fille avait une robe avec des perles brodées sur le yoke pis une grande traine. Après le mariage, on a eu un beau lunch, un buffet à volonté que tu pouvais y retourner autant de fois que tu voulais.

Bernard était comptable agréé, il s'était ouvert une business à Rimouski, mais il s'était arrangé avec son père pour se bâtir sur un de nos terrains, au bord du fleuve. Ça faisait ben mon affaire vu qu'astheure, c'était mon fils pis ma bru qu'étaient nos premiers voisins. Je pouvais pas me plaindre, ma belle-fille était ben aidante. En seulement là, elle attendait pis elle était proche de son enfantement. On pouvait quand même pas y demander de tenir le bar ni de faire les chambres avec son gros ventre. C'est la seule affaire que j'ai dite à Pierre-Paul :

— Oublie pas que tu vas être grand-père betôt. Carmelle est pas en état de travailler pour toi, elle a ben assez de s'occuper de son ordinaire.

La vérité, c'est que Pierre-Paul devait se fier que quand ma belle-fille achèterait, ce serait moi qui garderait son flo pendant qu'a travaillerait pour mon mari.

— L'auberge que tu veux bâtir, ça serait pas pour faire enrager Gérard Ruest par hasard, vu qu'il vient d'être élu maire pour un deuxième mandat ?

— Je sais pas où c'est que tu prends des affaires de même, Rose-Délima. L'auberge, m'en vas la bâtir en dehors du village, justement pour pas faire concurrence à Gérard.

Je l'ai déjà dit, quand Pierre-Paul avait une idée dans tête, tu pouvais toujours travailler pour y faire changer. Mais au fond, autant profiter de ce bien-là parce que depuis que les touristes venaient à la pelletée, les terrains pour des milles étaient tellement chers que c'était pas achetable. Pour Carmelle, on en discuterait plus tard, y avait rien qui pressait.

Moi, je continuais à faire de la couture pour les grosses madames de Rimouski. Fleur-Ange allait porter les commandes et pis je savais qu'elle en profitait pour voir Philippe. Je pourrais pas dire que j'étais contente de savoir qu'ils se fréquentaient. C'est là que j'ai compris ce que ma mère voulait dire. Je pense que, finalement, les mères trouvent jamais que les gendres sont assez bons pour leur fille.

Fleur-Ange travaillait à son trousseau en cachette de son père.

— T'as pas besoin de te cacher, ma fille, ton père s'occupe pas de la couture. Je pense qu'il reconnaîtrait même pas une robe de noce si y en voyait une.

J'étais certaine que Pierre-Paul voudrait pas qu'elle se marie avec Philippe, mais je disais rien. Quand une fille est en amour, tu peux pas dire grand-chose pour y faire changer d'idée, j'en savais quelque chose.

Vendredi matin, le téléphone a sonné de bonne heure. La Mère supérieure voulait que je passe la voir à l'école. Sur le coup, j'ai ben eu envie de dire non. Ça me rappelait trop de mauvais souvenirs du temps que Fleur-Ange s'était fait mettre à porte juste parce qu'elle était pieuse.

J'aurais dû suivre mon idée pis rester chez nous. La sœur voulait me parler de Germain. Apparence que ça marchait pas trop en classe parce que même s'il allait sur ses sept ans et demi, il parlait pas encore franc.

— On a du mal à le comprendre, il baragouine, il mange ses mots. Si vous pouviez trouver le temps de le faire lire à voix haute à la maison, ça l'aiderait sans doute. Pour le moment, les autres se moquent de lui et ça empire encore les choses.

Mon bébé! Il était ben trop petit pour avoir de la peine, me semble! Juste à penser qu'il était malheureux, j'en avais la chair de poule. Pierre-Paul était pas du même avis. Quand j'ai rapporté ce que la sœur avait dit, il y est pas allé de main morte.

— Un bon coup de pied au derrière, tu vas voir que ça va lui réchauffer la gorge! Si tu l'avais pas tant couvé, itou. C't'enfant-là, c'est un vrai feluette.

— Couvé, couvé! C'est quand même pas de ma faute s'il était tout le temps malade quand il était petit.

C'est vrai, pour mon Germain, un rhume attendait pas l'autre. Il s'était cassé une jambe à trois ans. L'année avant de commencer l'école, il s'était enfargé sur un truck, il avait tombé et s'était pété le front sur une roche. Seize points de suture que ça avait pris!

Pierre-Paul est parti en claquant la porte comme chaque fois qu'il savait plus quoi dire. Moi, j'avais pas de remords de conscience. Cet enfant-là était mon dernier, je savais que ça changerait pas. D'abord, j'étais trop vieille. Aussi, Pierre-Paul m'approchait quasiment plus. Il était plus capable. Trop de boisson, ça fait cet effet-là.

Fallait trouver une solution. Fleur-Ange avait beau être d'adon pour faire lire son frère, c'était quand même pas une maitresse d'école. Ça prendrait quelqu'un de « spécialisé », comme ils disaient.

Le lendemain, fallait aller à Rimouski, au juvénat. Donat avait fait dire qu'il voulait nous parler. Du sérieux.

— Tu penses-tu ce que je pense, Pierre-Paul ? Ça serait-tu que Donat voudrait rentrer dans les ordres ?

— C'est là que tu serais contente, hein, ma femme ? T'as toujours voulu avoir un gars en religion.

— C'est vrai, je serais ben heureuse. M'en vas être contente de le voir itou. Me semble que ça fait une éternité.

On est partis tu suite après diner. On est arrivés au parloir vers les deux heures. Chaque fois que je voyais Donat, c'était comme une surprise. Il grandissait tout le temps, c'était presque rendu un géant. C'est pas lui que son père aurait traité de feluette, sûr et certain.

Il est pas venu tu seul au parloir. Le frère Dumas l'accompagnait.

— Votre fils a quelque chose à vous demander.

— Sa mère, son père, j'ai parlé à mon confesseur, il dit que j'ai la vocation. Je voudrais entrer au noviciat. J'aimerais ça avoir votre bénédiction.

Mon fils qu'allait devenir frère enseignant ! C'était tout un honneur qui tombait sur la famille. Pour une fois, Pierre-Paul s'est comporté comme du monde. On a parlé, on a ri, j'ai un peu pleuré.

— Ta mère qui commence ses sparages !

— Étrive-moi pas, c'est de joie que je pleure, pour une fois.

Avec tout ça, j'étais tellement émotionnée, j'ai passé proche d'oublier de parler du petit.

— Découragez-vous pas, sa mère. Je vas m'informer au frère Dumas. Il doit y avoir un moyen d'aider Germain.

On est pas restés plus longtemps, la cloche a sonné, fallait que Donat se rende à la chapelle.

— Tant qu'à être à Rimouski, on pourrait en profiter pour faire un saut au Séminaire voir Émile. Qu'est-ce que t'en penses?

— C'est correct, la mère poule. On y va.

Il y avait de quoi être fier de celui-là itou. Émile, c'était le deuxième de mes garçons qui étudiait le cours classique. Le latin, le grec, toutes des affaires qu'on comprenait pas, nous autres.

Il lui restait encore pas mal d'années d'études, mais ça posait pas de problèmes pour l'argent. Dans ces années-là, avec les cabines qui rapportaient, on était à l'aise.

Sur le chemin du retour, on s'est arrêtés pour faire nos commissions. Fleur-Ange cousait quasiment plus que moi, astheure. Ça me prenait pas mal de choses au magasin de coupons. On est allés au Carrefour du Bas-Saint-Laurent.

C'était tout nouveau. À moitié chemin entre Roches-Noires pis Rimouski, y avait une grande bâtisse avec au moins dix magasins. L'épicerie, un magasin de coupons, un magasin de souliers, du linge pour femmes, du linge pour hommes, on trouvait toute, même un restaurant! Dans le même espace. On n'avait pas besoin de sortir dehors. Il suffisait de suivre un grand corridor pis de s'arrêter là où c'est que c'est qu'on avait besoin.

Je me pensais que ça allait faire concurrence aux marchands chez nous, au peddler avec. Mais quand ils disent que les Juifs sont bons en affaires, ils se trompent pas. Zack a ouvert un magasin à Rimouski: «Bernstein & Sons», que ça s'appelait.

On aura beau dire qu'on n'arrête pas le progrès, j'étais pas certaine que ça seye une si bonne chose. Parce que quand

Zack venait dans les maisons, d'abord, t'avais pas besoin de te déplacer. Ensuite, t'avais des nouvelles de tout ton monde. Même si, des fois, il colportait des affaires qu'il aurait pas dû.

Chez nous, une belle surprise nous attendait. Claude avait débarqué le midi à Pointe-au-Père.

— Son père, sa mère, j'ai de quoi à vous dire.

— C'est la journée, faut craire.

— La journée de quoi?

— La journée où ton père pis moi on se fait demander des affaires. On arrive de Rimouski, là. Ton frère Donat rentre au noviciat.

— Lui? Est bonne, celle-là! Avec toutes les folleries qu'il a faites quand il restait icitte...

— Écoutez-moi donc ça! Comme si t'étais blanc comme neige. T'as fait ta part de mauvais coups, mon garçon. Sais-tu à quoi ça me fait penser? Au Chinois sur la boite d'empois.

— Je comprends pas...

— Oui, t'es un gars, t'as jamais rien repassé, jamais empesé des cols de chemise. Fleur-Ange, tu veux-tu y expliquer, à ton frère, c'est quoi le Chinois sur la boite d'empois?

— Attendez, m'en vas aller en chercher une. Tiens, regarde, Claude. Sur le dessus de la boite, tu vois un Chinois en train de repasser. Tu vois itou qu'il a une boite d'empois, sur la table à repasser.

— Oui, pis après?

— Après, ben tu as un Chinois qui repasse, avec une boite d'empois à côté de lui. Sur la boite d'empois, y a un autre Chinois qui repasse pis une autre boite d'empois avec un autre Chinois qui repasse. C'est sans fin, mais ça vient de plus en plus petit à mesure que ça s'éloigne. C'est ça que la mère veut dire: les folleries de ta jeunesse, elles viennent de plus en plus petites avec le temps qui passe, pis on finit par plus les voir, même si elles sont encore là. J'ai ben expliqué ça, sa mère ?

— Oui, ma petite sœur, t'as ben expliqué ça et pis j'ai compris. On parle plus du passé, on parle d'astheure. M'man, p'pa, depuis le temps que je travaille sur le *Marie-Thérèse*, j'ai mis un peu d'argent de côté. J'aimerais ça aller à l'École de marine. À moins que vous ayez besoin de ma gagne, comme de raison.

Pis là, je m'ai pensé : « Quand que je vas être tu seule avec Claude, m'en vas lui dire : "Garde tes cennes pour toi, mon garçon. L'argent que ton père a fait sur le dos de ta sœur peut servir au moins à ça, vous payer des études. »

Chapitre 24

L'affront

C'est vrai que le fleuve était jamais pareil. Quand il prenait une couleur de noces, tu pouvais être certain de voir les vagues en bleu-vert le lendemain et les jours d'après.

Le jour de ses vingt-trois ans, Claude s'est marié avec Alice Bernier, la fille à Zotique pis Gemma. Ça faisait déjà trois ans qu'ils se fréquentaient en cachette ces deux-là. Bernard était icitte avec sa Carmelle pis leur fille toute neuve : Marie Rose-Délima Diane. Donat avait eu la permission de sortir du noviciat pour une couple d'heures pis les plus jeunes étaient en vacances d'école. Tout mon monde serait là pour la noce.

En me préparant, je me rappelais toutes les batailles, tous les œils au beurre noir de mon gars. Les fois où c'est qu'il s'était chicané avec un des gars Bernier, ça se comptait pas ! Après, il a changé, il s'est calmé les sangs. Quand t'es en amour avec une belle fille, tu vois pas les choses de la même manière, faut croire.

Avant de partir pour l'église, j'ai été me promener au bord de l'eau avec Fleur-Ange. Juste un peu, pas longtemps. J'avais un petit malaise, comme qui dirait une inquiétude dans le corps.

Elle était toute contente d'être demoiselle d'honneur, ma Fleur-Ange. Elle avait choisi le patron de sa robe et l'avait cousue elle-même. Ça faisait longtemps que je l'avais pas vue aussi ben de son corps.

— Vous avez vu, sa mère, l'eau brille quasiment autant que l'alliance de mariage. Moi avec, je vas me marier l'été.

— T'as juste dix-sept ans. Tu penses pas te marier pour astheure, j'espère ? T'as encore le temps de broder, ma fille.

— Philippe dit qu'on va attendre d'aller sur nos vingt ans. Saviez-vous ça, sa mère, qu'il veut aller étudier la musique ?

— Ma pauvre petite fille, c'est pas avec ça que vous allez mettre du beurre sur le pain ! Tu viens ? C'est le temps de s'habiller en propre pour la noce.

— Allez-y, moi, je vas à la chapelle dire une petite prière pour les futurs mariés.

— Reste pas trop longtemps !

Claude était superbe dans son uniforme. Pilote branché à vingt-trois ans, c'est pas ordinaire. Il avait travaillé fort, ben là, y récoltait ce qu'il avait semé.

Quand je suis rentrée, il était nerveux sans bon sens. Ça faisait tellement longtemps qu'ils s'aimaient, ces deux-là, j'avais pas de crainte que ce seye un bon mariage. Mon gars marchait de long en large.

— Veux-tu ben arrêter de gigoter ! Qu'est-ce que t'as, donc ?

— Si p'pa arrive pas ben vite, on va être en retard à l'église !

Je pense qu'il avait surtout peur que son père aille déjà commencé à fêter. C'était une crainte qu'était tout le temps là, chaque fois qu'on avait des occasions spéciales. On avait juste à se rappeler le mariage de Bernard avec la Carmelle Thivierge. Je sais pas si c'était parce que son gars mariait une fille qu'était pas de la place, mais Pierre-Paul a tellement bu qu'il a tombé raide endormi en dessous de la table d'honneur. Tu parles si ça fait bon effet pour un garçon de transporter son père complètement soul juste avant de partir en voyage de noces ! Pierre-Paul avait promis que ça se répéterait pas, mais j'avais pas confiance. Je me suis juré que je le surveillerais de proche, c'te fois-citte.

Pendant la messe de mariage, mon gars avait le corps raide. Alice lui jetait un œil de temps en temps. Blanche Bernier avait fait le voyage exprès pour venir aux noces de sa sœur. C'était elle qui touchait l'orgue. Philippe a chanté avec Fleur-Ange. Moi, ben coudonc, j'ai pleuré. Après toute, les mariages, c'est fait pour ça.

Après la messe, on est allés à l'Hôtel du Ressac pour le banquet. Claude avait raison de s'en faire parce que Pierre-Paul a commencé tu suite à lever le coude. Pas assez pour perdre la carte, mais ça l'a pas empêché de faire le fou, par exemple. Ça, pour faire des folleries, on pouvait toujours compter sur lui.

Gemma avait fait les choses en grand. Elle avait même pas voulu que je l'aide. C'est vrai qu'elle devait avoir les moyens. Ça se parlait qu'elle avait eu un bon prix pour sa maison.

On était à la table d'honneur, ben entendu. Les deux familles, ça faisait pas mal de monde. Un discours attendait pas l'autre. Mon homme s'est levé pour faire honneur à la mariée.

— Je lève mon verre aux nouveaux mariés, Alice pis Claude. Qu'ils seyent heureux, qu'ils nous fassent des beaux petits-enfants. Je suis certain que Gemma est de mon idée là-dessus.

Gemma est venue toute rouge dans face. Pauvre elle, elle avait jamais pu s'habituer à entendre parler des affaires de couchette, ça la gênait sans bon sens. Ça riait dans salle, y en a qu'ont commencé à cogner les couteaux sur les verres, les mariés se sont embrassés. Mon mari avait pas encore fini son speech. J'avais aucune idée de ce qu'il allait dire ; comme de coutume, il avait toute décidé tu seul.

— Comme cadeau de noces, je donne à mon fils une part de vingt-cinq pour cent du *Domaine des Fleurs et des Anges*, pareil comme j'ai fait quand Bernard s'est mis la corde au cou. Les deux autres parts, ça sera pour Émile pis Germain quand viendra leur tour de se marier. Quand vous allez revenir de votre voyage de noces à Percé, on passera chez le notaire pour faire les papiers comme il faut.

Les mariés avait la face fendue jusqu'aux oreilles tant ils étaient contents. Moi itou, j'étais ben à l'aise. Avec ma nouvelle belle-fille, Alice, qui resterait avec nous autres tandis que son mari naviguerait, ça me ferait de l'aide, pis ça serait pas de refus, à dire le vrai. Je commençais à avoir pas mal moins de jarnigoine depuis un boutte.

J'avais pas voulu parler, le matin, vu que c'était un jour de réjouissances, mais je filais pas pantoute. J'avais hâte que la journée finisse, pour dire la vérité.

La musique a commencé. D'abord, Rosaire Lévesque, l'oncle de la mariée, a commencé avec un chant de circonstance :

C'était un bateau qu'était grand, qu'était beau
Ohé les matelots !
Il fendait les vagues, il fendait les flots
Ohé les matelots !
Sur la mer immense chantaient les matelots.
Partis en voyage aux pays lointains,
Ohé les matelots !

Philippe l'a relancé :

Matelots puisqu'il fait bon vent
Poussons ce soir la chansonnette
Matelots puisqu'il fait bon vent
Montons tous chanter sur l'avant
Et le chant du gaillard d'avant
Montera jusqu'à la dunette
Et le chant du gaillard d'avant
Égayera tout le bâtiment

Une toune attendait pas l'autre. Le petit verrat, j'aurais pas pensé qu'il chantait aussi ben. Gemma m'a dit que ça faisait un bon boutte que son petit dernier s'était découvert un gout pour la musique.

— Y voudrait devenir chanteur.

— Il est bon, en toué cas.

Pourquoi faut toujours qu'y aille quelque chose qui marche croche ? Y faisait beau, les mariés étaient contents, on avait ben mangé, il a fallu que Pierre-Paul commence ses niaiseries.

Il a dansé avec sa nouvelle bru. Ensuite, il est allé inviter la mère de la mariée. Moi, ça faisait mon affaire vu que je filais pas pour danser tant j'avais du mal dans le corps. Quand Pierre-Paul s'est penché devant elle la main tendue, Gemma a fait « non non » de la tête. J'ai pensé qu'a voulait pas danser avec quelqu'un qu'avait de la misère à marcher drette. Faut dire aussi qu'elle aimait pas Pierre-Paul, je savais pas trop pourquoi. Aussi loin que je me rappelle, en tout cas, elle faisait ce qu'elle pouvait pour l'éviter. Ce jour-là, c'était difficile.

— Tu vas pas me faire affront le jour des noces de nos enfants ?

Pauvre Gemma, elle a toujours eu de la misère à refuser quelque chose. Elle s'est levée, Pierre-Paul l'a prise par la main. Pas moyen de refuser de le suivre sur le plancher de danse sans faire de scandale. On discute pas avec un homme soul, tout le monde sait ça.

Mon jars l'a entrainée dans une valse, il la collait sans bon sens. Gemma avait beau essayer de se débattre, l'autre continuait de la faire tourner. Assez que le monde commençait à jaser. Pis v'là-tu pas mon homme qui serre sa cavalière encore plus fort pis qui y plante un bec en plein sur la bouche ! Je comprends vraiment pas ce qui y a pris. On avait beau être dans des noces, me semble qu'y a des limites !

Philippe a arrêté sa chanson au beau milieu. Il s'est avancé dans salle. Mon idée qu'il voulait faire un mauvais parti à Pierre-Paul, mais il a pas eu besoin. Gemma a fait ni une ni deux, elle a donné une grande claque dans face à son danseur, pis elle est retournée s'assire.

Sainte bénite, on aurait dit que le tonnerre avait tombé dans salle. C'était la première fois qu'on voyait Gemma tenir son boutte. Parsonne osait dire un mot, mais tout d'un coup, y a quelqu'un qu'a commencé à applaudir. Un, deux, les autres ont suivi, ça tapait dans les mains, ça criait. C'était clair que le marié en menait pas large. Moi, j'aurais voulu me voir à l'autre boutte du monde.

Pierre-Paul est venu tout rouge. Il m'a tirée par le bras, il a fait signe à Fleur-Ange. On est sortis, on a embarqués dans l'auto pour retourner à Roches-Noires. Une chance qu'on n'avait pas grand chemin à faire.

— J'ai jamais été humilié de même !

« Pis moi, Pierre-Paul, as-tu juste pensé à comment tu m'as humiliée ? »

J'aurais voulu dire qu'il avait couru après. En seulement, j'étais pas capable de faire autre chose que de serrer les dents sur mon mal. Fleur-Ange s'en est rendu compte.

— Vous filez pas, sa mère ?

— Pas trop, non.

— Quand on va arriver, je vas faire votre lit en propre, vous allez pouvoir vous reposer.

— Le souper ?

— Inquiétez-vous pas, je m'en occupe.

Le char s'est arrêté, j'ai voulu descendre, les jambes m'ont manqué. Plus tard, Fleur-Ange m'a dit que le siège sur mon bord était plein de sang.

Quand le docteur est arrivé, ça pas été une trainerie : il a dit à Fleur-Ange de préparer une valise. Fallait m'amener à l'hôpital tu suite.

C'est comme ça que j'ai fait deux fois le trajet entre Roches-Noires pis Rimouski dans même journée. La deuxième fois, j'ai rien vu, le docteur m'avait donné quelque chose pour engourdir le mal. Quand on est arrivés à l'hôpital, ils m'ont

268

même pas laissé le temps d'arriver que j'étais déjà sur une civière. Fallait que je passe au couteau.

Une question de vie ou de mort, y paraissait. Pierre-Paul a signé tu suite, sans s'occuper que le curé était contre. Des plans pour me faire excommunier. Même quand tu pouvais plus avoir d'enfants, la grande opération, c'était quasiment péché mortel ! J'ai rien su de toute ça, j'avais presquement pas ma connaissance. Ils m'ont réchappée, toujours.

En seulement, moi qu'avais pas connu la maladie avant, fallait que je reste couchée toute la journée à faire la paresse. Pire, le docteur m'a gardée quasiment dix jours à l'hôpital avant de me laisser revenir chez nous.

— Vous devez dormir chaque jour au moins deux heures dans l'après-midi. Pas de ménage, même pas votre lit, pas de balai, pas de cuisine. Vous avez de l'aide, laissez-vous gâter.

Se faire opérer, c'est pas un cadeau, comme y en a qui disent. Peut-être que pour les autres, c'est comme ça. Pour moi, c'était pas pareil.

Fleur-Ange me laissait rien faire, elle prenait soin de moi comme si j'avais été un bébé. Mes deux belles-filles étaient dépareillées pis Germain m'apportait des petits cadeaux à toute minute.

Gemma est pas venue me voir. On l'a plus revue pour un bon boutte. Pour dire la vérité, après la danse collée du mariage pis l'humiliation, j'aimais autant ça comme ça. Juste à y penser, j'étais gênée. J'aurais pas su quoi y dire.

Mon Pierre-Paul, lui, était fin sans bon sens. On aurait dit qu'il pouvait pas en faire assez pour se faire pardonner sa folie du jour des noces.

— Fais-moi pus peur de même, Rose-Délima ! S'il fallait que tu partes, moi, je serais pas capable de rester en vie.

— Je partirai pas. Je vas mieux, le docteur est content de moi.

Il m'a serrée fort contre lui, pis il m'a embrassée. Son bec goutait un peu le fond de tonne ; ça faisait rien, ça faisait des années que c'était pas arrivé ! Par la fenêtre de ma chambre, j'entendais le fleuve qui me chantait une chanson d'amour.

C'est pour ça que je dis que mon opération, c'était un cadeau.

Chapitre 25

Le secret

Vu que ma Fleur-Ange prenait si ben soin de moi, j'avais du temps de reste. Un après-midi, j'ai décidé d'aller fouiner dans le grenier voir si je trouverais pas de la laine pour tricoter un gilet à Germain.

Je suis montée tranquillement pour pas que Fleur-Ange me voye parce que c'est sûr qu'a m'aurait chicanée :

« Qu'est-ce que vous faites là, sa mère ? Vous savez ce que le docteur a dit. Faut vous reposer. »

Pauvre petite fille, elle avait ben assez du ménage, du manger pis du soin des deux pensionnaires, je voulais pas en rajouter en y demandant d'autre chose. Et pis, je commençais à me renforcir. Faudrait ben que je me relève un moment donné.

Il faisait chaud sans bon sens dans le grenier. Les chambres étaient pas occupées, nos pensionnaires dormaient dans les chambres du deuxième. Par chance, parce que ça sentait la poussière à plein nez. Quand je serais complètement guérie, faudrait faire du ménage, ça avait pas de bon sens de laisser ça comme ça.

Il faisait tellement chaud que j'ai senti comme une faiblesse pis je m'ai assise sur une grosse malle que je me rappelais plus qu'était là. Quand j'ai repris mon souffle, j'ai décidé de regarder voir c'est quoi qu'y avait dans malle.

Il y avait tellement de poussière que j'ai éternué trois ou quatre fois en l'ouvrant. Des vieux papiers ! C'était juste ça qu'y avait dedans. Ça devait être des papiers de famille. En tout cas, ça faisait longtemps que parsonne l'avait ouverte, c'te malle-là. Juste pour voir, j'ai pris un papier qu'avait pas mal jauni pis j'ai regardé ce que c'était.

Je, soussigner Amable Lepage, reconè par la présente que je dois 50 piasses à Félicien Bernier, marchan de boi. Je done en garantit mon lot de 100 acres, dans le rang 3 ouest, canton Trécesson, à Roches Noires.

Je peille des intérais de 13 %, le premier jour du mois de mai de chaque année, pandan cinq ans, après le capitale sera payable sur demand.

À réméré.

Fait ce 7ᵉ jour de juin 1829 à Roches-Noires.

Ça, par exemple ! Je venais de découvrir pourquoi les Lepage pis les Bernier s'haïssaient. Une affaire qui datait de plus que cent ans. C'était pas créyable. J'ai pris le papier, je l'ai mis dans la poche de ma robe de chambre pour le montrer à Pierre-Paul quand il reviendrait du chantier. On le montrerait à Gemma pis à ses enfants itou. Il était temps que ça finisse, c'te chicane-là. Plus que le temps ! Astheure qu'on connaissait le secret, y avait pas de raison pour que Fleur-Ange pis Philippe peuvent pas se marier.

Je suis vite retournée me coucher avant que Fleur-Ange s'aperçoive que je m'étais levée sans permission. Ça fait drôle de dire ça, sans permission. C'était rendu que c'était la fille qui donnait la permission à la mère. Mais ma Fleur-Ange prenait tellement ben soin de moi que j'avais rien à dire sur elle.

Quand Pierre-Paul est arrivé pour souper, j'y ai dit que j'avais affaire à lui.

— Ça peut-tu attendre à demain ? Les Laurendeau m'ont invité à aller faire un tour.

Les Laurendeau, c'était un couple qui venait chaque été de Montréal pour trois semaines à Roches-Noires. Ils louaient toujours la même cabine, la plus grande, la plus belle. Ils étaient ben fins, ce couple-là, toujours à rire, ben généreux itou. Trop, faut craire.

— Venez donc faire un tour après souper, monsieur Lepage. On va prendre un petit coup en jasant.

Proposer à Pierre-Paul de prendre un verre, c'est le prendre par son point faible. Ils ont bu comme des cochons toutes les trois, apparemment. Ça fait que là, mon mari était couché à côté de moi, tellement soul qu'y bougeait pas pantoute. Il était étendu sur le dos, un vrai bardeau.

Celui-là, quand il allait se réveiller, il allait m'entendre. Y a toujours ben des limites à boire jusqu'à temps qu'on seye soul mort, sainte bénite! J'étais encore supposée me reposer, mais comment tu veux que tu te reposes quand ton mari fait un fou de lui? Dire que le matin, il avait été si fin! On pouvait dire qu'avec lui, les bonnes résolutions, ça durait jamais longtemps.

Je savais qu'il allait se réveiller avec un mal de bloc pis ce serait encore moi qui payerait pour sa soulerie. J'étais toujours ben pas pour demander à Fleur-Ange de nettoyer si son père renvoyait. Le plus pire, c'est qu'il devait aller chez le notaire dans l'après-midi. Il m'avait pas dit pourquoi, mais je me figurais que ça devait être pour le cadeau de noces à Claude vu qu'avec ma maladie, il avait pas eu le temps de signer des papiers.

— T'as pas pensé à avantager Fleur-Ange, Pierre-Paul? Après toute, c'est quand même elle, avec ses apparitions, qui t'a fait faire de l'argent.

— T'as raison, ma femme. M'en vas faire mettre ça dans mon testament. J'ai d'autres affaires à changer, itou.

Je savais pas ce qu'il avait dans tête, mais c'était comme si mon opération avait changé pas mal d'affaires. J'avais passé proche d'y rester, Pierre-Paul le savait.

Ça brassait dans ma tête, ce matin-là, je sais pas trop pourquoi. Pour quoi c'est faire que Pierre-Paul nous avait fait honte à toute la famille le jour des noces? Avec la claque sur la margoulette que Gemma lui avait donnée, c'était clair qu'elle voulait pas avoir affaire à lui. C'était-tu pour ça qu'elle avait refusé qu'on prenne Philippe avec nous autres ?

En tout cas, les Bernier avaient quelque chose de contre mon homme, aussi ben Philippe que sa mère. Pis comme je connaissais Gemma, a l'était pas du genre à en vouloir à Pierre-Paul pour une histoire qui datait de cent ans. Non, fallait que ça seye quelque chose qu'il lui avait fait à elle en parsonne. Pourtant, il la voyait quasiment jamais. Allez donc comprendre quelque chose là-dedans !

J'ai regardé le cadran, il était dix heures.

— Pierre-Paul ! Réveille-toi si tu veux dessouler avant d'aller sur le notaire !

Il a ouvert la moitié d'un œil.

— Ah... Je sais pas ce que j'ai, je suis pas capable de me lever.

— C'est ben simple, ce que t'as : t'as pris une brosse hier soir pis tu t'en ressens encore à matin.

— Non, Rose-Délima, c'est pas juste ça. J'ai mal au bras sans bon sens.

— T'as dormi dessus pis t'as le bras engourdi, c'est toute. Envoye, Pierre-Paul, lève-toi. Fleur-Ange a ben assez de me soigner sans être obligée de faire des repas à toute heure parce que tu sais pas te retenir de boire.

— J'ai un point dans le dos pis un point en avant, itou. Je te jure, Rose-Délima, je file pas pantoute. Mais t'as raison, je vas me lever. Donne-moi encore quèques minutes.

— Dix minutes, pas plus. Après, je viens te chercher pis tu vas avoir affaire à te lever. Voir si ça du bon sens de se souler comme ça. Une chance que les Laurendeau partent demain.

J'ai sortie de ma chambre. Fleur-Ange était dans la cuisine.

— Vous avez-tu ben dormi, m'man ? Vous voulez-tu un bon café ? Il fait beau aujourd'hui. Par après, je vas vous installer dans une berçante sur la galerie. Pôpa doit être parti pas mal de bonne heure, je l'ai même pas vu à matin.

— Ton père est encore couché. Je prends mon café pis je vas le lever.

Fleur-Ange a pas fait de commentaires.

Ça faisait une bonne heure que j'étais levée pis Pierre-Paul avait pas bougé. Là, ça commençait à faire. Je suis rentrée dans chambre pis j'ai presque claqué la porte. Maudit grand lâche, va! Il allait se lever ou bedonc il aurait affaire à moi.

J'ai approché du litte. Pierre-Paul avait pas grouillé, mais il avait les yeux ouverts. C'est là que j'ai compris qu'y avait de quoi de pas normal. Parce qu'on pourra dire ce qu'on voudra de Pierre-Paul, mais il avait toujours été à son ouvrage, même quand il relevait d'une brosse. Pis là, il grouillait pas pantoute.

Je savais, mais je voulais pas le croire. J'ai voulu le toucher, mais ma main tremblait, je la contrôlais plus. J'ai attendu encore. Comme si ça pouvait le forcer à se réveiller. Mais je savais qu'il bougerait plus jamais. C'était à moi de lui farmer les yeux. Autrement, il verrait pas où c'est qu'il s'en allait. J'ai mis la main sur ses yeux pis j'ai dit tout bas : « C'est mieux comme ça. »

Il était parti, il m'avait laissée tu seule. C'était-tu vraiment comme ça que ça devait être ? Sans rien, sans avertissement. Antoine, Florian, ma mère, mes frères pis astheure, mon mari. J'ai dit son nom tout bas, mais je savais qu'il m'entendait pas. Ça fait que j'ai crié :

— Pierre-Paul ! Arrête de faire le fou, laisse-moi pas, pars pas comme ça.

Pis je cré ben que j'ai pardu ma connaissance.

Toute le village a défilé devant le corps. Le monde parlait, mais ça bourdonnait comme des mouches qui volaient autour de moi.

— C'est donc ben arrivé vite !

— Le cœur, ça pardonne pas !

— On n'est pas grand-chose, allez !
— C'est les meilleurs qui partent en premier !
— Le bon Dieu le voulait pour lui !

Ces mots-là, je les avais dits aux autres ben des fois quand ils avaient pardu quelqu'un. Astheure que c'était mon tour de me les faire dire, je comprenais pas pourquoi j'avais cru que ça consolait. C'était juste des mots, c'est toute.

J'étais deboutte à côté du cercueil avec mes gars pis ma fille à côté de moi. Je serrais des mains qu'étaient trempes à cause de la chaleur. C'était comme si Pierre-Paul était devenu un saint astheure qu'il était parti. Mais je savais ben qu'on n'a pas le droit de parler en mal des morts.

C'est juste que ça faisait étrange que tout le monde vienne le voir. J'étais pas folle, sainte bénite. Je savais ben que Pierre-Paul s'était fait pas mal d'ennemis dans vie. En fait, à part les enfants pis moi, je pense pas qu'y avait ben du monde qui avait de la peine de savoir que Pierre-Paul était parti.

La cérémonie religieuse a été longue sans bon sens. L'église était pleine. J'ai passé proche de faire de la toile. Je sais pas comment j'ai fait pour me tenir deboutte.

Chapitre 26

Le voleur

Qui aurait dit qu'un jour Pierre-Paul m'ôterait ce qu'il m'avait donné? C'est pas juste le bon Dieu qui vient comme un voleur. Y a des voleurs sur la terre itou. Pis Pierre-Paul en était un.

Quand il est parti, mes gars ont été ben fins avec moi.

— Découragez-vous pas, sa mère. Laissez-nous faire. Vous avez toujours pris soin de nous autres. C'est ben normal qu'on s'occupe de vous, asteure que vous êtes veuve.

Veuve? J'étais veuve, moi? C'était pas un mot qui m'avenait, pourtant. Et c'était pas à mes enfants à s'occuper de moi. J'avais encore de la vaillance dans le corps, mais quand c'est qu'a pas de place pour rester, la vaillance, a vaut plus grand-chose.

Pour les papiers, j'étais pas forte forte. Bernard pis Claude ont dit qu'y fallait aller chez le notaire. J'avais pas une miette d'inquiétude pour le testament. Par contre, vu que Pierre-Paul avait pas eu le temps de faire la donation pour Claude, je lui avais promis qu'on règlerait ça en même temps que le reste. Pauvre de moi! Si seulement j'avais pu m'attendre à une pareille surprise!

Un vrai coup de poing, ce verrat de testament-là.

— Le dénommé Philippe Bernier hérite de la maison et des dépendances, à la condition expresse qu'il n'épouse pas votre fille Fleur-Ange. Cependant, c'est à vous, Rose-Délima Gosselin, dame Lepage, que revient le devoir d'administrer les biens légués aux enfants mineurs jusqu'à leur majorité.

Je me rappelais pas avoir été humiliée de même! Bernard regimbait:

— Ça se peut pas, ce que vous dites là, notaire. Mon père avait pas le droit de laisser la maison à Philippe Bernier; il est même pas parent avec nous autres.

— Tu te trompes, mon gars. La loi permet en effet de léguer ses biens, en partie ou en totalité, à quelqu'un d'étranger à la famille.

— Mon mari voulait changer son testament. Vous le savez ben, notaire Desbiens, vu qu'il avait rendez-vous pour vous voir dans l'après-midi de sa mort.

— Vous avez raison, madame, nous avions rendez-vous. Mais une intention n'est pas une action.

— Je comprends pas ce que vous voulez dire.

— Je veux dire que même si votre mari avait l'intention de changer son testament, tant que ce n'était pas fait, le document actuel reste valide. Autrement dit, il ne peut pas être contesté, car votre époux était sain de corps et d'esprit au moment où on l'a rédigé.

— Vous voyez ben que c'est pas juste, ce testament-là. Pour quoi c'est faire que vous y avez pas fait changer d'idée?

— J'ai tenté de lui faire comprendre l'imprudence de son geste, madame. Mais il n'a pas voulu m'écouter.

On était tout assommés par la nouvelle. C'est Claude, je pense, qui a eu l'idée de demander:

— Ça veut-tu dire que les cabines sont à Philippe aussi?

— Les cabines? Ah, vous parlez du commerce de location exercé par votre père? Non, cette partie des avoirs revient au légataire universel, c'est-à-dire à votre mère, à l'exception d'une part de vingt-cinq pour cent appartenant déjà à Bernard Lepage, ici présent.

Encore heureux! Au moins, y en avait un dans famille qui se faisait pas voler! Y avait tellement d'affaires qu'on comprenait pas! On est restés pas mal longtemps dans le bureau.

En fin de compte, fallait que je m'occupe de la maison, que je la garde en bon état, que je la fasse profiter si je pouvais, pis, quand Philippe aurait vingt-et-un ans, que je m'en aille pour lui laisser la place.

— Une vraie affaire de fou, y a pas d'autres mots. Si c'est comme ça, moi, je vous le dis tu suite, j'aime autant m'en aller rester ailleurs.

— C'est votre droit, madame. Si vous refusez, nous allons nommer un conseil de famille qui s'occupera de tout en attendant que Philippe Bernier atteigne sa majorité.

Claude est intervenu encore une fois :

— Pensez-y, sa mère. Où c'est que vous voulez aller ? Les cabines sont pas isolées pour l'hiver et pis on peut même pas construire sur le terrain, y nous appartient plus.

Si j'aurais pas été catholique, je serais allée me périr en sortant de chez le notaire. Il me revenait toutes sortes d'affaires dans tête : comment ça mettait Pierre-Paul en joual vert quand c'est que Fleur-Ange disait que Philippe, c'était comme son frère ; la nuitte de Noël qu'avait viré en chicane quand c'est qu'Hormidas avait dit que mon mari tentait sur Gemma ; comment que Pierre-Paul était fier du don à Philippe. Quasiment autant que si ça avait été son gars à lui. Son gars à lui... C'était-tu pour ça par hasard qu'il avait voulu qu'on le prenne avec nous autres quand Zotique est mort ? Pis qu'il défendait toujours Philippe avec son don ? Sainte bénite, si ce que je pensais était vrai, ça voulait dire que Philippe était le septième garçon de Pierre-Paul pis ça expliquerait son don. Fallait que ça sèye ça, y avait pas d'autre explication ! En plus, avec la condition que Fleur-Ange marie pas Philippe, c'était pas difficile de comprendre le raisonnement de Pierre-Paul. On peut pas se marier entre frère et sœur. On pouvait plus douter : le petit Bernier, c'était en réalité un petit Lepage. Le septième fils de Pierre-Paul ! Mes garçons pis ma fille avaient un frère. Chance à Dieu que mon ange était pas là pour entendre ça ! Comment c'est que j'allais faire, moi, pour y expliquer que son rêve de mariage se réaliserait pas ? « Notre Philippe », qu'il avait dit au maire ! Pas de danger que j'oublie ça, astheure. Le testament était là pour m'y faire penser. Toutes les jours !

Dire que j'avais toujours cru que Gemma était mon amie ! Une belle hypocrite, celle-là, oui ! Elle avait eu le front de faire le voyage de Rimouski jusqu'à Roches-Noires, la bouche en trou de cul de poule, soi-disant pour m'offrir ses sympathies. Ces affaires-là, ça prenait pas avec moi. J'y ai garroché en pleine face ce que je pensais d'elle pis de ses manigances :

— Zotique t'a fait seize enfants, c'était pas assez ? A fallu que tu prennes mon homme pour t'en faire un dix-septième ? Philippe avec son don ! Le don de mettre tout à l'envers, oui. Où c'est qu'il est, là, ton gars, que je lui parle ? Il se cache, je suppose ? Arrête de pleurer, Gemma Bernier ! C'est moi qui viens de toute parde, pas toi. Ah, t'avais ben préparé ton affaire, on peut pas dire le contraire ! Va-t'en d'icitte, pis reviens pus. Tu diras à ton gars de se faire rare. Dans quatre ans, quand il sera majeur, m'en vas lui remettre sa maison. Tu pourras venir rester avec si tu veux. Pour astheure, efface. Je veux pus vous voir, ni toi ni lui.

Elle a essayé de me parler, mais j'ai pas voulu l'écouter. Je lui ai montré la porte et je m'ai bouché les oreilles. Vous le crairez si vous voulez, je l'ai vue qui faisait assemblant de pleurer. Ben ses simagrées, a pouvait les garder pour elle. Moi, quand c'est fini, il y a plus de revenez-y.

Aussitôt la porte farmée, j'ai pris l'escalier pour monter à ma chambre.

— Fleur-Ange ? Qu'est-ce que tu fais là ?

Elle était assise dans les marches, la tête dans les mains. Elle a pas répond, mais j'étais trop malheureuse pour m'en occuper. Pauvre petite ! À dire la vérité, j'ai ben du remords de l'avoir laissée tu seule dans sa peine. Pis des fois je me demande si c'est pas ça qui l'a rendue comme qu'elle est. Si

j'y avais parlé, peut-être ben… Mais comment c'est qu'on fait
pour expliquer à une fille de dix-sept ans que le garçon qu'elle
aime, c'est son frère pis qu'a peut pas le marier?
Mais non. Je l'ai laissée dans les nuages.

~

Avez-vous remarqué ça, vous autres, qu'une mauvaise
nouvelle, ça vient rarement tu seul?
Depuis la journée qu'on a lu le testament, ma Fleur-Ange
parlait plus. Pas un mot. Ah, c'était ben pas la première fois
qu'elle partait dans les nuages, celle-là, mais de coutume, elle
finissait toujours par revenir sur terre. Ben pas c'te fois-citte.
Elle faisait son ouvrage, allait prier toutes les jours à chapelle
sans qu'on entende un mot sortir de son corps.
— C'est ben beau, les prières, ma fille, mais faudrait que
tu te décides à parler à ta mère. T'as-tu eu la visite de la
Sainte Vierge? Non? Ça file pas, d'abord? Tu veux-tu que
j'appelle le docteur?
A me regardait sans me voir, comme on dit. Au commencement, j'ai pensé que c'était parce qu'elle se retenait de
pleurer. Tu sais pas trop ce qu'y a dans la tête d'une fille. Son
père avait pas toujours été ben fin avec elle, mais c'était son
père, après toute. Peut-être qu'elle avait quand même de la
peine? Ou bedonc elle avait eu vent de ce qui s'était passé
chez le notaire?
J'ai jonglé longtemps. Pis ça m'est venu, comme ça, d'un
coup. Elle avait tout entendu quand j'avais fait ma crise à
Gemma. Ma pauvre petite fille! A l'avait beau avoir ses dix-
sept ans, de savoir que Philippe était son frère, de comprendre
que son père s'était mal comporté, comment voulez-vous que
ça lui aille pas donné un coup? Eh que j'aurais donc dû lui
parler moi-même au lieu de la laisser mijoter. Des affaires de
même, c'était ben assez pour la rendre morose.
J'ai été voir le docteur Lemieux en cachette de tout le
monde, pour voir si, des fois, il pourrait faire quelque chose.

J'aurais donné je sais pas quoi pour que ma fille m'aille pas entendu parler à Gemma. J'avais honte sans bon sens. Trop honte pour conter ce qui s'était passé au docteur.

— Hélas, madame, je ne sais trop quoi vous dire. La mort de Pierre-Paul... de son père, a été un grand choc, sans aucun doute. Vous dites qu'elle avait l'habitude de ces absences? Non, je ne sais pas si elle parlera un jour. Sans doute estime-t-elle qu'elle n'a plus rien à dire. Une enfant, c'est fragile. J'avais tenté de vous le faire comprendre, il y a quelques années.

Là, il y allait un peu fort.

— C'est de ma faute, je suppose? Envoyez, fessez, gênez-vous pas, faites comme tout le monde.

— Vous n'y êtes pour rien, bien sûr. Le mutisme de Fleur-Ange est une réaction purement psychologique. Le monde dans lequel elle vit ne lui convient plus, alors elle s'en éloigne comme elle peut. Et soyez certaine qu'elle est aussi lucide qu'auparavant.

— Psychologique? Ça veut dire qu'est pas malade de son corps, ça. Qu'est-ce qu'on peut faire pour l'aider? Vous pourriez pas essayer, vous? Après toute, vous êtes docteur, vous avez étudié pour ça, guérir le monde. Donnez-moi au moins des idées.

— Le jeune Bernier est son grand ami, n'est-ce pas? Depuis leur naissance ou presque. Peut-être pourrait-il la sortir de son apathie? Vous n'avez rien à perdre à essayer, en tout cas.

— Pas question! Je veux pus voir ce garçon-là.

— Vous avez tort. C'est peut-être sa seule chance, je crois.

Je savais même pas si Fleur-Ange serait contente de voir Philippe, mais j'ai pilé sur mon orgueil pis je suis allée voir Gemma à Rimouski.

— J'aurais ben voulu t'aider, tu sais, même si tu m'as fendu le cœur en me mettant dehors, l'autre jour. Philippe est pas icitte. Apparence qu'il s'est rendu chez son frère Jean-Claude, à Percé. J'y ai fait dire de rester là pour un boutte, c'est mieux de même. Sans vouloir t'offenser, mon gars était enragé sans bon sens après Pierre-Paul à cause qu'il m'a manqué de respect, le jour des noces d'Alice. Pour le reste, si tu voulais me laisser t'expliquer...

— Non. Je suis pas capable de passer par-dessus ce que vous m'avez fait, Pierre-Paul pis toi. Comprends-tu ça, Gemma ? Pas capable !

— Je t'ai rien fait, justement. C'est Pierre-Paul qui...

— C'est ça ! Mets-y toute sur le dos. C'est facile, il est pus là pour te contredire. Faut être deux pour ce que vous avez fait, Gemma ! Faut être deux, y a pas à sortir de là !

— Écoute-moi, pour l'amour !

— Pour l'amour ? Y a aucun amour dans c'te cochonnerie-là.

J'ai reviré de bord pis je suis sortie pendant qu'a continuait de parler.

———

J'avais repris ma vaillance après l'opération pis la mort de Pierre-Paul. Vu que j'avais plus de maison à moi, j'ai demandé aux pensionnaires de s'en aller. Fleur-Ange parlait toujours pas pis j'étais pognée avec un testament qui me faisait tellement honte que j'osais quasiment pas aller au village. J'envoyais Germain faire les commissions.

J'étais plus capable de prier. J'avais juste envie de crier à Pierre-Paul :

« Ton fils, oui, "ton Philippe", comme tu disais, il est parti au boutte du monde. Nous autres, on reste avec le barda, les obligations, mais parsonne pour guérir Fleur-Ange. T'as fait de la belle ouvrage, Pierre-Paul, ça oui ! »

Chapitre 27

L'héritier

C'est arrivé un matin, de bonne heure. Je commençais à me réveiller quand j'ai entendu Alice renvoyer dans les toilettes. Gemma pis moi, on serait grands-mères dans les mois à venir.

Ça pas été facile pour ma bru. Elle a eu tellement de misère les premiers mois que ça me faisait penser à moi. Toutes les fois où c'est que j'avais renvoyé les premiers mois, j'avais pas rendu mes bébés à terme. J'avais souleur que ça seye pareil pour Alice. J'essayais de l'encourager:

— C'est plus comme dans mon temps. Nous autres, c'était la garde-malade qui nous accouchait ou bedonc la sage-femme. Des fois, c'était juste une voisine. Astheure, les femmes vont à l'hôpital et pis c'est les docteurs qui les accouchent. Ton docteur, à Rimouski, il pourrait pas te donner quèque chose pour que t'arrêtes de renvoyer?

— Inquiétez-vous pas, la belle-mère. Le docteur dit que c'est à veille de passer, les vomissements. Suffit de manger une couple de biscuits soda avant de me lever le matin.

— Ah, bon. Si tu le dis...

Vers la fin, Alice était tellement grosse que je pensais qu'elle attendait des bessons. Finalement, elle a eu un garçon. Pierre. Un beau petit gars nous est arrivé, au printemps 1962. Claude portait pas à terre quand il est venu pour le compérage.

Moi, j'ai eu ben du contentement de c'te naissance-là, mais j'ai eu une fausse joie itou. Alice avait demandé à Fleur-Ange si a voulait être marraine. On retenait toutes notre souffle, d'un coup que ça y rendrait la parole. On espérait pour rien. Fleur-Ange a fait signe que oui, qu'a serait marraine. On a eu une dispense et pis c'est moi qu'a dit les promesses au nom de Fleur-Ange.

Même si elle le disait pas, je savais ben qu'Alice profitait des visites à son docteur à Rimouski pour aller voir sa mère. J'avais rien à redire là-dessus, elle avait ben le droit. Tout ce que je voulais, c'était qu'elle m'en parle pas. En seulement, quand ça été le temps de parler du baptême, a ben fallu que je me fasse à l'idée que Gemma serait là, elle itou. Même que c'est elle qui serait porteuse. Claude m'a dit :

— Gemma donne une fête chez elle après le baptême, sa mère. Elle fait dire que vous êtes invitée.

— Tu y diras merci de ma part, mais que je pourrai pas être là, je file pas.

— Voyons, sa mère, depuis le temps que c'est arrivé, c't'affaire-là, me semble que vous pourriez mettre de l'eau dans votre vin.

Sur le coup, j'ai pensé que Claude parlait de l'affaire de son père avec Gemma. Mais ça se pouvait pas. C'est là que j'ai compris que Claude pensait que la chicane avec Gemma, c'était à cause qu'a l'avait donné une claque dans face à Pierre-Paul, le jour du mariage. Ben j'étais pas pour le détromper.

— J'irai pas chez Gemma. Vous êtes aussi ben de vous faire une idée là-dessus parce que moi, je la changerai pas, mon idée. Je vas aller au baptême, je vas avoir un sourire dans face pis je vas faire les choses comme il faut, mais je suis pas obligée d'aller chez Gemma ou d'avoir affaire à elle.

Pis j'ai fait comme que j'avais dit. Je m'étais dit que j'avais juste besoin de la saluer de la tête sans dire un mot, pis à distance d'elle. Ben j'ai même pas été capable de faire ça. Chaque fois que ça s'adonnait que je la regardais, le méchant me remontait dans gorge pis ça me laissait un gout de manger renvoyé dans bouche. Au lieu de sourire, je faisais la grimace à essayer de ravaler ça. Comme toute ce que j'avais ravalé à cause de Pierre-Paul.

Mais en sortant de l'église, après le baptême, Gemma s'est essayé à me parler. Je sais pas si elle voulait m'inviter en parsonne, mais moi, j'y ai tourné le dos devant tout le monde, elle pis son visage à deux faces.

J'aimais mieux regarder mon petit-fils. Mon premier petit-fils, vu que Bernard pis Carmelle avaient quatre filles. Celui-là, il ressemblait en plein à mon Florian. Tellement qu'en le voyant, c'était comme si j'avais été à reculons dans le temps.

Quand je serais partie, c'est Bernard qu'aurait le bien, vu qu'il était le plus vieux de mes garçons, mais s'il avait pas de garçon lui-même, ça irait au fils à Claude.

Je savais ben que c'était passé de mode, cette affaire-là, de donner le bien au garçon plutôt qu'à la fille, mais c'était comme ça que j'avais fait mon testament, l'année où c'est que j'avais passé proche de mourir.

Quasiment deux ans jour pour jour après la mort à Pierre-Paul, v'là-tu pas que la maladie me pogne. J'avais mal aux reins sans bon sens. Une néphrite, que le docteur a dit. Y m'ont réchappée, pis aussitôt que j'ai été capable, j'ai été sur le notaire. J'en avais parlé à Ludovic pis Fernande avant, ils étaient d'adon. J'avais pas grand-chose à donner, vu que la maison appartenait à Philippe. Chaque fois que j'y pensais, ça me mettait le feu après Pierre-Paul. Voir si ça de l'allure ! Déshériter sa famille au profit d'un étranger. Philippe avait beau être son fils, c'était pas le plus vieux. Et pis c'était-tu vraiment son fils ? Des fois, je me demandais s'il s'était pas trompé. Après toute, Zotique était encore en vie quand c'était arrivé, cette affaire-là. Pour savoir, aurait fallu que je parle à Gemma, pis ça, y en était pas question.

~

Ben un matin, en ouvrant le radio, v'là-tu pas qu'on a eu la surprise de notre vie. Cette chanson-là, tout le monde la connaissait. La voix au radio itou.

— Vous venez d'entendre *Adieu donc, mamie, je m'en vas*, une chanson tirée du tout premier microsillon de Philippe Bernier. Celui qu'on appelle maintenant « la découverte de l'année » a déjà dans sa besace un bon bagage de chansons, tirées pour la plupart de ses souvenirs d'enfance. Originaire de Roches-Noires, dans le Bas-Saint-Laurent, Philippe Bernier a devant lui une carrière prometteuse, malgré son jeune âge.

Ah, ils pouvaient être fiers, Pierre-Paul pis Gemma ! Le Philippe, c'était rendu une vedette et pis il allait faire des records. Il promenait sa guitare pis ses chansons de marins partout dans la province.

Je sais pas de quoi c'est que le monde auraient dit s'ils avaient su que Philippe Bernier, c'était le fils d'un tricheur et pis d'un voleur d'héritage !

～

Ma fille était comme une deuxième mère pour son filleul. Elle le barçait, lui changeait ses langes, le faisait manger. Tout ça sans dire un mot de son corps ni même un sourire. Avec ses yeux qui avaient l'air d'avoir vu toute la misère du monde.

Les petits-enfants sont venus, un après l'autre. J'en aurais eu ben du plaisir si ça avait pas été que je me sentais plus chez nous. Le temps approchait des vingt-et-un ans de Philippe pis faudrait que je lui remette la maison, que je nous trouve une autre place pour rester avec mes enfants pis mon petit-fils. Ça me chicotait tout le temps. Je me demandais ce qui allait nous arriver. Ça fait que quand le notaire m'a appelée pour me dire que Philippe avait refusé l'héritage tandis qu'il était de passage à Rimouski, j'ai quasiment tombée à terre de surprise. Apparence qu'il aurait dit :

— Absolument pas ! Qu'est-ce que vous voulez que je fasse avec une grande place de même ? J'ai pas dessein de rester dans le coin ni de me marier.

« Pas dessein de me marier… » Pauvre Fleur-Ange, va. Pis pauvre Philippe, itou. Les larmes me sont venues aux yeux pendant que le notaire continuait à parler :

— À la suggestion de madame Bernier, Philippe a signé une renonciation en bonne et due forme. Je vais donc rétablir le titre de propriété à votre nom et vous pourrez passer le prendre à l'étude à votre convenance. Le jeune Bernier m'a également demandé des nouvelles de votre fille. Ma foi, je lui ai dit qu'il pourrait en prendre lui-même en se rendant vous annoncer la bonne nouvelle de la renonciation. Mais il n'avait pas le temps de se rendre à votre domicile, son train devant quitter la gare sous peu. Je me suis donc chargé de lui apprendre que les médecins pensaient que Fleur-Ange ne parlerait plus jamais de sa vie, bien qu'elle ait gardé toutes ses facultés.

Moi qu'en avais tant voulu à Philippe, si je l'aurais eu devant moi, je l'aurais embrassé. J'avais eu un cadeau de mon mari, il me l'avait ôté, pis là, on me le redonnait.

Ma maison ! Je la regardais avec d'autres œils, astheure. Le fardeau était parti de mes épaules. J'avais plus besoin de me faire du sang noir pour savoir ce qu'on ferait ou bedonc où c'est qu'on irait. Tout d'un coup, j'ai eu envie de reprendre mon chez-nous. J'ai dit aux filles :

— Alice, Fleur-Ange, j'ai une idée. Ça vous dirait-tu si on faisait des changements dans maison ? On pourrait mettre des rideaux neufs dans le salon, acheter d'autres chaises pour le solarium pis peinturer les chambres. Me semble que ça ferait du bien d'avoir d'autres couleurs. Si vous êtes d'adon, comme de ben entendu. Demain, je demanderais à Bernard de me mener en char à Rimouski avec Fleur-Ange.

Alice a pris son plus jeune par les mains et s'est mise à virer comme une toupie dans cuisine.

Comme de coutume, Fleur-Ange a pas parlé. J'en avais pris mon parti, astheure. Je savais qu'elle avait compris ; les docteurs m'avaient assez dit qu'elle gardait toute son génie, ça fait que je savais ben qu'elle trouverait un moyen de me le faire savoir si elle était d'adon.

Chapitre 28

Le visiteur

Je sais plus au juste quand c'est que c'était. Un été, les touristes sont revenus qu'on s'enfargeait quasiment dessus. Ils venaient plus pour les apparitions depuis longtemps. Tout le monde avait l'air d'avoir oublié Fleur-Ange et pis c'était ben mieux de même. Je savais qu'elle priait toujours, mais comme elle parlait pas, parsonne savait si elle voyait d'autres apparitions.

C'te fois-là, apparence qu'ils avaient annoncé une éclipse totale de soleil pis que c'était par icitte, dans le Bas-du-Fleuve, que ça se verrait le mieux. Des fois, je me disais que le monde ont donc rien à faire pour courir après toutes ces niaiseries-là.

Dans les annonces à télévision pis au radio, ils avertissaient le monde de pas regarder au ciel directement. Ils vendaient des lunettes noires pour pouvoir regarder sans se faire mal aux yeux. Ça fait que le long de la grève, c'était plein de monde qui se promenait avec les fameuses lunettes. Y en avait d'autres qui regardaient dans une longue vue. Ça a pas duré longtemps. Nous autres, on a fait ben attention vu que la maison était proche de la grève. On voulait pas se ramasser encore une fois avec notre nom dans les gazettes.

Quand ça été fini, le monde sont partis en laissant des déchets sur les roches pis dans les battures. Des vrais sauvages, sainte bénite! Même pas capables de se ramasser. J'étais juste pour envoyer les petits dehors avec des sacs pour mettre les cochonneries dedans quand le téléphone a sonné.

C'était pour Alice.

Gemma venait juste de mourir.

— Pars tu suite, je m'occupe des enfants.

— Vous venez pas?

Avec ses yeux couleur de fleuve, la question de ma belle-fille, c'était un message. « Le temps des chicanes est passé. Oubliez donc votre rancune. »

Fleur-Ange est restée pour s'occuper de ses neveux tandis que Carmelle, Alice et moi, on s'est rendues à Rimouski.

Gemma! De la voir là, dans sa tombe, je peux pas dire ce que ça m'a fait. C'était comme si y avait quelque chose de pas fini. On avait été tellement amies toutes les deux! Pour quoi c'est faire que j'avais pas laissé mon orgueil de côté? J'avais pas voulu me raccorder avec elle et pis là, c'était trop tard, je pourrais plus rien faire. Pis me semblait que c'était plus vraiment important pourquoi que j'étais supposée l'haïr, finalement.

J'ai braillé comme une Madeleine. Tout le monde me regardait, les enfants de Gemma pis les miens. Ah, je suis certaine qu'ils se disaient que je faisais des manières, que j'avais pas de peine. S'ils avaient su! Gemma partie, ça me mettait drette en avant, « en première ligne », comme qu'ils disent. Mon tour viendrait betôt pis j'étais pas sure que le bon Dieu me pardonnerait de m'avoir assise sur ma rancune.

C'est mal fait, la vie, des fois. Tu dis des affaires que tu devrais pas, tu le regrettes après, mais t'es trop fière pour revenir en arrière. Peut-être que ma Fleur-Ange a compris ça, elle, pis que c'est pour ça qu'a parle plus?

Philippe allait revenir pour l'enterrement, sûr et certain. Lui qu'avait toujours pu prédire les affaires, je me demandais s'il savait que le ciel allait noircir en même temps que sa mère partait.

Si j'aurais dit ce que je pensais, mes enfants m'auraient ben traité de superstitieuse, mais moi, je trouvais que l'éclipse, c'était un signe que Gemma partirait. Il avait fait noir parce qu'il restait de la rancune dans l'air.

Astheure que Gemma était rendue en haut, je pouvais juste espérer qu'elle savait toutes les regrets que j'avais pour toute ce qu'on s'était pas dit quand on avait eu l'occasion, elle pis moi.

———

— Fleur-Ange, j'entends une machine devant la porte. Ça doit être Émile avec sa Lucie. Va donc voir, ma belle, pis fais-les passer dans le solarium.

Des fois, je me demandais si sa tête avait grandi en même temps que son corps. Me semble que si elle avait pu me dire sa peine, j'aurais pu l'aider. Elle pensait-tu toujours à son père ? À Philippe ? Il était rendu tellement connu, celui-là, qu'on entendait quasiment juste lui, autant au radio qu'à télévision.

Un soir, ça devait être en 1969 ou en 1970, on avait regardé un programme à télévision, *Le sel de la semaine*. Chaque semaine, ça parlait de quelqu'un de différent, pis c'te semaine-là, ben c'était Philippe.

L'animateur, il me semble ben que c'était Fernand Seguin. Il lui a demandé toutes sortes d'affaires. D'où c'est qu'il venait ; de quoi ça avait l'air, le village ; comment il expliquait son succès. Juste la semaine d'avant, il avait chanté à Paris. Apparence que les Français l'avaient ben gros aimé.

Il a parlé de son oncle Rosaire. Que c'était le frère à sa mère, qu'il était gardien de phare jusqu'à sa mort. Philippe avait composé une chanson pour honorer son oncle parce que c'était lui qui y avait montré toutes les chansons de marins. C'était un bon programme, ben intéressant, itou. Je pense qu'à Roches-Noires, y a ben du monde qui ont regardé ce programme-là. Une qui l'a regardé pis qui disait rien, c'était ma Fleur-Ange.

— Regarde, Fleur-Ange. C'est Philippe à télévision. Tu te rappelles de Philippe, hein? Écoute comme y chante ben!

Elle me regardait avec ses yeux de neyée, mais elle ouvrait pas la bouche. Dans le temps, on avait vu d'autres docteurs. Pour ma fille pis pour Germain, itou. Des «grands spécialistes», comme ils disaient. Ben ils étaient pas plus fins que le vieux docteur Lemieux. Parsonne a trouvé pourquoi que Fleur-Ange voulait plus parler ni pourquoi Germain était resté comme en enfance. Pour Fleur-Ange, ils disaient:

— C'est son psychisme qui se révolte, madame.

Ben voyons donc! Rien qu'à la regarder, on le voyait ben qu'il y avait pas une once de révolte dans ma fille. C'est drôle à dire, mais ça m'a ben d'l'air que, des fois, les médecins, ils en savent pas plus que nous autres sur le mal qui nous frappe. Sauf qu'eux autres, ils nous disent ça avec des grands mots savants tout droit sortis de l'université et pis qu'on comprend pas.

Pour Germain, les docteurs disaient que ça se guérissait pas, pis que lui non plus y parlerait pas ben gros. Il avait pas toute son génie. Il serait «autiste», qu'ils disaient. Un enfant d'alcoolique, c'est ça que ça fait.

~

Ça cognait en avant.

— Fleur-Ange? Qui c'était à la porte?

— C'est moi, madame Lepage.

Le ciel m'aurait tombé sur la tête que j'aurais pas été plus surprise. Philippe Bernier!

— T'es venu voir ta sœur? Sont pas encore revenus du salon mortuaire, Claude pis Alice. De fait, je pensais que c'était eux autres quand j'ai entendu ta machine dehors. Attends de voir les enfants! Tu sais qu'ils ont deux beaux gars pis une toute petite fille?

Je parlais, je parlais, vite, je mettais des mots boutte à boutte juste pour pas être obligée d'écouter ce qu'il avait à dire. Coudonc, a ben fallu que je m'arrête un moment donné, hein?

— Je vous dérangerai pas longtemps, je pars bientôt. Je savais pas que vous attendiez du monde, autrement je serais pas venu. Je voulais juste savoir, pour Fleur-Ange...

— C'est toujours pareil, comme tu peux voir. Fleur-Ange? Tu reconnais la visite? C'est Philippe Bernier.

Dans ma tête, je pensais:

«Celui que j'appelais ton jumeau quand t'étais petite, sans savoir que j'étais dans le vrai.»

— Tu t'en rappelles, Fleur-Ange, quand on allait aux fraises ensemble? Ça te dirais-tu d'aller faire un tour au bord du fleuve? Si ta mère est d'adon, comme de raison.

Elle a pris la main à Philippe comme si ça faisait juste une couple de jours qu'ils s'étaient pas vus. Comme quand ils étaient petits, qu'ils couraient ensemble tout partout.

— Vous inquiétez pas, madame Lepage, je vais en prendre soin. On restera pas longtemps partis.

J'avais peur, mais j'étais contente en même temps. On sait jamais, d'un coup que le gars à Gemma réussirait là où c'est que parsonne avait réussi? Ça, ça serait un vrai miracle! J'avais quasiment envie de me mettre à genoux parce que, pour une fois, Fleur-Ange avait pardu son air de pas être là...

Ils en finissaient plus de revenir. Au boutte de deux heures, j'ai commencé à être inquiète.

— Germain, t'irais pas voir pour ta sœur, des fois?

Juste comme il allait sortir, mes deux moineaux sont revenus. Que c'est qu'ils avaient ben pu faire pendant toute c'te temps-là? J'ai rien demandé à Philippe et pis Fleur-Ange était pas capable de me le dire.

Quand ils sont rentrés, ils se tenaient encore par la main. Comme des amoureux? Non. Ma pauvre Fleur-Ange continuait peut-être d'avoir un sentiment pour Philippe. Ces affaires-là, ça se raisonne pas. Mais lui, comment vous voulez qu'il aille eu envie d'une femme qui parlait pas? Et pis, entre frère et sœur, c'était défendu.

295

On était pas près d'aller aux noces. En tout cas, à ces noces-là. Quand même, ma fille avait pardu son air de pas être là et juste ça, c'était du soleil dans journée.

— Je vais vous laisser le bonjour, astheure que votre visite vient d'arriver.

— Reste encore un peu, si tu veux. Même que si tu veux rester à souper, ça te donnerait la chance de parler à ta sœur. Et puis mon gars, je t'ai pas vu depuis un boutte. Vu que t'es là, je voudrais te dire, pour le notaire, là…

Il m'a pas laissé finir. Il m'a juste fait un signe de tête et il est parti. Comme ça. Sans même se retourner.

Fleur-Ange a pas parlé plus qu'avant, ça non. Rapport que les miracles, c'est ben rare, le curé Bigot avait raison là-dessus. Mais elle a beaucoup changé. C'était rendu qu'elle écoutait les nouvelles, qu'elle lisait le journal itou. Son frère lui achetait *L'Écho du Large* à chaque semaine pis *Le Soleil* de Québec. Quand ça parlait de Philippe, y sortait comme un fredonnement de sa gorge, un peu comme une musique qui venait du plus profond de son corps. Et pis ses yeux! Philippe avait réussi à mettre de la vie dans les yeux de ma fille.

———

Ma visite a fini par arriver. Ma bru était pas mal avancée dans son temps, elle était un peu fatiguée. J'ai pris sa petite Gabrielle dans mes bras. Deux ans, déjà! Des yeux à faire pâmer les hommes. Je lui ai conté des belles affaires. Pas de gros méchant loup, pour ma petite catin d'amour, juste des fées aux cheveux blonds.

— Comme ma tante Fleur-Ange?

— Mon Dieu qu'est fine cette enfant-là! T'as raison, ta tante Fleur-Ange, c'est une fée! Lucie, Émile, qu'est-ce que vous attendez, vous autres, pour me faire grand-mère?

— Vous avez six petits-enfants, sa mère, un septième en route. C'est pas encore assez?

— Pensez-y, la belle-mère. Quand vos petits-enfants vont avoir des enfants à leur tour, hein ? Comme je vous connais, vous continuerez de catiner.

— Ma pauvre Carmelle, ta plus vieille a juste dix ans. On a le temps d'y penser, aux arrière-petits-enfants !

— Dites pas ça, madame Lepage. Le temps passe vite, vous le savez.

— Ça, ma fille, t'as ben raison.

Chapitre 29

La fête

Le temps passe vite... Qui c'est qu'y aurait cru que j'enterrerais quasiment tout le monde de ma génération? Dans ma vie, y a ben des morts. Ben des vivants, itou. Et pis là, les vivants ont décidé de me fêter, vu que je vas avoir mes cent ans betôt.

Ils ont fait les choses en grand pas pour rire! En premier, Bernard voulait louer une salle à Rimouski. Moi, j'aimais mieux rester dans ma maison. Est grande, c'te maison-là. Assez pour que toute la famille aille une place pour coucher. Pour une fois que les chambres vides se rempliraient, que j'entendrais marcher en haut, monter pis descendre les escaliers...

C'est pour le coup que je pensais qu'on était revenus quand j'avais toutes mes moineaux autour de moi.

Cent ans, ça fait jongler une femme.

Toutes les ceusses qui pouvaient sont venus pour fêter mon «centenaire», comme ils disent. Les enfants, les petits-enfants, les arrière-petits-enfants. Pis les journalistes avec. Eux autres, on peut pas dire que j'en garde un bon souvenir! Moi, ça me faisait pas un pli sur la différence qu'ils parlent de moi dans les gazettes. Mais les enfants, eux autres, ils avaient l'air de trouver que c'était important.

Ils ont pris mon portrait. De moi tu seule, pis aussi des portraits en famille. Astheure, avec les nouvelles bébelles, tu peux voir le portrait tu suite. Y a rien qu'à regarder en arrière du kodak.

Ils m'ont posé des questions, itou. J'ai répond comme que ça venait...

Chroniques du fleuve, 9 juillet 2009

DAME LEPAGE CÉLÈBRE SON CENTENAIRE
Doris Blackburn

Dire que le fleuve fut toute sa vie serait un pléonasme, si l'on considère qu'elle est née dans une cabane de l'Isle-aux-Brumes et y a vécu jusqu'à son mariage avec Pierre-Paul Lepage, en mai 1929. Les nouveaux mariés se sont installés à Roches-Noires, à un jet de pierre de Rimouski, dans la grande demeure familiale, tout près du fleuve. C'est là, dans cette maison où elle vit toujours avec son fils Bernard et la famille de ce dernier, que Rose-Délima a mis ses onze enfants au monde.

Encore alerte, elle demeure, pour ses descendants, une femme dont le dernier souhait est déconcertant. N'a-t-elle pas réclamé, pour célébrer son centième anniversaire, qu'on l'emmène faire « un tour de bateau sur le fleuve » ?

Rencontrer Rose-Délima Lepage, c'est constater que la vieillesse est, pour une fois, le contraire de ce que l'on imagine. Elle est une grand-mère et une arrière-grand-mère espiègle, malgré son visage doux et calme.

Sa mémoire, qu'elle qualifie elle-même d'infaillible quant aux dates, lui a permis, le jour de son anniversaire, de faire une rétrospective du siècle écoulé, pour le plus grand plaisir de ses auditeurs.

Cette femme, qui a connu l'invention du téléphone, les images enneigées des premiers téléviseurs et les balbutiements des ordinateurs, garde sa simplicité. Si on lui demande le secret de sa longévité, elle parlera de sa recette miracle : ne jamais se coucher du côté du cœur.

Tous nos vœux à vous, dame Rose-Délima Lepage, et que ce cœur qui vous anime continue de battre encore longtemps.

Ça, pour une belle fête, ça a été une belle fête! Même mes fantômes sont venus.

Monseigneur Fournier, l'archevêque de Rimouski, s'est déplacé exprès pour dire la messe. Après l'office, il est venu me souhaiter bonne fête. Il m'a donné un bec sur le front en disant qu'il avait la permission d'embrasser toutes les femmes qu'avaient cent ans. J'y ai fait un clin d'œil avant qu'il parte.

La fête « profane », comme ils appellent ça, c'était plus pour les enfants que pour moi, je pense. Mais ça leur faisait tellement plaisir!

— Un cadran lumineux, mémère. Avec des gros chiffres.

— Une couverture électrique, sa mère. Carmelle dit que vous avez tout le temps froid.

— Une veilleuse. Pour quand vous vous réveillez la nuit.

— Sa mère, vous avez reçu un message du premier ministre. Voulez-vous que je vous le lise?

— Hein? Un télégramme de Maurice Duplessis?

— Ben non, voyons, sa mère. Vous êtes perdue dans le temps, là. Ça fait longtemps que Duplessis est mort. C'est une lettre de Québec. Signée Jean Charest.

— Je le connais pas. Oh, je suis pas folle, je sais ben que c'est notre premier ministre, mais on s'est jamais parlé, lui pis moi. Pour quoi c'est faire qu'il m'envoie un télégramme?

— Je sais pas. Ça doit être l'usage quand quelqu'un a cent ans.

— Arrête donc de m'étriver!

— Bon, bon, fâchez-vous pas! Quand on a décidé de vous fêter, j'ai parlé à Irvin Pelletier.

— Le député?

— En plein ça. Je suppose que c'est lui qui en a touché un mot à Québec.

— Bon, ben coudonc, si c'est comme ça!

— C'est pas toute. Vous avez reçu un gros bouquet de fleurs. Attendez que je lise la carte...

— Un télégramme, des fleurs? Ça doit être ma fête, je crairais ben.

— En plein ça! Les enfants ont préparé des petits cadeaux.

— Encore des cadeaux? Moi, toute ce que je voulais, c'était retourner à l'Isle-aux-Brumes, juste pour voir si ça avait changé. Ça serait ça, mon cadeau. Mon vrai. Je sais, y a en qui vont dire que je suis une vieille folle. Ben laissez-les parler, ceusses-là.

— Sur le fleuve? Vous y pensez pas? Avec votre cœur fragile, vous faire brasser sur le traversier! Des plans pour attraper votre coup de mort! Non, m'man, demandez-moi n'importe quoi, mais pas ça.

— J'ai beau être vieille, j'ai ben le droit de revoir mon coin de pays!

— Pour quoi faire? Y a plus personne de votre famille qui reste là, astheure, vous savez. Et pis vous verrez rien, vos yeux sont plus assez bons, sa mère.

C'est vrai que je vois plus ben clair. Mais ça fait rien, je peux sentir le sel, entendre chanter le fleuve avec les bateaux qui glissent dessus, sentir les vagues me barcer. Même les yeux farmés, je sens toute ça.

Les enfants comprennent pas ça, eux autres. Ils savent pas comment c'était avant, sont trop jeunes pour comprendre que quand on est proche de partir, l'air du large nous donne la paix. Toute ma vie, les cent ans au grand complet, je les ai passés au bord de l'eau, à sentir le sel, à entendre la ritournelle du vent, des vagues. Je suis une fille du fleuve, moi.

Finis coronat opus

Dans la cuisine d'été de la maison paternelle, les descendants de Rose-Délima sont réunis autour d'une longue table décorée de fleurs blanches. Le repas de fête est accompagné de musique ; une valse d'autrefois laisse filtrer ses notes langoureuses par les hautparleurs.

L'ancien et le moderne se mêlent dans le corps et dans la tête de la vieille femme qui dodeline. Illusion, ce pied chaussé d'une pantoufle noire et qui semble bouger au rythme de la musique ? Peut-être aussi est-ce un regain, une remontée, un souvenir de l'énergie qui a si longtemps habité cette femme et qui, encore aujourd'hui, a de brefs sursauts.

Rose-Délima a avalé un peu de potage, et voilà que maintenant, ses yeux se ferment malgré elle. Ses brus poussent le fauteuil roulant dans le solarium, bloquent les roues et recouvrent le corps fripé d'une douce couverture.

— Comme ça, vous aurez pas froid. On va vous laisser tranquille, la belle-mère.

Déjà, la centenaire se laisse charmer par les notes du fleuve qui joue, pour elle seule, un air d'un autre temps. Bien calée au fond de son siège, elle incline la tête et ferme les yeux. Un doigt sur les lèvres, son fils Bernard fait signe aux autres : «Chut ! Laissons-la se reposer.»

Chacun rentre, laissant la jubilée refaire un peu ses forces en écoutant le chant des eaux. Des réminiscences, des bribes de souvenirs flottent, enluminés par les paillettes qui affleurent la crête des vagues. Dans la semi-pénombre, elle garde les yeux fermés. Fragile comme de la porcelaine, son sommeil est entrecoupé de morceaux de souvenance et troublé par des résurgences.

Les visites de spectres lui sont familières. Elle les accueille sans crainte ni joie, comme des rencontres qui ne peuvent être évitées. Il en faut si peu pour que se réveille la mémoire du temps. Le passé l'accompagne quotidiennement; lorsqu'elle est éveillée, il flotte à la surface, déguisé en visages d'enfants. Cependant qu'elle ferme les yeux, il s'insère et navigue dans ses rêves.

De légères silhouettes transparentes sont là, nombreuses à veiller sur le sommeil de Rose-Délima tandis que le vent soulève le corps usé et transporte la vieille dame plusieurs années en arrière…

Le temps qui passe, Rose-Délima l'a vu, survolant sa vie, dérobant de larges morceaux de ses amours. Elle a connu tant le voleur que le messager de joies, grandes ou petites.

Les enfants de ses enfants ont fait des descendants. Du bonheur qui sentait le talc, la bouillie, les rires heureux, les becs mouillés. Quinze arrière-petits-enfants sont venus lui parler d'amour.

Aujourd'hui, tout son monde est là, autour d'elle. Tous? Pas tout à fait. Il y en a qui sont repartis, qui ont rejoint le monde intemporel. Ils lui parlent à l'oreille, l'invitent à se joindre à eux.

Ils sont plusieurs à peupler l'éther, à se pencher sur celle qui, très bientôt, entreprendra à son tour le voyage : sa mère, ses sœurs, ses fils. Une absence notable, celle de Pierre-Paul. Rose-Délima lui interdit d'approcher. Ses cent ans n'oublient pas, ne pardonnent pas à celui qui lui a fait du mal, alors qu'elle accepte le fantôme de son amie.

— C'est toi qu'est là, Gemma ? T'es pus fâchée après moi ? Si j'avais pu te parler, au moins, avant que tu t'en ailles. Si seulement j'avais pu te dire comment je regrettais ce qui nous a séparées. Tu m'entends, Gemma? T'es là, avec les autres?

Les brumes de l'Ile répondent à l'appel de Rose-Délima en se dissipant pour faire place à l'ombre de Gemma. En retrait, Pierre-Paul se profile à son tour. Rose-Délima veut repousser cette présence, mais n'y parvient pas. Tout comme Gemma avait tenté en vain de le faire en cette soirée fatidique où Pierre-Paul avait pénétré chez elle alors qu'elle dormait.

Des mains de femme, de faibles mains qui protestent contre un envahissement intime, brutal, criminel. Dans l'esprit de l'homme, une pensée, un défi, troue le brouillard éthylique: son ennemi a osé mettre sa virilité en doute; il lui prouvera qu'il peut. Mieux encore, il établira cette preuve en s'appropriant un droit qui n'est pas le sien.

Les yeux de Rose-Délima, ces yeux qui ne voient presque plus, pleurent.

Et les fantômes s'éloignent. Pierre-Paul part comme le voleur qu'il est. Plus lentement, Gemma fond, évanescente. Elle est suivie du spectre d'un grand chien noir.

Sur la pointe des pieds, Bernard s'approche de sa mère. Il constate qu'elle a les yeux ouverts et, un peu inquiet, il demande:

— Vous êtes donc ben blême, sa mère. Avez-vous vu un revenant?

Elle répond:

— À mon âge, mon gars, des revenants y en a partout.

Table des matières

Remerciements

À François Bélisle, dont la formation de journaliste m'a
été particulièrement utile ; à Gisèle Jacob, qui a eu la patience
de me lire et de me faire part de ses commentaires ; à Rose
Gamache-Saint-Pierre, qui à 98 ans, a bien voulu partager
quelques-uns de ses souvenirs avec moi.

J'aimerais souligner tout particulièrement la collaboration
de ma fille, Annie Bourret, linguiste spécialiste du français et
traductrice agréée, pour ses suggestions et commentaires très
pertinents.

GARANT DES FORÊTS
INTACTES

Achevé d'imprimer en octobre 2009
sur les presses de Transcontinental-Gagné,
Louiseville, Québec.